KT-371-421

Lauren Child, geboren 1967, wuchs in Wiltshire auf, einer Grafschaft im Süden Englands. Sie studierte an der City and Guilds Art School in London. Danach hatte sie verschiedene Jobs, bis sie 1999 ihr erstes Kinderbuch veröffentlichte. Heute ist Lauren Child eine der bekanntesten Kinderbuchautorinnen und -illustratorinnen Englands.

Alle Abenteuer von Ruby Redfort bei FISCHER:

Ruby Redfort – Gefährlicher als Gold (Bd. 1)

Ruby Redfort – Kälter als das Meer (Bd. 2)

Ruby Redfort – Schneller als Feuer (Bd. 3)

Ruby Redfort – Dunkler als die Nacht (Bd. 4)

Ruby Redfort – Giftiger als Schlangen (Bd. 5)

Ruby Redfort – Tödlicher als Verrat (Bd. 6)

Weitere Informationen zum Kinder- und Jugendbuchprogramm der S. Fischer Verlage finden sich auf www.fischerverlage.de

Lauren Child

Ruby Redfort

Gefährlicher als Gold

Aus dem Englischen
von Anne Braun

FISCHER Taschenbuch

Zu ›Ruby Redfort – Gefährlicher als Gold‹
ist im Argon Verlag ein Hörbuch erschienen
und im Handel erhältlich.

5. Auflage: Dezember 2019

Erschienen bei FISCHER Kinder- und Jugendtaschenbuch
Frankfurt am Main, Juli 2015

Die englische Originalausgabe erschien 2011 unter dem Titel
›Ruby Redfort – Look into my eyes‹ im
Verlag HarperCollins Children's Books, London

Satz: Pinkuin Satz und Datentechnik, Berlin
Druck und Bindung: CPI books GmbH, Leck
Printed in Germany
ISBN 978-3-596-81172-4

Für AD

»Wenn die Augen wirklich das Fenster zur Seele sind, täten manche Leute gut daran, Jalousien einzubauen.«

Anya Pamplemous,
in ihrem Buch ›Die Rätseln zugrundeliegende Logik‹

Ein Mädchen namens Ruby …

An einem kühlen Tag im Oktober saß ein zweijähriges Mädchen in ihrem Kinderhochstuhl am Panoramafenster eines hypermodernen Hauses in einer Straße namens Cedarwood Drive. Die Kleine sah die Blätter fallen und beobachtete ganz genau, wie sie beim Fallen durch die Luft wirbelten. Ihre Augen folgten ihnen, bis ihr Blick an einem einzelnen gelben Blatt hängen blieb, das fast genau die Umrisse einer Hand hatte. Sie sah, wie es zuerst nach unten in den Vorgarten fiel, von einem Windstoß aber wieder hochgehoben und über den Zaun auf die Straße geweht wurde. Dort wurde das Blatt mehrfach aufgewirbelt und fiel wieder herunter, bis es schließlich an der Windschutzscheibe eines heranfahrenden Lastwagens kleben blieb.

Vor dem Haus mit dem grauen Schindeldach des alten Mr Pinkerton hielt der Lastwagen an. Der Fahrer stieg aus, ging über den Gartenweg und klopfte an die Haustür. Mr Pinkerton trat auf die Veranda, der Fahrer zeigte ihm eine Straßenkarte – und die beiden Männer kamen miteinander ins Gespräch.

Genau eine Minute später bog eine elegant gekleidete Dame mit einem großen grünen Picknickkorb um die Ecke. Der Fahrer nickte ihr aus der Ferne fast unmerklich zu; die Frau schlüpfte aus ihren hochhackigen Schuhen, legte sie in den Korb und kletterte leichtfüßig über Mr Pinkertons Zaun. Mr Pinkerton war so in die Betrachtung der Straßenkarte vertieft, dass er nichts bemerkte – während das Kind am Fenster alles genau sah. Nach nur fünfundvierzig Sekunden tauchte die Frau wieder auf, noch immer mit ihrem Picknickkorb, der nun aber schwerer aussah als vorhin und dessen Inhalt sich auch irgendwie zu bewegen schien.

Die Kleine versuchte, ihre Eltern darauf aufmerksam zu machen, doch da ihre sprachlichen Fähigkeiten noch recht begrenzt waren, konnte sie ihnen nicht begreiflich machen, worum es ging. Die Frau zog wieder ihre schwarzen Schuhe an, trippelte zur Rückwand des Lastwagens und verschwand aus dem Blickfeld des Kindes. Mr Pinkerton unterhielt sich immer noch mit dem Fahrer. Das Kind hüpfte auf und ab und zeigte zum Fenster. Die Eltern glaubten, ihre Tochter hätte Lust auf einen Spaziergang, und gingen ihre Mäntel holen.

Die Kleine zeichnete mit Kreide einen Laster auf ihre Tafel.

Der Vater strich ihr lobend über den Kopf.

Währenddessen faltete der Fahrer seine Straßenkarte zusammen, bedankte sich bei Mr Pinkerton, kletterte wieder

in sein Führerhaus – und winkte ihm beim Davonfahren noch zu. Das Blatt, das wie eine gelbe Hand aussah, fiel auf den Asphalt. Die Frau, inzwischen ohne ihren Picknickkorb, ging weiter ihres Weges. Auf ihrer linken Wange war ein frischer, hellroter Kratzer zu sehen.
Die Kleine nahm ihre Buchstabenklötzchen und bildete das Kennzeichen des Lasters nach.
Die Mutter räumte sie weg und zog ihrer Tochter eine rote Pudelmütze und dazu passende Fausthandschühchen an.
Die Familie verließ das Haus und spazierte den Cedarwood Drive hinunter. Vor dem Haus mit dem grauen Schindeldach bückte sich das kleine Mädchen, um das gelbe Blatt aufzuheben, und darunter entdeckte sie einen kleinen Button aus Blech, in den etwas eingeprägt war. Was war denn das?
Ein plötzlicher Schrei zerschnitt die Stille im Cedarwood Drive. Ein Schrei, der sich direkt ins Herz der Kleinen bohrte. Sie umklammerte den Button so fest, dass die Anstecknadel in ihre Handfläche stach. Die Nachbarn kamen aus ihren Häusern gerannt und scharten sich um den immer so freundlichen Mr Pinkerton, der vor Schmerz halb wahnsinnig war. Trotz aller Bemühungen der Twinforder Kriminalpolizei – deren Suche insgesamt sechzehn Wochen andauerte – wurde Mr Pinkertons heiß geliebtes Hündchen, ein Pekinese, der schon viele Preise gewonnen hatte, nie mehr gesehen.

Genau an diesem Oktobertag beschloss das Mädchen, das Kleinkindgeplapper aufzugeben und an ihren sprachlichen Fähigkeiten zu arbeiten. Mehr noch: Genau an diesem Tag beschloss sie, später mal Detektivin zu werden. Dieses kleine Mädchen hieß Ruby Redfort.

Ein gewöhnliches Kind

Als Ruby Redfort sieben Jahre alt war, gewann sie die *Junior-Codeknacker-Meisterschaften* – da sie gerade mal siebzehn Tage und siebenundvierzig Minuten gebraucht hatte, um das berühmte Eisenhauser-Rätsel zu lösen. Im Jahr darauf nahm sie am *Junior-Code-Erfinder-Wettbewerb* teil und verblüffte die Schiedsrichter mit einem Rätsel, das diese nicht zu lösen vermochten. Schließlich wurde es an Professoren der Harvard University geschickt, die es nach zweiwöchigen Bemühungen endlich herausbekamen. Sie boten ihr sofort einen Studienplatz ab dem nächsten Semester an, doch Ruby lehnte dankend ab. Sie hatte keine Lust, eine *durchgeknallte Fachidiotin* zu werden, wie sie sagte.

Etliche Jahre später …

1. Kapitel

Man weiß nie ganz genau, was als Nächstes passiert

Ruby Redfort saß auf einem Hocker am Badezimmerfenster und starrte nun schon seit geschlagenen einundzwanzig Minuten durch ihr Fernglas auf den Lieferwagen einer Bäckerei. Bis jetzt war keiner auch nur mit einem Heidelbeermuffin ausgestiegen. Ruby trank den letzten Schluck ihrer Bananenmilch und schrieb etwas in das kleine gelbe Heft auf ihrem Schoß. Sie besaß inzwischen 622 dieser gelben Notizhefte, die mit einer einzigen Ausnahme allesamt unter den Holzdielen in ihrem Zimmer versteckt waren. Obwohl sie schon vor neun Jahren mit diesem Hobby angefangen hatte, durfte bis heute niemand, nicht mal ihr bester Freund Clancy, auch nur ein einziges Wort davon lesen. Viel von dem, was Ruby beobachtet hatte, wirkte auf den ersten Blick eher banal, aber AUCH HINTER ETWAS BANALEM KANN SICH EIN GEHEIMNIS VERBERGEN (REGEL 16).

Ruby besaß außerdem noch ein pinkfarbenes Notizheft, das Eselsohren hatte und nach Kaugummi roch, und darin listete sie ihre Ruby-Regeln auf, bisher insgesamt genau neunundsiebzig.

REGEL 1: MAN WEISS NIE GANZ GENAU, WAS ALS NÄCHSTES PASSIERT. An diesem Satz war echt was dran. Ruby war ein zierliches Mädchen, eher klein für ihre dreizehn Jahre – und auf den ersten Blick ganz normal. An ihr war nichts Auffälliges – solange man nicht genau hinsah. Dann erst bemerkte man, dass ihre grünen Augen nicht genau dieselbe Farbe hatten. Und wenn diese Augen einen anschauten, erinnerte man sich manchmal kaum daran, was man gerade gesagt hatte. Und wenn Ruby lächelte, sah man ihre kleinen Zähne, die fast wie die einer Puppe aussahen und es einem unmöglich machten, sie *nicht* total süß zu finden. Doch das Besondere an Ruby Redfort war, dass man sich sofort wünschte, dass sie einen mochte, wenn man sie zum ersten Mal traf.

Das Badezimmertelefon läutete; gelangweilt nahm Ruby ab: »Brandys Perückensalon, heute noch Haare, morgen nicht mehr.«

»Hi, Ruby«, sagte die Stimme am anderen Ende der Leitung; es war Clancy Crew.

»Was gibt's, Clance?«

»Nicht viel, ehrlich gesagt.«

»Wem oder was verdanke ich dann das Vergnügen dieses Anrufs?«

»Langeweile«, gähnte Clancy.

»Dann setz deinen Hintern in Bewegung und komm hierher, Kumpel!«

»Würde ich ja gern, Ruby, aber mein Dad will mich zu Hause haben – er hat mal wieder so einen doofen Botschaftsempfang und will, dass wir alle bei Fuß stehen und dämlich grinsen, du weißt schon.«
Clancy Crews Vater war Botschafter und musste ständig den einen oder anderen Empfang geben. Bei solchen Anlässen legte Botschafter Crew größten Wert darauf, dass seine Kinder geschniegelt herumliefen und den Gästen Cocktailhappen servierten, um allen zu beweisen, was für ein toller Vater er war – obwohl er in Wirklichkeit immer so viel um die Ohren hatte, dass er sich nicht mal an die Geburtstage seiner Kinder erinnerte.
»Einige Leute haben den ganzen Spaß«, sagte Ruby gedehnt.
»Stimmt, mein Leben ist zum Kotzen«, meinte Clancy.
»Wie wär's, wenn du trotzdem vorher noch auf einen Sprung vorbeikommst? Tut dir bestimmt gut. Wir schauen uns einen oder zwei Zeichentrickfilme an. Danach düst du schnell wieder nach Hause und lächelst brav in die Kameras.«
»Na schön, Ruby, überredet. Bin in zehn Minuten bei dir.«
Ruby legte das Telefon auf. Es *wohnte* quasi mit zwei anderen Telefonen im Regal: eines hatte die Form einer Muschel, das andere war als Seife getarnt. Ruby hatte aber noch weitere Telefone. Sie sammelte Telefone, seit sie ungefähr fünf war, in den unterschiedlichsten Formen und

Farben. Das Donut-Telefon war ihr erstes gewesen – ihre neueste Erwerbung war ein Eichhörnchen, das einen Smoking trug. Sie stammten fast alle von Flohmärkten.

Ruby wollte gerade auf ihren Beobachtungsposten am Badezimmerfenster zurückkehren, als die Haussprechanlage summte – Rubys Eltern hatten vernünftigerweise in jedem Stockwerk eine installieren lassen, damit niemand im Haus herumschreien musste.

Sie drückte auf den *Sprechen*-Knopf.

»Ja bitte? Womit kann ich dienen?«

»Hallöchen«, sagte eine Stimme am anderen Ende der Sprechanlage. »Hier spricht Mrs Digby, die Haushälterin. Darf ich dich daran erinnern, dass deine Eltern in genau zweieinviertel Stunden von ihrem Urlaub in der Schweiz zurückkehren?«

»Ich weiß, Mrs Digby, das haben Sie mir vor einer halben Stunde schon erzählt.«

»Freut mich, dass du es noch weißt. Dürfte ich auch darauf hinweisen, dass sie vermutlich etwas ungehalten sein könnten, wenn sie sehen, in welchem Zustand dein Zimmer ist?«

»Das ist nun mal mein Stil, Mrs Digby – der *Mehr-Lagen-Look* ist absolut in.«

»Darf ich des Weiteren daran erinnern, dass morgen irgendwelche Zeitschriftenleute kommen, um dieses Haus zu fotografieren, und wenn deine Mutter dein Zimmer in diesem *Mehr-Lagen-Look* sieht, kommst du vermutlich in das, was man gemeinhin ›Teufels Küche‹ nennt.«

»Okay, okay«, seufzte Ruby. »Ich mach mich gleich ans Werk.«

Das Haus der Redforts, wegen seiner ökologischen Bauweise auch das Green-Wood-Haus genannt, war im Jahre 1961 von dem berühmten Architekten Arno Fredrickson entworfen worden. Selbst jetzt noch, ein gutes Jahrzehnt später, galt es als avantgardistisch und wurde regelmäßig für alle möglichen Zeitschriften für Architektur und Inneneinrichtung fotografiert.

Ruby kehrte ins Badezimmer zurück, setzte sich wieder auf ihren Hocker und starrte aus dem Fenster; der Lastwagen war noch da, aber inzwischen saß ein Waschbär auf dem Dach. Die Badezimmertür wurde aufgestoßen, und ein großer Husky kam hereingetrottet. Er schnüffelte kurz überall herum und ließ sich dann nieder, um an dem Badvorleger herumzukauen.

»Dir ist langweilig, hm?«, sagte Ruby und rutschte von ihrem Hocker. Sie ging in ihr Zimmer und inspizierte das Chaos. Es war wirklich kein schöner Anblick. Ruby war aber nicht direkt unordentlich, sondern eher einfach nur eine »Ausbreiterin« – sie hatte nun mal eine Menge Zeug, und wenn sie intensiv an etwas arbeitete, legte sie alles übereinander, was unweigerlich zu mehreren Schichten führte, und das war ein Punkt, der ihrer Mutter gar nicht gefiel.

»Verdammt!«, brummte Ruby vor sich hin. Wenn schon wieder Fotografen und Journalisten kamen, würde ihre Mutter ausflippen, wenn sie das hier zu sehen bekämen. Im Geiste konnte sie ihren Vater schon sagen hören: *Tu etwas, Ruby – schon deiner Mutter zuliebe!* Deshalb begann sie nun, Schallplatten wieder in ihre Hüllen zu schieben und Bücher ins Regal zu stellen. Ruby besaß eine Menge Bücher: Eine komplette Wand ihres Zimmers bestand aus Regalen, die vom Fußboden bis an die Decke reichten, und es gab verschiedene Abteilungen:

ROMANE:
englische und ausländische Titel.

SACHBÜCHER:
über jedes nur erdenkliche Thema.

COMIC-HEFTE UND GRAPHIC NOVELS:
vor allem Krimis.

Ruby und Mrs Digby verband eine große Leidenschaft für Krimis und Thriller: egal, ob erfunden oder wahr, egal, ob in Buchform oder im Fernsehen. Ganz oft machten sie es sich mit einer großen Schüssel Blue-Corn-Chips vor dem Fernseher gemütlich und schauten sich die Quizshow *War Gift im Spiel?* an. Früher, als Ruby noch kleiner gewesen war, hatte Mrs Digby ihr vor dem Einschlafen einen ihrer Lieblingskrimis vorgelesen: *Die Monsterklaue am Fenster*.

RÄTSELBÜCHER:
Rätsel waren Rubys allergrößte Leidenschaft.

Und zwar Rätsel jeder Art: Kreuzworträtsel, Anagramme, normale Rätsel, auch Puzzles – einfach alles, wo es etwas zu knobeln oder zu lösen gab und man das *Muster,* den *Trick* oder den *Schlüssel* finden musste. Dies führte Ruby irgendwann zu …

GEHEIMSCHRIFTEN UND CODES:
Zu diesem Thema hatte Ruby vermutlich schon alles gelesen, was es gab.

Aus diesem Grund hatte sie seit Jahren den *Master Code Monthly* abonniert, eine wenig bekannte chinesische Zeitschrift, die nur im Abo erhältlich war. Abonnent konnte nur werden, wer zuvor sein Talent als Codeknacker unter Beweis gestellt hatte. Und in dieser Monatszeitschrift war Ruby auf Folgendes gestoßen:

☞ Garp Einholts *Die Theorie von Codes, ihre abstrakte Dualität und unterschwellige Botschaften* (ein eher überbewertetes und langweiliges Buch, wie Ruby fand).

☞ Sherman Trees sehr viel interessanteres Werk: *Wie man seine geistigen Kräfte freisetzt.*

☞ Anya Pamplemous, die ihre über einen Zeitraum von dreißig Jahren durchgeführten Studien in dem Buch *Die Rätseln zugrundeliegende Logik* zusammengefasst hat; ebenfalls eines von Rubys Lieblingsbüchern.

Doch Rubys allerliebste Lieblingswerke waren beide schon vor mehreren Jahrhunderten geschrieben worden,
– das eine von einem griechischen Philosophen namens Euklid, mit dem schlichten Titel *X*,
– das andere, ein winziges, indigoblaues Büchlein (ungekannter Herkunft), das alle Arten von Codes enthielt. Darin wurden Rätsel, Verse und Gleichungen – Muster, Symbole und Laute erklärt. Es war die Bibel eines jeden Codeknackers.

Nachdem Ruby die Bücher, Platten und Papiere weggeräumt hatte, machte sie sich an die wesentlich schwierigere Aufgabe, ihre Klamotten zu sortieren, die aus unerfindlichen Gründen alle auf dem Boden herumlagen. Und dabei stieß sie unter einem Stapel Ringelkniestrümpfen auf ihre Brille.
Mann o Mann, bin ich froh, dich zu sehen!, dachte sie erleichtert.

Ruby trug hin und wieder auch Kontaktlinsen, aber nur ungern, da sie die lästige Angewohnheit hatten, immer im haarscharf falschen Moment herauszufallen. Wenn Ruby Redfort einen wunden Punkt hatte, dann waren es ihre Augen; ohne irgendeine Art von Sehhilfe konnte sie ihre Umgebung nur verschwommen sehen.

Wieder summte die Haussprechanlage. »Ja?«

»Was machst du gerade?«

»Ordnung – warum?«

»Wollte nur nachfragen.«

»Mrs Digby, wie kann man nur so misstrauisch sein?«

Nachdem Ruby so viele ihrer Klamotten weggeräumt hatte, wie sie sich zumuten konnte, packte sie den ganzen Rest und stopfte ihn in den Wäscheschlucker – eine Art Rutsche, die unten im Waschraum im Keller endete. Sie steckte gern alles Mögliche in den Wäscheschlucker – einmal war sie sogar selbst hineingehüpft. Das sparte Zeit.

Als Ruby fand, dass sie genug geschuftet hatte, und ihr Finger sich bereits auf den Einschaltknopf des Fernsehers zu bewegte, drangen von unten aus der Küche plötzlich Geräusche herauf. Vor sieben Jahren hatte sie ein umgedrehtes Periskop installiert, damit sie immer sehen konnte, was in der Küche los war. Heute sah sie Mrs Digby ein Backblech mit frischen Plätzchen aus dem Ofen nehmen.

Gute Arbeit, Mrs Digby.

Ruby ließ ihr Notizheft in dem Hohlraum neben dem Türrahmen verschwinden und ging dann nach unten.

REGEL 2: WENN DU ETWAS GEHEIM HALTEN WILLST, LASS ES NICHT HERUMLIEGEN!

2. Kapitel

Auch erfundene Geschichten haben oft einen wahren Kern

Als Ruby die hypermoderne, stylishe Küche betrat, bekam sie prompt ein abscheulich riechendes grünes Gebräu in die Hand gedrückt. Ruby bedachte Mrs Digby, die Überbringerin des widerlichen Gesöffs, mit einem finsteren Blick.

Mrs Digby zuckte die Schultern. »Schau *mich* nicht an! Ich befolge nur die Anweisungen deiner Mutter, die meint, dass du unbedingt noch wachsen müsstest.« Sabina versuchte Ruby ständig mit Sachen zu füttern, die angeblich wachstumsfördernd waren. »Ich persönlich wüsste nicht, was so schlimm daran ist, klein zu sein«, konnte sich Mrs Digby nicht verkneifen hinzuzufügen. »Ich war mein Leben lang klein. Das hat mich nicht daran gehindert, mich durchzusetzen.«

Das traf zu. Mrs Digby war vermutlich einer der kleinsten und resolutesten Menschen auf diesem Planeten. Sie hatte schon lange vor Rubys Geburt im Haus der Redforts gearbeitet, schon als Haushälterin von Rubys Großeltern mütterlicherseits. Ihr Gesicht ähnelte einem Blatt im Herbst – so trocken und runzelig war es. Wenn sie Lippenstift auftrug, sammelte der sich immer in den winzigen Fältchen rund um ihre Lippen. Sie war schon ziemlich alt, aber kein Mensch kannte ihr genaues Alter – wenn sie danach gefragt wurde, antwortete sie normalerweise: »Sechzig, siebzig, achtzig, wer zählt das schon? Ich bestimmt nicht, das steht fest!«

Mrs Digby verwöhnte Ruby zwar so oft wie möglich, aber gegen Mrs Redforts Ernährungsvorschriften verstieß sie nie. Sabina Redfort hatte einen Tick in Sachen gesunde Ernährung, und ihre Familie musste eine Spezialdiät nach der anderen machen, die bei Ruby und ihrem Vater allerdings nie auf große Begeisterung stießen.

Ruby wusste, dass Widerstand zwecklos war. Sie setzte das Glas an die Lippen und sagte: »Mrs Digby, kann ich vielleicht ein klitzekleines Plätzchen haben, damit ich den üblen Geschmack im Mund danach wieder loswerde?«

Mrs Digby musste nur ganz kurz überlegen. »Nun, deine Mutter hat nicht gesagt, dass du keine Plätzchen essen darfst – folglich dürfte es in Ordnung sein.« Sie drehte sich für eine, maximal zwei Sekunden um, und *schwupp* hatte Ruby den widerlich gesunden Multivitamintrunk in den Abfluss gekippt, aber natürlich erst, nachdem sie ihre Oberlippe in die widerlich grüne Flüssigkeit getunkt hatte.

»Igitt!«, stöhnte sie.

»Mein armes Kind«, sagte die Haushälterin und wischte Ruby den Mund ab, wie früher, als Ruby noch ganz klein

gewesen war. Mrs Digby betrachtete Rubys T-Shirt mit dem Aufdruck MANCHE TAGE SIND ZUM KOTZEN und brummte: »Tja, wer kann dem widersprechen?«
Sie stutzte.
»Na ja, deine Mutter vielleicht schon. Wenn ich du wäre, würde ich allem Ärger aus dem Weg gehen und mir etwas anderes anziehen, du weißt schon, etwas mit Rüschen oder so.«
Ruby verzog das Gesicht. *Rüschen* hatte sie weder in ihrem Wortschatz noch in ihrer Garderobe. Sie trug am liebsten Jeans, Sneakers und T-Shirts mit frechen Sprüchen wie BLÖDMANN oder ZU TODE GELANGWEILT oder mit einer interessanten Zahl wie 1729. Doch sie wusste, was Mrs Digby meinte, und auch, dass daran vermutlich etwas dran war.
In diesem Moment ging die Hintertür auf, und eine junge Frau tänzelte in die Küche, gefolgt von drei großen Kisten Tomaten, unter denen zwei dürre Beine herausragten.
»Hóla, Ruby, wie geht's?«, fragte die junge Frau mit den Glutaugen.
»Bien, gracias, Consuela!«, antwortete Ruby. »Hey, bist du das da drunter, Clance?«
»Glaub schon«, brummte Clancy und stellte die Kisten unter großen Mühen auf den Küchentresen. Er verdrehte die Augen. »Ich geh nur noch schnell die anderen holen.«
Clancy war ein gutmütiger Kerl. Eigentlich mochte er die

meisten Leute, doch Consuela gehörte nicht dazu. Sie war ihm zu dominant. Mrs Digby war übrigens auch kein Fan von ihr.

Die Probleme hatten damit angefangen, dass Sabina Redfort von einem Tag auf den anderen beschlossen hatte, Mrs Digbys Essen sei zu fettreich und schwer verdaulich, und verkündete, sie müssten sich mehr auf der Basis von Olivenöl und Tomaten ernähren. Und flugs stellte sie die Diätköchin Consuela Cruz ein. Consuela war den weiten Weg von der spanischen Stadt Sevilla hierher geflogen, zusammen mit vielen Koffern und unzähligen Kochutensilien, und obwohl ihr Gehalt einem die Tränen in die Augen trieb, war Mrs Redfort der Meinung, sie sei jeden Cent wert.

Die neue Kost mochte zwar gesund für Herz und Kreislauf sein, stieß aber nicht auf große Begeisterung. Besonders bei Mrs Digby, die nun nur missbilligend brummte, woraufhin Consuela mit der Zunge schnalzte, und dann verließen die beiden Frauen die Küche durch eine jeweils andere Tür. Sobald Ruby allein war, häufte sie ein paar Plätzchen auf einen Teller (zehn, um genau zu sein) und fabrizierte zwei wesentlich wohlschmeckendere Drinks (Bananenmilch mit jeweils einer Kugel Erdbeereis). Die fertige Bananenmilch war aus Europa importiert, denn trotz aller Bemühungen war es Brant Redfort nicht gelungen, in den USA welche aufzutreiben.

Ruby steckte einen Strohhalm in jedes Glas, stellte die Glä-

ser mit dem Plätzchenteller und einem Apfel auf ein Tablett und verließ die Küche – unterwegs saugte sie schon an einem der Strohhalme. Sie wollte gerade die Treppe hinaufgehen, als sie sah, dass das kleine rote Lämpchen am Anrufbeantworter blinkte, weil eine Nachricht eingegangen war. Neugierig drückte sie auf den Abhörknopf.
»Hey, ihr Redforts! Hier sind die Humberts – Freddie und ich haben uns gerade gedacht, wie nett es wäre, wenn ihr auf einen Sprung vorbeikämt – und Quent würde sich schrecklich freuen, die liebe Ruby zu sehen! Ruft doch bitte zurück, okay? Bye bye!«
Es war die Stimme von Marjorie Humbert, einer Freundin der Familie und Gattin von Freddie Humbert, dem Direktor der Twinford City Bank, und zudem die Mutter von Quent, dem mit Abstand langweiligsten Jungen der ganzen Stadt. Ruby drückte kurz entschlossen auf *LÖSCHEN* und setzte ihren Weg fort. Der große Husky folgte ihr.
»Na, Floh«, sagte Ruby. »Lust mit uns fernzusehen?«
Als Ruby ihr Zimmer betrat, fiel ihr Blick auf den Spiegel. Mrs Digby hatte recht: Wenn sie keinen Ärger bekommen wollte, sollte sie sich besser umziehen. Am besten ein Kleid. Sie wühlte in ihrem Schrank, bis sie auf eine interessante rot-weiße Kreation stieß, die sie in einem Secondhandladen erstanden hatte – wenn Ruby mal etwas anderes trug als Jeans und T-Shirts, dann war es normalerweise aus zweiter Hand. Sie war eines dieser Mädchen, von de-

nen die Leute sagen, sie hätten »ihren eigenen Stil«, was manchmal als Kompliment gemeint war und manchmal nicht. Der Saum des Kleides war an einer Stelle mit einem Klebestreifen nach innen geklebt, aber das sah man nur, wenn man ganz genau hinschaute.

Ruby zog noch schwarze Söckchen über die Kniestrümpfe und schlüpfte dann in ihre Yellow-Stripe-Sneakers. Das Kleid roch etwas muffig, da es wohl zu lange in dem Secondhandladen gehangen hatte, und deshalb besprühte sich Ruby ausgiebig mit Parfüm. (*Oriental Rose*: Sie besaß eine ansehnliche Kollektion von Düften in wunderschönen Flakons, und ihre Düfte ergaben, zusammen mit dem Geruch der Kaugummis, die sie so gern kaute, den einzigartigen Ruby-Redfort-Duft.)

Clancy war noch nicht wieder aufgetaucht, und Ruby trug das Tablett mit den Snacks die offene Holztreppe hinauf, die ihr Zimmer mit der Dachterrasse verband. Sie saß an warmen Abenden gern hier oben und betrachtete die Sterne, machte sich Notizen, las ein Buch oder nahm manchmal ihren tragbaren kleinen Fernseher mit hinauf. Sie machte es sich auf dem Sitzsack gemütlich, in der einen Hand ein Plätzchen, in der anderen den großen grünen Apfel. Ruby war nämlich der festen Überzeugung, dass Äpfel, die ja bekanntlich so gesund sind, die Wirkung von ungesunden Dingen wie Plätzchen wieder aufheben. (Ruby Redfort hatte eine Menge Theorien dieser Art.)

Sie blickte auf, als Clancys Kopf durch die Luke kam. Clancy war ebenfalls recht klein für sein Alter und ziemlich mager – nicht unbedingt ein Mädchenschwarm, aber dafür konnte man sich wunderbar mit ihm unterhalten, wenn man sich die Mühe machte, mit ihm ins Gespräch zu kommen – was viele aber gar nicht erst versuchten.
»Junge, Junge! Ich musste mich heimlich verdrücken, andernfalls hätte sie mich für den Rest meines Lebens Tomaten schälen lassen – würde mich ja nicht weiter stören, aber leider bekomme ich davon immer eine Allergie.«
Er setzte sich zu Ruby, die sich eifrig durch die Fernsehkanäle klickte. Ruby war ein großer Fernsehfan – sie sah viel fern. Sie liebte Sitcoms, Familienserien, Nachrichten, Quizsendungen, Dokumentarfilme, doch ihre größte Leidenschaft waren Krimis und Spionagefilme, besonders *Crazy Cops*. *Crazy Cops* war eine Polizeiserie, nach der Ruby und Clancy fast süchtig waren – sie war nicht nur total spannend, sondern man konnte gleichzeitig auch eine Menge lernen. Durch *Crazy Cops* hatten sie eine Menge Insiderwissen über polizeiliche Ermittlungsarbeit und über menschliche Verhaltensweisen mitbekommen. »Auch erfundene Geschichten haben oft einen wahren Kern«, rief Ruby ihren Eltern gern in Erinnerung, wenn die wieder mal sagten, sie würde zu viel fernsehen. Der späte Sonntagnachmittag war jedoch Zeichentrick-Zeit, und sie waren gerade am Anfang der vierten Folge von *Crime Girl in*

the Crime World, als Ruby den Wagen ihrer Eltern in der Auffahrt hörte.

Clancy warf einen Blick auf seine Uhr und stöhnte. »Ich fürchte, ich muss los, mein Dad findet es gar nicht lustig, wenn ich zu spät komme.«

»Pech für dich, Clancy, aber hey – immer schön lächeln!«

»Klar doch, du bist mir eine tolle Freundin. Ich ruf dich später an, okay?«

Er kletterte vom Dach aus auf den Ast des großen Baumes, der praktischerweise direkt neben dem Haus wuchs – und von dort aus kletterte er wieselflink in den Garten hinunter. Ruby nahm den herkömmlichen Weg nach unten, nämlich die Treppe.

Als sie sah, dass sie vergessen hatte, den Berg von Schuhen mitten im Zimmer wegzuräumen, holte sie den Sitzsack und stellte ihn darüber. Super – die Fotografen konnten kommen! Sie warf einen letzten Blick in den Spiegel, rückte die Haarspange zurecht, mit der sie immer ihre seitlich gescheitelten, langen dunklen Haare zurücksteckte, damit sie ordentlich aussah.

Zufrieden hüpfte Ruby dann nach unten, um ihre Eltern zu begrüßen, und Floh tapste lautlos hinter ihr her.

3. Kapitel

›Klang nach Dessert‹

»Hallo, Schatz! Na, wie geht es meinem Mädchen!?«, rief ihr Vater, warf Ruby über seine Schulter und zerzauste ihr die Haare. Es war ihr übliches Willkommensritual, aus dem Brant Redfort nie herausgewachsen war.

»Hey, Dad, reg dich wieder ab, du zerzaust mich ja ganz!«, sagte Ruby mit leicht gedämpfter Stimme.

»O Brant!«, rief Sabina Redfort und tat empört. »Für einen intelligenten Mann benimmst du dich manchmal ziemlich albern.« Niemand außer Sabina wäre jemals auf die Idee gekommen, Brant Redfort als intelligent zu bezeichnen. Ruby hatte Eltern, die Einstein wahrlich keine Konkurrenz machten.

Aber davon abgesehen, hatte es das Leben mit Brant und Sabina sehr gut gemeint. Beide besaßen einen natürlichen Charme, waren allgemein beliebt, sahen gut aus und waren sehr gutherzig. Das klingt jetzt vielleicht wie im Märchen, aber dafür waren sie nun mal nicht die Hellsten. Doch da es in der ganzen Stadt kein Ehepaar gab, das beliebter gewesen wäre, leiteten sie so gut wie jedes Komitee und jede Wohltätigkeitsveranstaltung in Twinford – sie gehörten zu den besseren Kreisen und waren Personen des öffentlichen Lebens.

Die Familie Redfort ging nach oben ins Wohnzimmer und machte es sich auf einem der großen weißen Sofas gemütlich.

»Und wie war's in der Schweiz?«, erkundigte sich Ruby.

»Oh, wunderbar, einfach wunderbar! Wir wären sicher noch länger geblieben, wenn wir wegen des Museumsevents nicht hätten zurückkommen müssen«, sagte Sabina wehmütig.

»Echt? Was für ein Museumsevent?«, fragte Ruby mit großen Augen.

»Ruby, die Sache mit dem Jadebuddha von Khotan hast du doch bestimmt nicht vergessen!«, rief ihre Mutter ungläubig.

»Sabina, Schatz, sie nimmt dich doch nur auf den Arm!«, warf Brant ein und verdrehte die Augen. »Du redest seit zwei Monaten von nichts anderem mehr!«

»Ach, wie lustig!« Sabina lachte und kniff Ruby spielerisch in die Wange.

Rubys Eltern waren beide ganz aus dem Häuschen, weil der Jadebuddha nach Twinford kommen würde. Dieser war im achten Jahrhundert aus dem alten Königreich Khotan gestohlen worden und hatte über ein Jahrtausend lang als verschollen gegolten. Vor kurzem aber war der Buddha in einer riesigen Eisscholle irgendwo nördlich von Alaska wiederentdeckt worden. Der Archäologe, der das Artefakt aus dem Gletscher geschält hatte, war kein Geringerer als der Direktor des Städtischen Museums von Twinford, Dr. Enrico Gonzales. In Anerkennung seiner gewaltigen und heldenhaften Entdeckung hatte ihm das Volk von Khotan erlaubt, den Buddha für eine bestimmte Zeit in seinem Museum auszustellen, bevor er seine weite Heimreise antreten würde. Und wie nicht anders zu erwarten, gehörten Brant und Sabina natürlich zu dem Komitee, das die Empfangsparty für den Buddha organisierte.

»Eines muss man euch lassen«, sagte Ruby und blickte sich suchend nach Koffern um. »Ihr zwei reist wirklich mit leichtem Gepäck.«

»O ja«, sagte ihre Mutter. »Die Airline hat es geschafft, unser ganzes Gepäck zu verschlampen – ist es zu fassen?«

»Dann sind vermutlich auch all eure Urlaubsfotos verloren gegangen?«, fragte Ruby hoffnungsvoll. Aus ihren diversen Urlaubsorten brachten ihre Eltern immer Unmengen von Fotos mit, mit denen sie anschließend Diashows machten, die Ruby sich natürlich alle anschauen musste. Ein Wunder, dass sie dabei nicht schon vor Langeweile gestorben war. Es wäre zu schön, wenn ihr das diesmal erspart bliebe!

»Nein«, sagte dann aber leider ihr Vater, »zum Glück hatte ich alle Filme in meinem Handgepäck – ich kann es kaum erwarten, bis sie entwickelt sind! Du wirst sehen, dass mir wieder mal herrliche Aufnahmen gelungen sind.« Das hielt Ruby für äußerst unwahrscheinlich; ihr Vater war ein miserabler Fotograf.

Mrs Digby begrüßte das Ehepaar Redfort wie immer sehr überschwänglich – »Wie schön, Sie wiederzusehen! Sie waren viel zu lange weg!«, kommentierte sie aufgeregt. »Oje, ich glaube, Sie haben abgenommen, Mrs R, ich muss zusehen, dass Sie wieder zu Kräften kommen!« –, und dann war es Zeit zum Abendessen, und die Familie Redfort setzte sich an den gedeckten Tisch. Mrs Digby hatte sich große Mühe gegeben, den Tisch so schön wie möglich zu decken, und genau in der Mitte stand ein Blumenarrangement, so riesig, dass man weder darüber hinweg noch an ihm vorbei sehen konnte.

Während des Abendessens schwärmten Rubys Eltern in den höchsten Tönen von ihrem wunderbaren Hotel, den köstlich panierten Schnitzeln und den majestätischen Alpen.

Die Unterhaltung verlief ungefähr so:

SABINA: »Mit Abstand die leckersten Schnitzel, die ich je gegessen habe!«

BRANT: »Und erst die Alpen! So was von hoch!«

Das ging so lange, bis Ruby sich wünschte, sie würden lieber wieder über den Jadebuddha reden. Was tatsächlich nicht lange auf sich warten ließ.

SABINA: Apropos Schweiz: Marjorie hat erwähnt, dass

der Schaukasten, in dem der Buddha ausgestellt sein wird, von einem genialen Schweizer Fachmann angefertigt wurde – kein Mensch hat ihn bisher gesehen, niemand – er soll wie ein Einsiedler leben!«
BRANT: Ach ja, stimmt, ein Mann namens ... wie hieß er noch gleich, Schatz?«
RUBY: »Klaus Gustav.«
Ruby hatte das Gespräch zwar nicht sehr aufmerksam verfolgt, doch sie hatte sich inzwischen schon so viele Gespräche über den Buddha anhören müssen, dass sämtliche interessanten und weniger interessanten Fakten in ihrem Gehirn gespeichert waren.
SABINA: Richtig, Ruby! Nun, wie Marjorie sagt, soll dieser Schaukasten die Form eines Zylinders haben und um Punkt Mitternacht aus dem Fußboden des Museums aufsteigen!«
BRANT: »Wie bekommt er das wohl hin, was meinst du?«
SABINA: »Wüsste ich auch zu gern! Er muss eine Art Zauberer sein – bis jetzt kann sich keiner denken, wie er es schafft, dass sich der Glaszylinder anschließend öffnet – alles top secret!«
BRANT: Nun, wenn die Glasvitrinen der Schweizer so einmalig sind wie ihre Schnitzel, wird's bestimmt aufregend werden!«

… und schon waren sie wieder beim Thema Schnitzel.
Ruby sehnte sich verzweifelt nach irgendeiner Art von Ablenkung, bevor ihr armes Gehirn einfrieren würde – und prompt ertönte ein dumpfes Klirren, gefolgt von einem schrillen, spitzen Schrei.
»Was um alles in der Welt war das?«, rief Mrs Redfort erschrocken aus.
»Klang nach Dessert«, erklärte Ruby ungerührt.
»Was?«, fragte ihre Mutter.
»Es ist ja nett, dass wir Consuela haben, wenn ihr unbedingt abnehmen wollt, aber ich fürchte, unser Freund Floh kriegt jetzt alles ab.«
»Floh hat zugenommen? Was willst du damit sagen? Warum sollte Floh zugenommen haben?«, fragte Mrs Redfort irritiert.
»Weil das meiste Essen in der Küche auf dem Boden landet«, erklärte Ruby trocken. »Mrs Digby und Consuela geraten sich fast jeden Abend in die Haare und bewerfen sich gegenseitig mit dem, was sie gekocht haben. Das meiste landet deshalb natürlich auf dem Fußboden, und Floh freut sich darüber, versteht ihr?«
»Was?«, rief Brant, der es gar nicht mochte, wenn Haustiere dasselbe zu essen bekamen wie ihre Herrchen.
Als Nächstes ertönte ein Klappern, gefolgt von einem Jaulen.
»Es ist so. *Ich* habe mich längst daran gewöhnt, aber es

könnte sein, dass sich die Nachbarn demnächst bei euch beschweren.«

»Oh, das wäre uns gar nicht recht«, sagte Brant und schaute in die Richtung des Hauses von Mr Parker. Mit Mr Parker war nicht zu spaßen.

»Woran gewöhnt?«, fragte Sabina.

»Küchenreibereien«, erklärte Ruby. »Mrs Digby kann Consuela nicht ausstehen und andersrum – so ging es hier seit eurer Abreise zu.«

»Im Ernst?«, sagte Sabina.

»Im Ernst!«, bestätigte Ruby und musste etwas lauter reden, um das neuerliche Klirren zu übertönen, das sich verdächtig nach einer Tulpenvase aus geschliffenem Glas anhörte. »War schlimm – aber ich muss sagen, der Fisch schmeckt wirklich gut.«

Sabina legte abrupt ihre Serviette auf den Tisch, erhob sich und ging zielstrebig auf die Küchentür zu.

»Würde ich an deiner Stelle nicht tun, Mom!«, rief Ruby warnend, obwohl sie den Mund voll hatte. Doch Sabina war nicht mehr zu bremsen. Sie riss die Tür genau in dem Moment auf, als Mrs Digby nach einem Krug mit frischem Tomatensaft griff. Consuela duckte sich rechtzeitig, und Sabina bekam die ganze klebrige rote Ladung ab.

»Mrs Digby! Was ist in Sie gefahren?«

Mrs Digby griff hastig nach einem großen Geschirrtuch, legte es wieder weg und entschied sich für ein Handtuch.

»Sie sind nun schon die zweite Person, die mir ein Getränk über meine Oscar-Birdet-Jacke schüttet!«, schimpfte Sabina.
»Echt? Wer war die erste?«, erkundigte sich Ruby, die inzwischen in der Tür stand und an einer Karotte nagte.
»Irgend so ein hektischer kleiner Mann am Flughafen – schüttet mir seinen Martini über die ganze Vorderseite, und jetzt das! Verflixt, Tomatensaft geht nie mehr raus!«
»Lassen Sie mich nur machen, Mrs R« sagte Mrs Digby, die vor Schreck ganz blass geworden war.
»Ich wäre Ihnen sehr dankbar, wenn Sie meinen Hosenanzug nicht anfassen würden, Mrs Digby! Er darf nur in die Reinigung!«, erwiderte Sabina, und ihre letzten Worte klangen wesentlich schärfer und lauter als beabsichtigt.
»Das wird nichts mehr, Mrs Redfort, im Leben nicht«, sagte Consuela mit einem schadenfrohen Blick auf Mrs Digby. Sabina wollte gerade etwas sagen, um die Wogen zu glätten, doch Mrs Digby ließ sie gar nicht erst zu Wort kommen.
»Ha, ich begreife, auf wessen Seite Sie stehen! Und das mir, einer Person, die Sie schon Ihr ganzes Leben kennen!«, schnaubte sie. »Seit sechsunddreißig Jahren arbeite ich nun schon in diesem Haus, aber das zählt offenbar nichts! Unter diesen Umständen muss ich mir überlegen, ob ich nicht meine wenigen Habseligkeiten packe und für immer verschwinde! Zum Glück hab ich meine Cousine Emily, bei der ich sicher wohnen kann.«

»Oh, Mrs Digby! Bitte, tun Sie nichts Unbeda–«, flehte Sabina sie an, doch vergebens. Mrs Digby stapfte bereits zornig die Treppe hinunter zu ihrer Einliegerwohnung – und Ruby wusste, dass sie sich ihre Pfannkuchen zum Frühstück für den nächsten Tag abschminken konnte.

Sie war froh, als das Telefon läutete.

»Redforts Institut für Tragödien aller Art. Falls Sie Drama brauchen – bei *uns* finden Sie es!«

Sie hatte gehofft, es sei Clancy Crew, der sie aufheitern würde – doch es war Marjorie Humbert.

Deshalb plapperte Ruby extra superschnell los, damit die Anruferin gar nicht erst zu Wort kommen konnte.

»Hallo, Mrs Humbert! Ja, mir geht's besser, als Sie sich vorstellen können, und ich würde ja gern ein bisschen mit Ihnen plaudern, aber ich weiß, dass meine Mutter es kaum erwarten kann, mit Ihnen zu reden, und deshalb: bis später!«

Sie reichte den Hörer an ihre Mutter weiter. »Muss mit Floh Gassi gehen«, sagte sie und pfiff nach dem Hund.

Mann o Mann, ich brauche dringend frische Luft.

Ruby und Floh verließen das Haus durch die Hintertür und gingen zuerst den Cedarwood Drive hinunter, dann nach rechts in die Amster Street. An dem kleinen Park, Amster Green genannt, legte Ruby einen Halt ein. Zielgerichtet ging sie auf die große Eiche zu, die mitten auf einem begrünten Dreieck stand, umgeben von anderen Bäumen, die in voller Blüte standen. Am Fuß dieser Eiche stand eine Sitzbank. Die Eiche war schon alt, und ihre knorrigen Äste bogen sich zuerst ein Stück erdwärts, bevor sie dann nach oben ragten – der ideale Baum zum Klettern. Ruby und Clancy saßen gern oben im Geäst und beobachteten die Menschen unten am Boden; wenn der Baum Blätter hatte, war er ein super Versteck.

Ruby hüpfte auf die Bank, hielt sich am tiefsten Ast fest und arbeitete sich dann geschickt bis zum höchsten erreichbaren Ast hoch. Dort gab es ein Astloch. Sie schob ihre Hand in die Öffnung im Stamm, tastete darin herum und zog dann einen fein säuberlich gefalteten Zettel heraus. So gefaltet, dass er eine perfekte Origamischildkröte darstellte. Ruby und Clancy deponierten hier Nachrichten füreinander, aber natürlich in einem komplizierten Geheimcode und meist auch kunstvoll gefaltet – damit sie merken würden, wenn ihnen jemand auf die Schliche gekommen war. Eine Origamifigur konnte man nicht wieder zusammenfalten, wenn man nicht genau wusste, wie das ging – und das wussten nur ganz wenige Menschen. Clancy hatte die Nachricht offenbar vorhin auf dem Nachhauseweg geschrieben, denn sie lautete:

Rtkl nznsx'w umxfx dklur
hmkkr omv htznit Yzuezis*

* Schlüsselwort ist ein kleines, manchmal sehr lästiges Tierchen. Lösungen siehe Seite 434.

Ruby lächelte und kritzelte eine Antwort auf ein Kaugummipapierchen:

Mznjk, ommti Diphi sqplx!

schob es in die Öffnung im Baum und kletterte wieder nach unten. Als sie nach Hause zurückkehrte, redeten ihre Eltern immer noch über den Zwischenfall mit dem Tomatensaft. Ihre Mutter sagte gerade: »Es gefällt mir gar nicht, dass Mrs Digby so unglücklich ist, aber wir können nicht auf Consuela verzichten, sie ist ein Diätgenie.«
»Soll ich nicht diese Agentur für Hauspersonal anrufen?«, schlug ihr Vater vor. »Vielleicht können sie uns jemanden schicken, der ein Auge auf die beiden hat.«
»Nun, einen Versuch ist es wert«, antwortete Sabina.
In diesem Moment läutete das Telefon.
»Ich geh ran!«, rief Ruby, denn diesmal war es sicher Clancy, der ihr vorjammern würde, dass er beim Empfang seines Vaters wieder mal ständig lächeln musste. Doch zu ihrer Enttäuschung meldete sich niemand.

4. Kapitel

Voll mit nichts

Am nächsten Morgen schob Ruby gerade ihre Haarspange in die Haare, als das Telefon in ihrem Badezimmer läutete.

Bestimmt Clancy, dachte sie sich. Ich wette, er ruft an, um über seinen Ausschlag zu jammern.

Sie griff nach dem Hörer.

»Kläranlage Twinford, was können wir für Sie tun?«

Doch es blieb still in der Leitung.

»Komisch …«, murmelte Ruby, als sie wieder auflegte.

Mrs Digby war nirgends zu sehen – sie war sicher noch beleidigt wegen gestern Abend. Deshalb trank Ruby nur schnell ein Glas Orangensaft, griff mit einer Hand nach ihrer Schultasche, mit der anderen nach einem Schoko-Erdnuss-Plätzchen und rief ihren Eltern »tschüs« zu. Das hörten sie allerdings nicht, weil sie gerade diskutierten, welche Reinigung darauf spezialisiert war, Tomatenflecken aus einer Seidenjacke zu entfernen.

> BRANT: »Liebling, bring sie zu Quick Clean, die arbeiten schnell und gut.«
>
> SABINA: »Machst du Witze, Brant? Eine Oscar-Birdet-

Jacke!? Hast du eine Ahnung, was das bedeutet? Nein, nein, ich bring sie lieber zu Grosvenors. Ich möchte kein Risiko eingehen!«

RUBY: »Au Mann …«

Rubys Fahrrad hatte einen Platten, und deshalb musste sie an diesem Morgen den Bus nehmen.

Die Twinford Junior Highschool bestand aus zwei Gebäuden. Das eine war alt, herrschaftlich und recht hübsch – innen vielleicht etwas heruntergekommen, aber dennoch ganz gemütlich. Das andere Gebäude war hypermodern, stylish und steril. Ruby konnte gerade noch rechtzeitig ins Klassenzimmer flitzen, bevor Mrs Drisco, ihre Klassenlehrerin, mit der Anwesenheitsliste fertig war und Ruby aufrief. Mrs Drisco gab ihren üblichen Kommentar ab – wie immer, wenn Ruby zu spät kam –, und Ruby zog hinter ihrem Rücken die übliche Grimasse.

Dazu muss man wissen, dass Mrs Drisco Ruby Redfort *ziemlich eingebildet, äußerst eigensinnig und unterrichtsresistent* fand. Ruby Redfort dagegen fand Mrs Drisco *eine Nervensäge allererster Ordnung.*

Und sie hatten beide recht.

Tatsache war, dass Mrs Drisco der Aufgabe, die intelligenteste Schülerin zu unterrichten, die es in der Geschichte der Twinford Junior High je gegeben hatte, schlichtweg nicht gewachsen war. Trotzdem war es ein Armutszeugnis für eine Lehrerin, deswegen die beleidigte Leberwurst zu spielen.

Nachdem der kleine Schüler-Lehrer-Schlagabtausch vorbei war, setzte Ruby sich auf ihren Platz neben Clancy.

»Und, war's gestern Abend lustig?«, raunte Ruby ihm zu.

»Kommt darauf an, was man unter lustig versteht – meine Schwester Nancy hat sich aus Versehen in den Nachtisch des spanischen Botschafters gesetzt«, flüsterte Clancy zurück.

»Na, zumindest gab's bei euch Nachtisch – ist nicht jedem vergönnt«, antwortete Ruby.

»Hä?«, fragte Clancy nach.

»Egal, erzähl ich dir später«, schloss Ruby die geflüsterte Unterhaltung ab.

Es war ein ganz normaler Tag an der Twinford Junior High, ohne besondere Vorkommnisse. Ruby hatte nur das übliche Geplänkel mit ihrer Erzfeindin Vapona Begwell, das in etwa so ablief …

> VAPONA: »Hey, Ruby, kannst du mit dieser Brille überhaupt was sehen? Falls ja, schau lieber in keinen Spiegel, du würdest zu Tode erschrecken.«
>
> RUBY: »Warum? Weil du hinter mir stehst?«

Die Geographiestunde war mittelmäßig interessant, es folgte eine tödlich langweilige Französischstunde (Rubys Französisch war schon so gut, dass sie nebenher *Krieg und Frieden* im russischen Original las). In Geschichte verkündete Mrs Schneiderman, dass sie in der kommenden Wo-

che über den Jadebuddha von Khotan sprechen würden. »Er hat eine unglaublich faszinierende Geschichte«, sagte sie. »Ich könnte endlos darüber reden.«
»Besuchen Sie mal meine Eltern!«, murmelte Ruby spöttisch. »Die haben dasselbe Hobby.«
In der Mittagspause wurde Ruby wegen ihres T-Shirts von Mrs Arthur angepflaumt. Auf ihm stand: SOLLEN SIE DOCH KUCHEN ESSEN! Das soll die französische Königin Marie-Antoinette kurz vor dem Ausbruch der Revolution gesagt haben, als sie hörte, das Volk schreie nach Brot. Ruby fand den Spruch sehr passend, um damit gegen Mrs Arthurs Kuchenverbot in der Schule zu protestieren.

MRS ARTHUR: »Kuchen enthält nur leere Kalorien, und deshalb sollten Kinder keinen essen.«
RUBY: »Kuchen ist eines der großen Wunder des Lebens, und weshalb wollen Sie einem Kind den Zugang zu Wundern verbieten?«

Mit Ausnahme von Denning Minkle, der eine Zuckerallergie hatte, waren alle anderen Schüler auf Rubys Seite. Trotzdem musste Ruby ihr T-Shirt auf links drehen, weil sie sonst einen Monat Nachsitzen riskiert hätte.
Ruby verabschiedete sich von Clancy, der noch bleiben musste, um seinen Französisch-Vokabel-Test nachzuschreiben. Er war nervös: Er hasste Französisch – und Madame Loup gleich mit.

»Wird schon schiefgehen, Clance«, sagte Ruby und schob ihm heimlich einen kleinen Zettel zu. »Schreib dir das hier auf den Arm, dann wird alles gut.«

Auf dem Zettel standen alle richtigen Antworten, natürlich verschlüsselt – in einem Code, den sie vor einigen Jahren ausgetüftelt hatten und der für Situationen wie diese ideal war. Normale Sterbliche konnten rein gar nichts damit anfangen.

Dann stieg Ruby in den Bus, um nach Hause zu fahren.

Da war alles noch normal. Erst als sie im Cedarwood Drive eintraf, begriff sie, dass etwas nicht stimmte.

Als sie die Gartentür aufmachte, sah sie, dass die Haustür sperrangelweit offen stand und ein Polizeiauto in der Einfahrt parkte. Und gleich auf der Treppe hörte sie die Stimme von Sheriff Bridges.

Hey, was hat der hier zu suchen?

Es sollte nicht lange dauern, bis Ruby es erfuhr. Als sie das Wohnzimmer betrat, bekam sie vor Staunen den Mund nicht mehr zu.

Es war ratzeleer. Alles war weg. Okay, fast alles. Das Telefon stand noch auf dem Fußboden und war auch noch eingestöpselt. Doch abgesehen davon war das Haus so leer, wie es ein Haus nur sein konnte. Sogar die Staubflöckchen waren verschwunden. Jeder, selbst Leute, die noch nie zuvor bei den Redforts waren, hätten auf den ersten Blick gemerkt, dass sie ausgeraubt worden waren.

»O ja«, sagte ihre Mutter, die ahnte, was ihrer Tochter durch den Kopf ging. »Das ganze Haus ist voll mit nichts.«

5. Kapitel

Noch mehr Nichts

Ruby machte auf dem Absatz kehrt und rannte nach oben in ihr Zimmer. Auch hier war alles verschwunden, und sie begann hektisch, die Fußbodenbretter anzuheben. Hurra – ihre gelben Notizhefte waren noch da, alle 621!
Dem Himmel sei Dank, bei ihr schien alles in Ordnung zu sein. Als Nächstes überprüfte sie den Hohlraum neben dem Türpfosten – auch ihr 622. Notizheft war noch da. Nachdem sie auch in ihren anderen elf Verstecken nachgeschaut hatte, stieß sie einen tiefen Seufzer der Erleichterung aus.
Ruby wollte ihr Zimmer gerade wieder verlassen, als sie ihr Donut-Telefon unter dem leeren Einbaubücherregal liegen sah. Von ihrer großen Sammlung war nur dieses da, und es war der einzige *sichtbare* Gegenstand in ihrem Zimmer. Sie hob es auf und wählte Clancys Nummer. Weil er nicht abnahm, hinterließ sie ihm eine Nachricht. »Ruf mich an, okay?« Dann ging sie wieder nach unten. Bevor sie die Küche betrat, setzte sie schnell eine traurige Miene auf.
»Es tut mir schrecklich leid, Schatz«, sagte ihre Mutter mitfühlend.

»Keine Angst, Ruby, wir werden diese Kerle finden«, sagte der Polizist und klopfte ihr tröstend auf die Schulter. »Machen Sie sich keine Mühe, Mrs R, ich finde selbst hinaus.«
»Wiedersehen, Nat!«, rief Sabina ihm nach.
Zwei Minuten später läutete es an der Tür.
»Oh, Ruby-Schatz, würdest du aufmachen?«, sagte ihre Mutter. »Es ist sicher Nat; er hat seinen Notizblock vergessen.«
Doch als Ruby die Haustür öffnete, stand sie zu ihrer Überraschung einem auffallend gutaussehenden, großgewachsenen und elegant gekleideten Herrn gegenüber. Er war weder jung noch alt – genau genommen war es unmöglich, ihn altersmäßig irgendwie einzuschätzen.
»Du bist verkehrt herum«, sagte der Mann und streckte ihr die Hand entgegen.
»Hä?«, fragte Ruby.
»Lass mich raten! Einer sogenannten Autoritätsperson haben deine stummen Forderungen nicht gefallen, richtig?«
Der Fremde deutete auf ihr T-Shirt, das sie tatsächlich immer noch mit der Innenseite nach außen trug, damit man den Aufdruck SOLLEN SIE DOCH KUCHEN ESSEN! nicht sehen konnte.
»Ach so«, sagte sie, »so ähnlich …«
Woher weiß der Typ von meiner Protestaktion für Kuchen in der Schule?, fragte sie sich.
Wer ist er?

Inzwischen war auch ihre Mutter die Treppe heruntergekommen. »Sie wünschen?«, fragte sie zögernd.
»Hitch«, sagte der Mann und spähte an Ruby vorbei ins Haus. »Wie ich sehe, wohnen Sie recht minimalistisch.«
»Wie bitte? Ach so, ja, verstehe, was Sie meinen. Bei uns wurde eingebrochen«, stammelte Sabina. »Ich fürchte, es gibt nichts mehr zu fotografieren.«
»Wie gut, dass ich meine Kamera gar nicht dabeihabe.«
»Wie das?«, sagte Sabina und schüttelte seine Hand – Ruby bemerkte, dass der Mann zusammenzuckte, als ob der Händedruck schmerzhaft gewesen wäre.
»Weil ich schreckliche Fotos mache – dauernd hab ich den Daumen vor der Linse.«
Sabina stutzte. »Sind Sie nicht der Fotograf vom *Living-Luxury-Magazin*?«
»Ich bin Haushaltsmanager – von der Firma Zen Home Management. Haben Sie nicht heute früh bei uns angerufen?«
»Oh!«, sagte Sabina erfreut. »Sie sind der Butler?«
»Ich persönlich ziehe den Ausdruck *Haushaltsmanager* vor, aber wenn Ihnen *Butler* lieber ist …?«
»Erstaunlich. Ich habe erst vor ein paar Stunden bei Ihrer Agentur angerufen, und mir wurde gesagt, dass sie für Wochen ausgebucht sind, wie kommt es dann …?«
»Ich bin vor zwei Stunden völlig unerwartet aus London zurückgekehrt. Meine bisherigen Arbeitgeber, Lord und

Lady Wellingford, haben überraschend beschlossen, eine Palast-Rundreise durch Indien zu machen, weshalb sie meine Dienste nicht länger brauchten.«

»Aber sie kommen doch bestimmt in ein paar Wochen zurück, oder?«

»Nein, in den nächsten drei Jahren nicht«, erklärte der Fremde hastig.

»Die indischen Paläste zu besichtigen dauert drei Jahre?«, fragte Sabina ungläubig.

»Sie reisen per Elefant.«

Ha, der lügt doch, dachte Ruby. Jede Wette, dass er gefeuert wurde!

»Wollen Sie meine Referenzen sehen? Sie werden nicht enttäuscht sein.« Er zwinkerte Sabina zu, und sie kicherte wie ein kleines Mädchen.

»Das glaube ich Ihnen«, sagte sie amüsiert.

Mann o Mann!, dachte Ruby.

»Ich bin froh, dass Sie hier sind, Mr Hitch.«

»Einfach nur Hitch – das genügt.«

»Oh, ja natürlich, das ist bei Butlern ja üblich, nicht wahr? Sie nur mit dem Nachnamen anzureden.«

»Nun ja, in meinem Fall ist es eher so, dass ich nur diesen einen Namen habe – nur meine Mutter nennt mich anders.«

»Oh, und wie?«, fragte Sabina.

»Darling, normalerweise.«

»Nun, Sie können mich auch nur Sabina nennen – oder Darling … Nein, war natürlich nur ein Scherz …«
Ruby musterte ihre Mutter. Was war mit ihr los? Warum kicherte sie wie eine Vollidiotin?
»Doch wie dem auch sei, Hitch«, fuhr Sabina fort, »ich muss Ihnen sagen, dass wir in letzter Zeit einiges an Pech hatten, glauben Sie mir! Zuerst hat die Airline unser ganzes Gepäck verschlampt, und jetzt – Sie sehen es ja selbst – wurde unser Haus komplett leer geräumt!«
Sabina erzählte ihm auch gleich von dem Zwischenfall mit dem Tomatensaft, und Hitch hörte aufmerksam zu. Ruby hatte das Gefühl, als sei ihre Mutter in Trance gefallen.
Wer ist dieser Typ, eine Art Hypnotiseur?
Sabina verstummte erst, als das Telefon schrillte. »Hurra, unser Telefon ist ja noch da!«, rief sie und freute sich, dass die Einbrecher wenigstens *etwas* zurückgelassen hatten. »Das muss die Fluggesellschaft sein! Gehst du bitte dran, Ruby?«
Ruby ging zum Telefon und griff nach dem Hörer. »Chucks Spitzen-Käserei – wir bieten dies und allerlei!«
Doch wieder meldete sich kein Mensch am anderen Ende der Leitung – nun schon zum dritten Mal! Sie legte auf und wollte gerade Clancys Nummer wählen, als das Telefon erneut läutete.
»Hören Sie, Mister, wenn Sie nicht reden wollen, warum rufen Sie dann dauernd an?«

»Wie bitte?«, sagte eine tiefe Frauenstimme.

»Was soll dieses schwere Atmen und dann Auflegen? Das gilt allgemein als *unhöflich*, wissen Sie!«, fauchte Ruby.

»Ich weiß nicht, was das heißen soll – ich pflege keine Leute anzurufen, denen ich nichts zu sagen habe«, entgegnete die Stimme kühl.

Hä, wer hat dann vorhin angerufen?

»Ich bin auf der Suche nach Ruby Redfort«, fuhr die Stimme fort.

»Gratuliere, Sie haben sie gefunden!«, sagte Ruby schnippisch.

»Gut, wenn ich dich gefunden habe, dann brauchst du nur noch *mich* zu finden!«

»Wie bitte?«, sagte Ruby. »Was soll das? Sind Sie von *Verstehen Sie Spaß?*«

»Nun, ein großer Vogel hat mir geklappert, dass du ein cleveres Mädchen bist, stimmt's? Angeblich entgeht dir nichts – stimmt das wirklich, Ruby Rot?«

»Ich heiße Ruby Red*fort*!« Ruby mochte es gar nicht, wenn ihr Name verhunzt wurde.

»Wie ich eben sagte«, fuhr die Stimme fort, »kam mir zu Ohren, dass du eine geniale Codeknackerin bist, der selbst Kleinigkeiten auffallen, winzige Details und wie sie zusammenhängen. Ich wette, du siehst auch Pflaumen, die am falschen Platz sind, an denen andere achtlos vorbeigehen. Du siehst, wenn etwas Normales nicht ganz so normal ist, sobald man den Zusammenhang sieht. Hab ich recht?«

»Codes knacken kann ich tatsächlich«, sagte Ruby mit wesentlich größerer Selbstsicherheit als sie verspürte.

»Gut«, sagte die Stimme, und die Leitung war tot.

»Und was für ein Code ist es bitte schön, Lady?«, murmelte Ruby vor sich hin. Kopfschüttelnd legte sie auf.

Was war denn das gewesen?

Hitch hatte sich sofort ans Werk gemacht und war gemäß seiner Jobbeschreibung schon fleißig dabei, den Haushalt der Redforts zu managen. Als Brant Redfort am späten Nachmittag zur Tür hereinspazierte, hatte Hitch bereits einige der Gartenmöbel ins Haus getragen, aus dem Nichts Campingliegen herbeigezaubert und Sushi zum Abendessen bestellt. Sabina lehnte am Küchentresen und plauderte mit ihm, als würden sie sich schon wesentlich länger kennen als gerade mal eine Stunde und zweiundvierzig Minuten. Allerdings sprühte ihre Unterhaltung nicht gerade vor Geist, wie Ruby fand.

»Können Sie sich das vorstellen, Hitch? Ich will also meine Oscar-Birdet-Jacke in meine übliche Reinigung bringen – kennen Sie sie, Grosvenors in der Harling Street? Und was wird mir dort gesagt? ›Bedauere, Mrs Redfort, aber wir können Ihre Jacke nicht reinigen, der Stoff ist viel zu empfindlich.‹ Können Sie sich das vorstellen?! Was für eine Reinigungsfirma soll das bitte schön sein?«

»Nun ja, wenn es Oscar Birdet ist, fehlt ihnen vielleicht wirklich die nötige Erfahrung.«
»Sie *kennen* Oscar Birdet?«
»Selbstredend.«
»Ist er nicht ein phantastischer Designer?«
»Göttlich. Wissen Sie was? Überlassen Sie es mir. Ich bringe Ihre Jacke morgen in *meine* Reinigung, der Mann dort ist ein Fachmann für heikle Aufgaben«, sagte Hitch. »Und falls er damit überfordert ist, bringt er Ihre Jacke zu jemandem, der sich damit auskennt.«
»Wow, ich kann es kaum erwarten, Sie unserer Mrs Digby vorzustellen!«
»Mrs Digby?«, wiederholte Hitch fragend.
»Unsere Haushälterin. Wir hatten eine kleine Meinungsverschiedenheit, und ich vermute, sie bleibt bei ihrer Cousine Emily, bis sie sich beruhigt hat – aber sie wird Sie lieben!«
Da war Ruby sich nicht sicher. Mrs Digby mochte keine *Dummschwätzer*, und dieser Butler schien einer zu sein.
Sie sah, wie er etwas aus einer seiner Taschen holte.
»Nein, wie süß – Sie reisen mit Ihrem eigenen Toaster?«, rief Sabina entzückt aus.
»Nun«, sagte Hitch und stellte den Toaster auf den Küchentresen. »Es ist eine gute Marke, und Toast mag schließlich jeder.«
Da war es wieder, dieses kleine, schmerzhafte Zusammenzucken, nur für eine Sekunde, als er den rechten Arm hob.

»Wie wahr!«, sagte Sabina und nickte.
»Das ist mir vielleicht ein Butler!«, sagte Rubys Vater beeindruckt.
Ruby verzog das Gesicht. »Weil er einen kleinen Toaster mit sich herumschleppt?« Waren die Einbrecher Perverse gewesen, die ihren Eltern das Gehirn abgesaugt hatten?
Sie ging hoch in ihr Zimmer und schlug ihr gelbes Notizbuch auf – was hatte Hitch noch mal von seinen früheren Arbeitgebern erzählt? Wer sind diese Leute, die einfach spontan aufbrechen und drei Jahre lang auf Elefanten durch Indien reisen wollen? Und warum so Hals über Kopf? Ruby wurde das dumpfe Gefühl nicht los, dass Hitch nicht die ganze Wahrheit über die Wellingfords erzählte – falls es diese Wellingfords überhaupt *gab*! Und falls doch?
Vermutlich hat er sie ausgeraubt und ist dann abgehauen.
Und dass er unmittelbar nach dem Einbruch bei ihnen vor der Tür stand, war ihr auch irgendwie unheimlich. Es erinnerte sie an Mary Poppins, die auch wie aus dem Nichts aufgetaucht war.
Doch Hitch *war* nun mal keine Mary Poppins …
Ruby dachte an ihre REGEL 29: NUR WEIL EIN LÖWE SAGT, ER SEI EINE MAUS, IST ER NOCH LANGE KEINE!

Den ganzen Abend wartete Ruby darauf, dass sich die geheimnisvolle Anruferin noch einmal melden würde – doch

das Telefon blieb stumm. Und als Ruby am Abend auf ihrem Behelfsbett lag, ließ sie sich das kurze Telefongespräch immer und immer wieder durch den Kopf gehen.
Warum hat die Anruferin danach so schnell aufgelegt? Wenn du willst, dass jemand einen Code für dich knackt, dann gibst du ihm den doch einfach … Himmel! Was für seltsame Menschen es doch gab!
Doch dann, als die Zeiger ihres Weckers auf vier Uhr dreiundvierzig standen, setzte sich Ruby abrupt auf.
Klar doch! Wie hatte sie nur so dumm sein können? Die geheimnisvolle Anruferin *hatte* ihr den Code mitgeteilt! Das ganze Gespräch war ein Code gewesen!

6. Kapitel

Fünfzehn Dollar und neunundvierzig Cent

Trotz der unangenehmen Aussicht, die Socken vom Vortag anziehen zu müssen, war Ruby am nächsten Morgen bester Laune. Lange vor Schulbeginn war sie schon wach und angezogen. Zu ihrer Überraschung stand ihr üblicher morgendlicher Vitamintrunk (der zu je einem Drittel aus Grapefruit-, Cranberry- und Pfirsichsaft bestand – und in dem stets ein Trinkhalm steckte) bereits auf dem Küchentresen. Woher wusste Hitch, was sie zum Frühstück trank? Und noch erstaunlicher war: Woher hatte er den Trinkhalm?

In der Butlerschule steht wohl auch Gedankenlesen auf dem Programm!

Die Morgenzeitung lag ebenfalls auf dem Küchentresen, und Ruby warf einen Blick auf die Schlagzeilen.

BÜRGERMEISTER ZIEHT GEGEN MÜLLBERG
ZU FELDE: »SCHMUTZFINKEN SIND GESINDEL«,
SAGT BÜRGERMEISTER ABRAHAMS
UND WILL ENERGISCH DAGEGEN VORGEHEN

GOLDENE ZEITEN: IN DEN TRESORRÄUMEN
DER TWINFORD CITY BANK WERDEN
FÜNF TONNEN GOLDBARREN DEPONIERT

PARADIESISCHE DÜFTE: NATIONALE GARTENSCHAU
VON TWINFORD SOLL DIE SPEKTAKULÄRSTE SEIT
BEGINN DER AUFZEICHNUNGEN WERDEN

Hitch war offenbar in einem der Supermärkte gewesen, die die ganze Nacht über geöffnet sind, denn auf dem Küchentresen stand alles, was man sich zum Frühstück nur wünschen konnte.

»Ein Traum von Butler«, murmelte Ruby, während sie Cornpops auf einen Pappteller schüttete. Aus reiner Gewohnheit wühlte sie in der Packung, um das Gratisgeschenk herauszufischen: Es war ein Puzzle aus fünf Teilen, die – wenn man sie richtig zusammenlegte – ein perfektes Viereck ergaben. Ruby schaffte es in sechseinhalb Sekunden. Sie warf ihren Pappteller in den Abfalleimer und lauschte kurz, ob irgendetwas zu hören war. Keine Spur von Hitch. Ihre Eltern waren sicher noch nicht wach. Deshalb gab Ruby Floh sein Frühstück und ging dann nach draußen, um ihren Fahrradreifen zu flicken – der auf wundersame Weise aber bereits geflickt und aufgepumpt war.

»Wow! Ein Traum von einem Butler!«, murmelte Ruby erneut.

»Danke.«

Als Ruby den Kopf hob, blickte sie in das amüsierte Gesicht von Hitch. Sein selbstzufriedenes Grinsen ging ihr auf den Geist.

»Was ist eigentlich mit Ihrem Arm?«, fragte sie.

»Wie bitte?«

»Was ist mit Ihrem Arm?«

»Ach, ist es dir aufgefallen?« Er wunderte sich, denn er hatte wohl gedacht, man würde ihm seine Verletzung nicht anmerken.

»Mir fallen Dinge eben auf, darin bin ich gut.«

»Hab ich gemerkt«, sagte er.

»Also, was ist passiert?«

»Ach, nur ein Anfall von Butlerarm – so ähnlich wie ein Tennisarm, muss an dem vielen Putzen liegen.«

»Klar, Butlerarm … ein sehr verbreitetes Leiden.«

Nach diesem spöttischen Kommentar steckte Ruby ihr Notizbuch in ihre Schultasche, pfiff Floh herbei, stieg auf ihr Fahrrad und fuhr in Richtung Stadtzentrum. Floh rannte neben ihr her. Unterwegs ließ sie sich die Worte der geheimnisvollen Anruferin noch einmal durch den Kopf gehen.

»Angeblich entgeht dir nichts – stimmt das wirklich, Ruby Rot?«

»… Ein großer Vogel hat mir geklappert … dir selbst Kleinigkeiten auffallen, winzige Details und wie sie zusammenhängen … auch Pflaumen, die am falschen Platz sind … wenn etwas Normales nicht ganz so normal ist …«

In der Nacht hatte Ruby sich zusammengereimt, welche Worte dieser mysteriösen Aussage wichtig sein könnten. *großer Vogel* und *geklappert* deuteten auf den Storchenplatz hin, und genau den steuerte Ruby nun an.
Floh hielt bei ihrem Tempo mühelos mit, und deshalb waren sie schon nach kürzester Zeit am Park dieses Namens angelangt. Sie blickte sich um. Es gab nichts Auffälliges zu sehen – aber darum ging es ja, nicht wahr?
»Winzige Details …«
Du musst nach etwas ganz Kleinem suchen, Ruby. Tja, das konnte den ganzen Tag dauern. Bei dem Storchenplatz handelte es sich schließlich um einen ganzen Park, der ziemlich groß war und in dem es bald von Menschen wimmeln würde, die auf dem Weg zur Arbeit waren.
»… an denen andere achtlos vorbeigehen …«
Floh war ein Stück voraus gelaufen. Schnüffelnd ging er von Baum zu Baum und tat, was Hunde eben so tun. Ruby sah ihn auf dem Boden herumschnüffeln und auf den Baum in der Mitte zulaufen, wo die einzelnen Wege zusammenliefen. Dort entdeckte er unweit des Stammes eine braune Papiertüte und versuchte, an den Inhalt heranzukommen.

»Mann, Floh, du bist vielleicht verfressen! Du hast vor einer halben Stunde erst gefrühstückt!«

Ruby ging zu ihm, riss ihm die Tüte aus dem Maul, und drei matschige Pflaumen fielen heraus.

Irgendwie komisch, dachte sich Ruby. Pflaumen zu dieser Jahreszeit? Nachdenklich hob sie den Kopf und schaute zuerst nach oben, dann wieder auf die drei Pflaumen, und ihr fiel ein, was die Stimme gesagt hatte. Sie stand unter einem Pflaumenbaum, und der stand mitten auf dem Storchenplatz.

Pflaumen, die am falschen Platz sind …

… wenn etwas Normales nicht ganz so normal ist …

Sie ging bis zum Stamm, ging einmal darum herum, und dann sah sie es – etwas Rotes.

Ruby Rot, hatte die Frau sie genannt.

Ha, die Frau hatte sie nur auf etwas Rotes aufmerksam machen wollen! Dieses *Rote* war ein Preisschild, auf dem oben *Joe's Supermarkt* stand, und darunter ein Preis: 15.49.

Ist es eine Spur oder nur ein Preisschild?

Ruby betrachtete das Etikett noch eingehender.

Falls es eine Spur ist, soll ich wohl zu Joe's Supermarkt gehen – aber was bedeutet der Preis, diese fünfzehn Dollar neunundvierzig? Soll ich dort nach etwas suchen, das genau fünfzehn Dollar neunundvierzig kostet? Ich würde fast wetten, dass es dort nichts gibt, was so teuer ist. Wer fünf-

zehn Dollar neunundvierzig in der Tasche hat, kauft *nicht* bei Joe ein.
Floh schaute schwanzwedelnd und erwartungsvoll zu ihr hoch – er wusste nicht, was los war, aber *er* hätte jetzt gern gespielt. Doch Ruby beachtete ihn nicht – sie starrte nur angestrengt auf das kleine Preisschild. Nachdem sie es schweigend einige Minuten lang betrachtet hatte, stieg sie auf ihr Rad und fuhr im Eiltempo zur Schule.
An der Kreuzung auf halber Höhe der Birkenallee rief sie über die Schulter: »Okay, Floh, jetzt geh schön brav nach Hause!« Der Hund schaute sie enttäuscht an, doch er wusste, was er zu tun hatte, und lief nach links, während Ruby den Hügel hinauffuhr. Wenn sie schon so früh aufgestanden war, wollte sie heute ausnahmsweise mal pünktlich sein.

In der Twinford Junior High machte Ruby sich sofort auf die Suche nach Clancy. Er war natürlich schon da, überpünktlich wie er war.
»Hey, was ist mit dir passiert?«, fragte er. »Du siehst aus, als hätte dich ein Laster überfahren, der gleich auch noch den Rückwärtsgang eingelegt hat!«
»Na ja, ich hab nicht besonders gut geschlafen, angesichts der Tatsache, dass jemand mein Bett gestohlen hat«, erklärte Ruby.
»Jemand hat dein Bett gestohlen?«, wiederholte Clancy,

der wie ein Fisch aussah, weil er den Mund nicht mehr zubekam.

»Ja, und das war nicht das Einzige, was diese Typen mitgenommen haben.«

»Was für Typen?«, fragte Clancy und ruderte aufgeregt mit den Armen.

»Weiß nicht. Jedenfalls haben wir kein einziges Möbelstück mehr«, sagte Ruby theatralisch.

»Bei euch wurde eingebrochen?«, sagte Clancy mit tonloser Stimme.

»Ja, kann man so sagen. Aber mir kommt es eher vor, als wären wir mitten in einem Umzug, und keiner hätte sich die Mühe gemacht, uns zu sagen, *wohin.*«

»Haben sie alles, alles mitgenommen?«, fragte Clancy mit großen Augen.

»Alles außer den Telefonen«, antwortete Ruby. »Ach ja, danke, dass du angerufen hast, Kumpel.«

»Ich – angerufen? Gestern nicht«, erklärte Clancy. »Ich hatte Hausarrest, und Dad ließ mich nicht mal telefonieren! Ich hab nicht angerufen.«

»Ist mir aufgefallen«, sagte Ruby. »Aber jemand anderer hat angerufen, mehrmals. Glaub mir, ich hatte einige total schräge Anrufe gestern Abend.«

»Echt?«, sagte Clancy. »Inwiefern total schräg, komisch schräg oder gespenstisch schräg?«

»Schwer zu sagen«, erklärte Ruby. »Einmal wurde gleich

wieder aufgelegt, das andere Mal war eine Frau mit einer ganz tiefen Stimme dran.«

»Wie diese Frau in *Eine Verabredung mit dem Schicksal*?«, fragte Clancy.

»So ähnlich«, antwortete Ruby. *Eine Verabredung mit dem Schicksal* war eine Fernsehserie, die schon seit Jahren lief: Woche für Woche sprach eine alte Schauspielerin mit tiefer, heiserer Stimme einführende Worte zu irgendeiner schaurigen Gespenstergeschichte – die dann allerdings oft ziemlich lahm war.

»Was hat sie gesagt?«

»Hm, wie soll ich dir das erklären? Es war eine Art Code.«

»Hast du ihn geknackt?«

»Noch nicht, aber hör mal, kurz davor ist ein cool aussehender Typ bei uns aufgetaucht, der behauptet, er sei der Haushaltsmanager, den mein Dad bestellt hat, nur dass meine Mom – du kennst sie ja – ihn natürlich als *Butler* bezeichnet.«

»Ihr habt einen Butler?! Wow!«, sagte Clancy beeindruckt, obwohl *seine* Familie noch *nie* ohne Butler gewesen war. »Wie ist er?«

»Ein ziemlicher Hohlkopf, glaube ich«, sagte Ruby.

»Klingt nicht gut«, kommentierte Clancy. »Wer will schon einen Hohlkopf als Butler?«

»Na ja, streng genommen ist er kein Butler, sondern ein Haushaltsmanager – was immer das auch bedeuten mag.«

Clancy pfiff durch die Zähne. »Das wird Mrs Digby sicher nicht gefallen!«

»Tja, zum Glück ist sie zurzeit bei ihrer Cousine Emily, aber du hast recht – es kann nicht lange dauern, bis sie merkt, dass dieser Typ etwas daneben ist.«

»Was meinst du mit ›daneben‹?«

Ruby machte eine kurze, theatralische Pause. »Ich denke, dass mit ihm etwas nicht stimmt.«

»Was zum Beispiel?«, hakte Clancy gespannt nach.

»Er weiß zu viel. Dinge, die er eigentlich nicht wissen kann – es sei denn, er wäre Hellseher.«

»Und wo kommt er her?«, fragte Clancy und wäre vor Aufregung sicher auf seinem Stuhl herumgerutscht, wenn er auf einem gesessen hätte.

»Aus London, behauptet er«, antwortete Ruby.

»Ist er Engländer?«

»Nein, er hat nur drüben gearbeitet – bei Leuten, die angeblich urplötzlich auf eine Reise auf dem Rücken von Elefanten aufgebrochen sind, für drei volle Jahre!« Ruby tat absichtlich sehr geheimnisvoll, um Clancy noch neugieriger zu machen, als er ohnehin schon war.

»Vielleicht hat er sie ausgeraubt und dann um die Ecke gebracht«, sagte Clancy im vollen Ernst.

»Nun, das würde erklären, warum er so ein protziges Auto fährt – ein silberfarbenes Cabrio –, aber *nicht* seine Armverletzung.«

»Er ist am Arm verletzt? Ihr habt einen Butler, der verletzt ist? Wer will schon einen verletzten Butler? Stimmt das wirklich?«
»O ja.« Ruby nickte. »Ich hab das dumpfe Gefühl, dass er in irgendeinen Unfall verwickelt war.«
»Vielleicht sogar in eine Schießerei«, flüsterte Clancy verschwörerisch. »Weißt du was, Ruby? Ich wette, er ist gar kein richtiger Butler – er ist vermutlich ein Killer.«
»Mann, du hast echt eine wilde Phantasie«, stöhnte Ruby. Dass ihr dieser Gedanke auch schon durch den Kopf geschossen war, behielt sie lieber für sich.

Ruby war keine Schülerin, die sich unnötig Ärger einhandeln wollte, doch an diesem Tag fiel es ihr schwer, sich zu konzentrieren. Sie ertappte sich mehrmals dabei, dass sie nicht aufpasste, weil sie ständig darüber nachdachte, was diese fünfzehn Dollar und neunundvierzig Cent bedeuten sollten.
Nach der Mittagspause ging ihr endlich ein Licht auf – und sie konnte es nicht fassen, dass sie so lange auf der Leitung gestanden hatte. Die Lösung war total einfach, so simpel, dass man sie leicht übersehen konnte. Dabei hatte Ruby schon mehrfach gesagt: OFT ÜBERSIEHT MAN, WAS MAN DIREKT VOR DER NASE HAT (REGEL 18).
Es war Mr Walford, der ihr zu dieser Erkenntnis verhalf. Er war früher beim Militär gewesen und ein sehr penibler

Mensch. Und er pflegte den Tag in vierundzwanzig Stunden einzuteilen, statt wie alle anderen Amerikaner von eins bis zwölf Uhr *vor* Mittag (a.m.) und eins bis zwölf *nach* Mittag (p.m.) zu sprechen.

»Redfort Ruby«, bellte er. »Es ist genau 13 Uhr 31, die Pause ist vorbei. Sieh zu, dass du in dein Klassenzimmer kommst!«

Ruby blieb wie vom Donner gerührt stehen und strahlte Mr Walford dann an. »3 Uhr 49, klar doch! Nicht fünfzehn Dollar neunundvierzig Cent, sondern fünfzehn Uhr neunundvierzig – sprich: elf Minuten vor vier!«

Das Etikett soll mir sagen, dass ich um 15 Uhr 49 in Joe's Supermarkt sein soll!

Mr Walford schaute sie an, als hätte sie den Verstand verloren, doch das war Ruby piepegal. Alles war egal ... oh, mit Ausnahme des Basketballturniers, das um 16.00 Uhr beginnen würde.

Mist, Del bringt mich um!

Wenn Ruby nicht käme, wären die anderen ganz schön sauer. Dels Team, die *Deliverers,* sollte gegen Vapona Begwells Team – die *Vaporizers* – antreten, und die beiden Mannschaften waren sich spinnefeind. Das würde Del Lasco Ruby nie verzeihen, auch dann nicht, wenn sie eine gute Ausrede hatte.

Ruby sah keine andere Lösung, als in der Nachmittagspause eine Verletzung vorzutäuschen. Vor den Augen aller stolperte sie mit einem kleinen Aufschrei die Außenstufen hinunter. Ein Stuntman hätte es nicht besser machen können!

»Verflixt, meine Zehe! Ich glaube, ich hab mir die kleine Zehe gebrochen!«

Ruby wusste, dass man sich schnell eine Zehe brechen konnte und nicht gleich zum Röntgen ins Krankenhaus geschickt wurde. In solchen Fällen bekam man meistens nur den Rat, die Zehe mit Eis zu kühlen. Jedenfalls hatte Ruby ihren Mitschülerinnen damit schnell klargemacht, dass sie in nächster Zeit an keinem Basketballspiel teilnehmen konnte – sie war nun mal die geborene Schauspielerin!

»So ein Mist, Ruby, du wirst uns fehlen!«, schimpfte Del und kickte wütend an ein Grasbüschel. Das war nicht gelogen. Ruby Redfort würde tatsächlich fehlen, denn was ihr an körperlicher Größe fehlte, machte sie durch Geschick wett. Sie hatte ein erstaunliches Talent darin, ihre Gegner abzulenken, und bevor die überhaupt gemerkt hatten, dass sie nicht mehr im Ballbesitz waren, hatte Ruby schon einen Treffer erzielt.

»Ja, Del, ich weiß, tut mir leid«, sagte Ruby und verzog vor (vorgetäuschten) Schmerzen das Gesicht, als sie zum Sanitätsraum humpelte.

Mrs Greenford, der Schulkrankenschwester, gelang es nicht, Rubys Vater oder Mutter telefonisch zu erreichen. Das war nicht weiter überraschend, da Ruby deren Telefonnummern in den Schulunterlagen vor einiger Zeit abgeändert hatte. Die neuen Nummern leiteten sämtliche Anrufe der Schule auf einen Anrufbeantworter weiter, auf den Ruby mit verstellter Stimme aufgesprochen hatte: »Sollte Ruby heute aus irgendeinem Grund früher nach Hause kommen müssen, setzen Sie sie bitte einfach in ein Taxi. Ich bin auf jeden Fall zu Hause.« (Ruby konnte die Stimme ihrer Mutter täuschend echt nachmachen.) Auf diese Weise hatte sie sichergestellt, dass ihre Eltern nichts mitbekommen würden, wenn sie, wie an diesem Tag, mal etwas anderes vorhatte.

Ruby humpelte zum Taxi.

»Ich soll dich also in den Cedarwood Drive bringen?«, fragte der Taxifahrer.

»Nein, kleine Programmänderung – zu Joe's Supermarkt in der Amster Street«, erklärte Ruby.

Der Fahrer zwinkerte ihr zu und nickte. »Ich war auch mal jung, Süße – keine Angst, meine Lippen sind versiegelt.«

7. Kapitel

Nicht anrufen, wir rufen an!

Als Ruby den Supermarkt betrat, wäre sie am liebsten wieder geflohen, denn die rockige, laute Musikbeschallung war eine Zumutung für ihre Ohren. Die alte Mrs Beesman war auch da und füllte emsig ihren Einkaufswagen mit ungefähr zweihundert Dosen Katzenfutter. Die Leute sagten, dass sie an die vierundsiebzig Katzen bei sich beherbergte, aber Ruby nahm nicht an, dass schon mal jemand bei ihr zu Hause gewesen war und genau nachgezählt hatte. Ihr fiel auf, dass Mrs Beesman Ohrenschützer trug.

Ganz schön clever, die Frau. Denn von der Musik hier konnte man einen bleibenden Hörschaden davontragen!

Langsam schritt Ruby die Gänge ab und besah sich die Auslagen, bis sie endlich entdeckte, wonach sie gesucht hatte. In einem Regal, das mit künstlich gefärbten Törtchen und Keksen angefüllt war, stand etwas, das hier definitiv nichts zu suchen hatte. Eine Packung Bio-Kräcker, die irgendwie nach Pappe aussahen. Laut Aufschrift waren sie ein *leckerer, nahrhafter, köstlicher Snack – ohne Zucker, Eier, Weizen oder andere Zusätze,* aber die Packung sah, ehrlich gesagt, besser aus als der Inhalt.

Gesunde Kräcker in Joe's Supermarkt, das passte nun wirklich wie die Faust aufs Auge!
Ruby warf einen Blick auf das Preisschild, und tatsächlich stand *Organic Universe* darauf. Ruby dachte an die Worte der mysteriösen Frau zurück.
»... der selbst winzige Details auffallen ... wenn etwas am falschen Platz ist ...«
Mit der Kräckerpackung unter dem Arm verließ Ruby das Geschäft und ging zum Reformhaus *Organic Universe*, das genau gegenüber lag. Das hölzerne Windspiel klimperte leise, als sie eintrat, und der typisch gesunde Bio-Duft schlug ihr entgegen. Sie ging direkt auf das Regal mit den Vollkornkeksen zu, und dort lag, neben zwei weiteren Packungen dieser Kräcker, ein Telefonbuch. Sie legte die mitgebrachte Packung, die sich in *Joe's Supermarkt* verirrt hatte, an ihren Platz zurück, nahm das Telefonbuch und ging damit zu dem öffentlichen Telefon im Eingangsbereich.
Und wie geht's jetzt weiter?, fragte sie sich.
Über und neben dem öffentlichen Telefon hingen Hunderte Prospekte und Broschüren für alle möglichen gesundheitsfördernden Behandlungen, von Farbtherapie bis zu Wasser-Shiatsu, und auch ... ein Kärtchen, etwa so groß wie eine Visitenkarte, auf dem einfach nur stand: *Nicht anrufen, wir rufen an!*
Ruby hängte das Kärtchen ab und betrachtete es ein-

gehend, doch abgesehen von dem Muster am Rand war nichts Auffälliges zu entdecken. Die Rückseite war leer. Keine weitere Information. Ruby setzte sich auf den Stuhl neben dem Telefon und wartete. Nach fünfundzwanzig Minuten wurde der Mann an der Kasse misstrauisch und schielte immer wieder zu ihr herüber.

»Kann ich dir weiterhelfen?«, fragte er schließlich äußerst unfreundlich. Er war ein junger Typ, der sehr nervös wirkte und eine Nase hatte, die viel zu groß für sein Gesicht war. Deshalb wirkte sein Gesicht irgendwie komisch.
»Nein, danke, alles okay«, antwortete Ruby so lässig wie möglich. »Ich gebe Bescheid, wenn ich etwas brauche.«
Der Großnasige wollte sich offensichtlich nicht mit einer Schülerin anlegen, ließ sie aber nicht aus den Augen.
Ruby starrte auf den Minutenzeiger, der sich langsam über das Zifferblatt bewegte, während der Typ mit der großen Nase durch den Laden schlenderte und Ruby weiterhin argwöhnisch beäugte. Falls jemand Ruby Redforts Geduld auf die Probe stellen wollte, dann machte er seine Sache

gut – obwohl Geduld eine Charaktereigenschaft war, die Ruby wahrlich besaß.
Trotzdem war sie froh, als um genau zwei Minuten vor fünf das Telefon läutete. Sie sprang auf und hätte in ihrer Aufregung fast den Hörer von der Gabel geschlagen. »Hi, hallo«, meldete sie sich aufgeregt.
»Spreche ich mit Ruby Redfort?«, fragte die heisere Stimme vom vorigen Mal.
»Ähm, ja«, bestätigte Ruby.
»Gut, freut mich, dass du es so weit geschafft hast. Ich hätte einen Job für dich – machen wir einen Termin aus? Wie wär's mit morgen Abend acht vor acht, nicht früher und nicht später. Und kein Wort zu niemandem, verstanden?«
»Sonst noch etwas?«, fragte Ruby.
»Ja«, sagte die Stimme. »Das Glück fährt mit.«
Kein Abschiedswort, nur das Freizeichen. Die Dame hatte aufgelegt.
Eine Info zum Treffpunkt wäre vermutlich zu viel verlangt gewesen, dachte Ruby, als sie das Geschäft verließ.

Auf dem Heimweg machte Ruby am Amster Green kurz Halt. Im Astloch oben in der großen Eiche entdeckte sie einen akkurat gefalteten Origamikuckuck. Sie musste, was das bedeutete, noch bevor sie die Botschaft gelesen hatte.

DER KUCKUCK: *Brutparasit, der seine Eier einzeln in die Nester kleinerer Singvögel legt und die Eier des Hauptwirts hinauswirft. Wenn nötig, frisst er auch mal dessen Junge auf.*

Mit anderen Worten:

DER KUCKUCK: *ein erbarmungsloser Killer und Blender.*

Mit dem Kuckuck war natürlich Hitch gemeint. Typisch Clancy Crew – er konnte Witze machen, auch wenn es ihm todernst war. Und er hatte einen sechsten Sinn, wenn etwas nicht stimmte. Oft sagte er: »Die Sache ist die, Ruby: Ich hab da so eine Ahnung«, oder: »Vertrau mir, ich habe das komische Gefühl, dass ich recht habe.« Er konnte nie erklären, wie er zu diesem Gefühl oder diesen Vorahnungen kam, aber komischerweise lag er selten daneben. Ruby faltete den Papiervogel auseinander und las:

Ml! Jex umz ipz migcwgnispv Fimp wzmrxb mew vmily!

Ruby schmunzelte. Clancy Crew konnte man nichts vormachen. Ruby riss ein Blatt aus ihrem Notizheft und schrieb:

Rlklyx oc tizpzhorld iorjy eaj
Wűkkripbiqxtc?

Dann faltete sie das Blatt zusammen und ließ es in dem Astloch verschwinden.

Als Ruby nach Hause kam, stand das Polizeiauto schon wieder in der Einfahrt, und als sie die Treppe hinaufging, hörte sie die vertraute Stimme von Sheriff Bridges und eine weitere Stimme, die vermutlich einem Kriminalbeamten gehörte.

»Und wann genau haben Sie gemerkt, dass sie verschwunden ist, Mrs R?«, fragte Sheriff Bridges.

»Nicht gleich, ehrlich gesagt, Nat. Wissen Sie, nach dem Einbruch war so viel verschwunden, dass es mir zuerst gar nicht auffiel. Gestern habe ich mich noch nicht groß gewundert – sie sagte ja, sie wolle zu Emily gehen –, aber Emily sagt, sie hätte sie seit zwei Wochen nicht mehr gesehen.«

»Emily?«, hakte der Kriminalbeamte nach.

»Ihre Cousine Emily – wohnt in North Twinford. Wissen Sie, die Sache war die, dass sie beleidigt war, was natürlich völlig unangebracht war. Aber so ist Mrs Digby nun mal, sie ist wegen jeder Kleinigkeit eingeschnappt.«

»Eingeschnappt? Weshalb, Mrs Redfort?«

»Ach, eigentlich völlig grundlos. Sie ist so was von empfindlich! Ich darf zum Beispiel nicht mal sagen, sie solle Staub wischen, das sieht sie schon als Kritik. Und wenn ich *nicht* sage, sie solle Staub wischen, denkt sie, ich traue ihr nicht zu, dass sie mit dem Staubwedel umgehen kann …«

»Moment, Mrs Redfort«, fiel ihr der Kriminalbeamte ungeduldig ins Wort, »ich wollte wissen, was *diesmal* der Grund war!«

»Wissen Sie, es ist so, *Detective*«, mischte sich nun Brant Redfort in das Gespräch. »Sabina hat sich in eine kleine Auseinandersetzung zwischen Consuela, unserer genialen neuen Diätköchin, und Mrs Digby, unserer geliebten Haushälterin, eingemischt – jedenfalls flog Tomatensaft durch die Gegend, und Sabina war verständlicherweise äußerst aufgebracht.«

»Na ja, hauptsächlich wegen meiner neuen Oscar-Birdet-Jacke. Die ist vermutlich hinüber – Tomatensaft ist unglaublich tückisch«, erklärte Sabina mit Nachdruck.

»Die Sache ist die«, ergriff Brant erneut das Wort, um beim Thema zu bleiben, »Mrs Digby dachte, Sabina sei auf Consuelas Seite – und sie ist wirklich äußerst empfindlich.«

Ruby stand in der Tür und hörte schweigend zu. Der Kriminalbeamte schrieb etwas auf seinen Notizblock und legte dann die Stirn in Falten.

»Was ist?«, fragte Sabina.

»Könnte es nicht sein, dass Mrs Digby mit dem Einbruch hier zu tun hat? Ist Ihnen dieser Verdacht nicht auch schon gekommen?« Sein Blick wanderte durch den leeren Raum.

»Ach was, Detective, nie im Leben!« Brant wandte sich an den Sheriff. »Nat, Sie kennen unsere Mrs Digby ja – halten Sie es für möglich, dass eine kleine alte Frau wie sie unser gesamtes Mobiliar stehlen kann?« Brant war sichtlich schockiert über diese Vermutung.

»Nein, natürlich nicht, aber wie mein Kollege hier sagt, müssen wir jeder noch so kleinen Spur nachgehen.«

»Vielleicht hat sie es nicht allein getan«, schlug der Detective vor.

»Oh, Sie müssen den Verstand verloren haben – Mrs Digby hat mich praktisch aufgezogen!«, rief Sabina entsetzt aus. »Wie können Sie so etwas Schreckliches sagen!«

»Wer weiß, wer weiß. Vielleicht täusche ich mich ja, aber Sie müssen zugeben, dass es ein seltsamer Zufall ist, dass sie am gleichen Tag verschwunden ist wie Ihre millionenschweren Möbel, finden Sie nicht auch, Mrs Redfort?«

»Ähm … ja schon, aber … aber …«

»Ich wollte nur sagen, dass wir es nicht von vornherein ausschließen können«, sagte der Kriminalbeamte und klappte seinen Notizblock zu. »Danke, dass Sie uns Ihre Zeit geopfert haben.«

Er verließ das Haus durch die Hintertür.

»Tut mir leid, dass ich keine besseren Nachrichten überbringen konnte«, sagte der Sheriff.

In diesem Moment knisterte sein Funkgerät. »Nat, hörst du? Wir haben hier in der City Bank ein Problem.«

Der Sheriff seufzte, ehe er antwortete: »Nicht schon wieder! Okay, ich komm gleich rüber.«
Er schaute das Ehepaar Redfort an. »Verdammt, diese Goldbarren verursachen vielleicht einen Wirbel! Die neue Alarmanlage springt dauernd an. Das müssen wir in den Griff kriegen, bevor die Lieferung eintrifft.« Er lächelte zuversichtlich. »Also, ich melde mich, sobald wir eine neue Spur haben. Passen Sie auf sich auf. Und vergessen Sie nicht, alle Schlösser auszuwechseln!«
»Wozu?«, fragte Sabina, als sie die Tür hinter ihm zumachte. »Bei uns gibt es nichts mehr zu holen.«
Ruby schaute auf Hitch. Er sah gar nicht aus wie der Bösewicht, für den Clancy ihn hielt. Im Moment bereitete er Cocktails zu und schien sich kein bisschen dafür zu interessieren, was vorhin gesprochen worden war. Hatte er überhaupt zugehört? Schwer zu sagen – Limetten auszupressen fand er offenbar wesentlich aufregender als eine kleine alte Frau, die vermisst wurde und eventuell kriminell geworden war. Ruby vermutete, dass er kein Bösewicht, sondern einfach nur ein Hohlkopf war.
Ganz attraktiv, aber vermutlich etwas schlicht im Oberstübchen, dachte sie.
Da erst entdeckte Brant seine Tochter. »Hey, Ruby, Schatz, wie war's beim Basketball?«
»Oh, wie immer, du weißt schon. Wir haben uns den Ball zugeworfen oder in den Korb gezielt und ein paarmal auch

getroffen. Und danach bin ich wieder nach Hause gekommen. Und was ist hier los?«

»Ähm, weißt du ... der Detective ist gekommen, um Mrs Digby zu dem Einbruch zu befragen, aber wir können sie im Moment nicht finden.«

Ruby holte tief Luft. »Meinst du, es ist möglich ...?« Sie redete nur im Flüsterton, damit ihre Mutter nichts mitbekam. »Meinst du, Mrs Digby wurde auch gestohlen, zusammen mit unserem ganzen anderen Kram?«

Brant Redfort lächelte amüsiert. »Sehr witzig, Ruby-Schatz!«

Aber Ruby war nicht zum Scherzen aufgelegt.

»Ich meine es ernst, Dad, vielleicht ist sie entführt worden!«

»Ach was, dann hätten sich die Entführer längst bei uns gemeldet«, flüsterte Brant zurück.

»Nicht unbedingt. Vielleicht wollen sie eine Weile warten, bevor sie sich bei uns melden – du weißt schon, um uns noch etwas auf die Folter zu spannen.«

»Weißt du was?« Brant beugte sich an ihr Ohr.

»Was?«, fragte Ruby leise zurück.

»Du schaust zu viel fern.« Er lachte, tätschelte Rubys Kopf und marschierte dann ins Wohnzimmer. Ruby seufzte und rückte ihre Haarspange wieder zurecht.

»Und du vermutlich zu wenig«, murmelte sie leise vor sich hin. Situationen wie diese gab es oft in *Crazy Cops*. Dank dieser Krimiserie hatte Ruby eine Menge darüber gelernt, wie das Gehirn von Kriminellen arbeitet. Heute Abend kam eine neue Folge, und wenn Mrs Digby hier wäre, würden sie sie zusammen ansehen – Seite an Seite auf der Couch. Nur dass es in diesem Haus leider keine Couch mehr gab! Wo immer Mrs Digby auch sein mag, dachte Ruby, hoffentlich kann sie wenigstens *Crazy Cops* schauen …

In dieser Nacht schlief Ruby sehr unruhig – zuerst hatte sie lange nicht einschlafen können, und dann träumte sie lauter wirres Zeug und kam einfach nicht zur Ruhe. In ihren Träumen klingelte zum Beispiel das Telefon, und die Stimme am anderen Ende sprach nur in Rätseln. Dann wieder wurde ihre Mutter von einem gefährlichen Butler mit einer Vorliebe für Toastbrote als Geisel genommen, ihr Vater wurde von durchgeknallten Möbeldieben angeschossen, und die ganze Zeit hörte Ruby im Traum Mrs Digby in irgendeiner weit entfernten Gefängniszelle nach ihr rufen. Sie erwachte schließlich vom Klang ihrer eigenen Stimme: »Wo sind Sie, Mrs Digby?«
Verdutzt setzte sie sich auf und rieb sich die Augen. Mrs Digby eine Verbrecherin? Dieser Detective war ein Spinner! Mrs Digby würde nie ein Verbrechen begehen – nun ja, zumindest keines, das sich gegen die Redforts richtete. In Rubys Kopf ging es drunter und drüber: Sie sortierte ihre Befürchtungen, suchte nach Lösungen, geriet in

Sackgassen, machte kehrt und fing wieder von vorn an. Sie tröstete sich mit REGEL 33: AUCH FÜR AUSSERGEWÖHNLICHE EREIGNISSE GIBT ES MEIST EINE GANZ GEWÖHNLICHE ERKLÄRUNG.

Doch es nützte nichts, inzwischen war sie hellwach.

Sie stand auf, zog sich ein Sweatshirt über und tapste dann lautlos die Treppe hinunter – sie wollte Floh auf keinen Fall wecken. Aber der Husky war schon wach und ließ den Mann, der in der Küche saß, nicht aus den Augen. Ruby erstarrte: Von der Treppe aus hatte sie einen guten Ausblick, und Hitch saß auf einem Schemel und hatte den rechten Ärmel hochgerollt, so dass man den Verband an seinem Oberarm sah, den er gerade behutsam abwickelte.

Ruby hielt die Luft an und verhielt sich mucksmäuschenstill.

Mit großen Augen sah sie, wie Hitch vorsichtig die Gaze ablöste … und darunter kam etwas zum Vorschein, das verdächtig nach einer Schusswunde aussah!

Zur selben Zeit,
an einem unbekannten Ort …

Mrs Digby stieg aus dem Floating-Tank. Sie trug einen Badeanzug mit Pünktchenmuster und sah sich ratlos um, weil sie merkte, dass sie nicht mehr im Fitness- und Wellnessraum der Redforts war. Klar, die meisten Gegenstände waren ihr vertraut, aber das Drumherum war ihr sehr, sehr fremd. Das Mobiliar war noch dasselbe, alles war da – komisch war nur, dass es kein Haus gab.

»Wo um alles in der Welt sind die verdammten Wände geblieben?«, fragte sie sich kopfschüttelnd.

Sie befand sich offenbar in einem riesigen Flugzeughangar, umgeben von allem, was die Redforts je an Möbelstücken besessen hatten.

Das Letzte, woran Mrs Digby sich erinnerte, war, dass sie am Vortag gegen drei Uhr nachmittags in den Floating-Tank gestiegen war – mit einer Mordswut im Bauch gegen ihre Rivalin in Sachen Kochkunst, diese eingebildete Consuela. Eigentlich wollte sie nur eine Weile allein sein und sich entspannen – bevor sie womöglich noch etwas Unbedachtes getan hätte.

Sabina Redfort hatte den Floating-Tank erst letzten Monat einbauen lassen, auf Betreiben ihres persönlichen Heilers, der sie davon überzeugt hatte, dass sie mehr Entspannung und Zeit für sich selbst brauchte.

Mrs R schwärmt davon, wie entspannend es ist, im warmen Salzwasser zu schweben – da sollte ich es vielleicht auch mal probieren. Kann ja sein, dass ich hinterher eine

Haut wie eine Dörrpflaume habe, aber was stören ein paar Runzeln mehr in meinem Alter?

Derlei Gedanken waren Mrs Digby durch den Kopf gegangen, als sie sich in das warme Wasser legte, den Deckel zuzog und fast umgehend in einen Tiefschlaf fiel.

Junge, Junge, hatte sie gut geschlafen!

Was für einen Tag haben wir?, fragte sie sich. Hoffentlich nicht Dienstag, dachte sie, als ihr Blick auf die Küchenuhr der Redforts fiel. Denn sonst verpasse ich *Crazy Cops*, und das tue ich eigentlich nie!

8. Kapitel

Das Glück fährt mit

Bei Tagesanbruch war Ruby schon auf den Beinen, duschte und zog ihre Schuluniform an, obwohl ihr niemand Dampf machte. Ruby war keine Frühaufsteherin, das wusste jeder – ihre Eltern hatten ihr vor Verzweiflung einen Wecker geschenkt, auf dem ein Vogel abgebildet war, der nach einem Wurm pickte, getreu dem alten Sprichwort: *Der frühe Vogel fängt den Wurm*. Wenn der Wecker *vor* sieben Uhr morgens klingeln durfte, gab er ein melodiöses Zwitschern von sich – zu späterer Stunde nur ein wüstes Kreischen. Ruby ging zurück in ihr Zimmer und fand dort zu ihrer Überraschung mehrere ordentliche Stapel vor, bestehend aus einer Jeans, T-Shirts, Overknee-Strümpfen und weiteren wichtigen Kleidungsstücken. Ruby sah die Stapel kurz durch und stellte fest, dass die Sachen durchaus akzeptabel waren, mehr noch: es war genau die Art von Sachen, die sie auch für sich ausgesucht hätte. Es war sogar ein T-Shirt dabei mit dem Aufdruck: KLAPPE HALTEN!
Das hatte nie und nimmer ihre Mutter gekauft!
Neben einem Paar Yellow-Stripes-Sneakers der Größe 35 lag ein getippter Zettel.

Hoffe, die Sachen gefallen Dir. Hab meine Freundin Billie losgeschickt, um für Dich einzukaufen. Sie ist Stylistin und weiß, was angesagt ist. Hitch.

Okay, er mochte zwar ein Hohlkopf sein, aber seinen Job machte er gut. Ruby ging die Treppe hinunter und wollte sich bei ihm bedanken. Hitch stand wie erwartet in der Küche und hielt sich eine Toastscheibe vors Gesicht, als wollte er sie lesen.

Bei Rubys Eintreten legte er die Scheibe schnell auf den Küchentresen und bestrich sie mit Erdnussbutter.

»Auch ein Toast?«, fragte er.

Oje, dachte Ruby. Er ist nicht nur ein Hohlkopf, sondern auch ein Spinner.

An diesem Morgen hatte Ruby keine Lust zum Radfahren und nahm den Bus. Sie war rechtzeitig an der Haltestelle, stieg ein und setzte sich. Doch sie war so in ihre Gedanken versunken, dass sie ihre Freundinnen, Del und Mouse, glatt übersah. Die beiden Mädchen winkten ihr zu.

»Hey, Ruby!«, rief Del.

Ruby blickte nicht mal auf.

Fragend schaute Del ihre Freundin Mouse an. »Hab ich ihr irgendwas getan?«

Ruby starrte nur auf die Karte, die sie im *Organic Universe* abgehängt hatte, und kaute gedankenverloren auf ihrem Stift herum – gab es etwas, das sie übersehen hatte? Was sagte ihr diese Karte – abgesehen von den Worten NICHT ANRUFEN, WIR RUFEN AN!? Okay, da war die Verzierung am Rand, aber nicht der kleinste Hinweis darauf, wo das Treffen stattfinden sollte.

»*Morgen Abend um acht vor acht.*« Mehr hatte die Stimme am Telefon nicht gesagt. Moment mal, eigentlich hatte es sich angehört wie acht *für* acht – aber das ergab erst recht keinen Sinn …

Was übersehe ich?

»Hey, Ruby, deine Zehe scheint wieder okay zu sein, hm?«, rief Del.

Ruby blickte auf ihren Fuß – die Sache mit der vorgetäuschten Verletzung hatte sie komplett vergessen. »Ach so, ja«, antwortete sie.

Mouse schaute Del an, klappte den Mund auf und zu und verdrehte die Augen – das war *ihre* stumme Geheimsprache, um zu sagen, dass Ruby Redfort ihrer Meinung nach einen Knall hatte. Auch Clancy Crew wurde nicht schlau aus ihr – und als Vapona Begwell sich erdreistete zu sagen, die spontane Heilung von Rubys Zehe sei entweder ein Wunder oder Ruby eine fiese Schwindlerin, die sich nur vor dem Basketballturnier drücken wollte, zuckte Ruby nicht mal mit der Wimper.

»Hey, Redfort«, sagte Vapona spöttisch. »Haben die Einbrecher außer eurem ganzen Mobiliar auch deinen Mumm gestohlen?«

Clancy konnte es nicht glauben. »Mensch, Ruby, lässt du dir das etwa gefallen?«

»Hör mal, ich hab im Moment andere Sorgen als diese Kuh.«

»Wieso? Ist schon wieder was passiert?«, erkundigte sich Clancy gespannt. »Weitere Einbrecher? Ist noch etwas verschwunden?«

»Ehrlich gesagt, ja.«

»Und was?«, fragte Clancy.

»Mrs Digby«, antwortete Ruby.

»Wie – Mrs Digby?«, wiederholte Clancy verdutzt.

Ruby nickte. »Sie war nie bei ihrer Cousine Emily, und sie ist auch nicht zurückgekommen. Wir haben keine Ahnung, wo sie steckt.«

Clancys Augen wurden tellergroß. »Weißt du, was ich denke? Ich denke, der Butler, der kein Butler ist, hat sie entführt.«

»Und warum sollte er das tun, Clancy?«

»Weil er ihren Job haben will. Deshalb hat er sie aus dem Weg geräumt.«

»Meine Mom hat ihn nicht eingestellt, weil Mrs Digby weg ist – als sie ihn einstellte, wusste sie noch gar nichts von Mrs Digbys Verschwinden.«

»Kann ja sein, aber er gefällt mir trotzdem nicht«, sagte Clancy mit Nachdruck.

»Vielleicht hast du sogar recht. Denn weißt du was? Ich hab seinen verletzten Arm gesehen – er hat nicht gemerkt, dass ich ihn beobachtet habe –, aber es ist mit Sicherheit kein Tennisarm vom Putzen. Sah eher nach einer Schusswunde aus.«

»Ich hatte also recht«, sagte Clancy nachdenklich. »Er *war* in eine Schießerei verwickelt.« Seine Miene hellte sich auf. »Weißt du was? Ich denke, er ist auf der Flucht und versteckt sich bei euch. Und in der Zwischenzeit klaut er eure Sachen und verscherbelt sie.«

»Clance, dein messerscharfer Verstand verblüfft mich immer wieder.«

Obwohl sie nach außen hin so cool tat, hatte sie das dumpfe Gefühl, dass ihr bester Kumpel gar nicht so sehr danebenlag.

Ruby brachte den morgendlichen Unterricht wie im Halbschlaf hinter sich, denn sie grübelte ständig über das Rätsel nach, das sie lösen musste. Und gegen halb drei, mitten in der Geschichtsstunde, machte es plötzlich *Klick* in ihrem Kopf, und sie sah etwas, das sie bisher übersehen hatte.

Mrs Schneiderman hielt einen stinklangweiligen Vortrag über die alten Griechen, und wer nicht aus dem Fenster schaute, lackierte sich die Fingernägel mit *Tipp-Ex* und kämpfte gegen das Einschlafen an. Es war nicht so, dass sich keiner für das Thema interessiert hätte, es war eher so, dass Mrs Schneiderman zu den Leuten gehörte, die selbst die spannendsten Fakten total monoton und zum Gähnen langweilig erzählte. Sie schweifte ständig ab und kam dann vom Hölzchen aufs Stöckchen. Ruby, die sich komplett ausgeklinkt hatte, wurde erst in die Wirklichkeit zurückkatapultiert, als plötzlich ungefähr hundert Reißnägel auf den Fußboden prasselten. Ruby drehte sich um und sah, dass Red Monroe, tollpatschig wie immer, hektisch versuchte, die kleinen Dinger wieder in ihr Plastikkästchen zu schaufeln.

»Entschuldigung, Mrs Schneiderman«, stammelte sie. »Sie sind von ganz allein runtergefallen.«

Die Reißzwecken waren zum Teil durch den ganzen Raum gerollt und einige von ihnen unter Clancys Stuhl – und als er aufstand, um Red beim Einsammeln zu helfen, drückten sich zwei von ihnen in die Sohle seines linken Turnschuhs. Mrs Schneiderman versuchte, ihre Schüler wieder zur Ordnung zu rufen, und klopfte mit ihrem Lineal an die Wand. Ruby blickte auf und sah, dass die Lehrerin ein Dia an die Wand projiziert hatte, mit einem einfachen, in sich verschlungenen, sich wiederholenden Muster, dem berühmten griechischen Muster, mit dem damals im alten Griechenland Töpferwaren, Mosaiken und eigentlich alles verziert wurde.

»Dieses Muster bezeichnet man als Mäandermuster, und es tauchte zum ersten Mal in der Geometrischen Epoche Griechenlands auf«, sagte Mrs Schneiderman lauter als nötig. »Der Name *Mäander* erinnert an den verschlungenen Lauf des Flusses Mäander. Deshalb trägt dieses Muster noch heute den Namen *Mäander*. Bei geschichtlichen Dingen sollte man sich immer vor Augen halten, dass eine Verzierung nur äußerst selten lediglich als Zierde gedacht ist. Normalerweise symbolisiert sie etwas oder soll eine Botschaft vermitteln.«

Auf einen Schlag war Ruby hellwach. Sie griff in die Tasche ihrer Jacke, die über der Stuhllehne hing. In der linken Tasche war ihr Notizheft, in dem die kleine weiße Karte lag, die von *Organic Universe*. Darauf standen die fünf Worte: NICHT ANRUFEN, WIR RUFEN AN!, aber Ruby interessierte sich nicht für den Text. Viel spannender fand sie plötzlich das Muster am Rand der Karte. Darauf hatte sie bisher nicht groß geachtet – womit sie allerdings gegen ihre eigenen Regeln verstoßen hatte, nämlich REGEL 13, die da lautet: HINTER VIELEM STECKT OFT MEHR, ALS MAN AUF DEN ERSTEN BLICK ERKENNEN KANN.

Nun studierte sie das Muster am Rand sorgfältig – es bestand aus sich wiederholenden, ineinandergreifenden Achtern, die sich über alle vier Seiten zogen.

»… Morgen Abend um acht vor acht …«

Damit war vermutlich eine Uhrzeit gemeint, aber was, wenn ihre Zieladresse auch eine Acht war? »Das Glück fährt mit«, hatte die Stimme gesagt – warum? Was sollte das mit dem Glück?

Nach der Schule holten Clancy und Ruby Floh ab und fuhren mit den Rädern ans Meer. Ruby fand es immer sehr entspannend, ihrem Husky zuzuschauen, wenn er in den Wellen herumtollte, aber an diesem Tag war es leider nicht so. Sie war immer noch am Grübeln. Erst auf dem Nachhauseweg machte es *Klick* in ihrem Kopf. Ruby radelte ganz langsam neben dem Gehweg entlang, denn Clancy musste jetzt zu Fuß gehen: Seine Fahrradkette war gerissen, und er erzählte ihr gerade von einem Ölscheich, der es nur mit Müh und Not geschafft hatte, rechtzeitig zu einem Treffen mit Clancys Vater zu kommen, weil ihm unterwegs das Benzin ausgegangen war.

»Zum Schieflachen, nicht wahr? Ein Ölbaron, dem das Benzin ausgeht!« Clancy wollte sich ausschütten vor Lachen.

»Ja, echt komisch«, sagte Ruby.

»Aber das war noch nicht alles. Sein Chauffeur hält einen alten Lieferwagen an, der zufällig vorbeikommt, und wer sitzt da drin?« Clancy wartete Rubys Antwort gar nicht erst ab. »Ausgerechnet der alte Mr Berris, der Besitzer der Tankstelle, die demnächst schließen muss, weil keiner mehr dort tankt. Der alte Mr Berris hat einen vollen Kanister dabei, füllt den Tank der Limousine des Scheichs, und der kommt gerade noch rechtzeitig zum Dinner bei meinem Dad.«

»Echt komische Geschichte«, sagt Ruby lächelnd.

Clancy fand sie sogar so lustig, dass er noch länger darauf

herumritt. »Da ist so ein Typ mit Riesenölfeldern und unglaublich viel Öl, und er muss sich einen Kanister mit Benzin von einem kleinen alten Mann ausleihen, der seine Tankstelle zumachen muss, weil kein Mensch sein Benzin kauft!«

»Da hat der Scheich echt Glück gehabt«, sagte Ruby und verstummte unvermittelt – sie war über das letzte Puzzleteilchen gestolpert.

»Was ist los? Was hab ich gesagt?«, fragte Clancy verdutzt.

»Sorry, Clance, ich muss los! Ich erzähl's dir morgen, Ehrenwort«, rief sie und fuhr vom Bordstein auf die Straße. »Sei so lieb und bring Floh zu mir nach Hause«, rief sie noch, als sie schon in Richtung der Mountain Road radelte und wie verrückt treten musste, um den Hügel hinaufzukommen.

»Was ist denn los?«, rief Clancy ihr nach. »Was ist passiert?«

»Ich glaube, ich hab auch gerade Glück gehabt!«, rief Ruby über die Schulter zurück.

9. Kapitel

Ein enger dunkler Tunnel

Ruby bremste genau an der Stelle ab, die ihr vorhin eingefallen war. Der fragliche Ort lag gleich am Stadtrand, an der Mountain Road, an einer Stelle, wo die Straße eine Linksbiegung machte. Dort hatte früher eine Tankstelle gestanden. Das Einzige, was von ihr übriggeblieben war, war ein verblasstes Schild, auf dem zu lesen war: *Lucky Eight tanken, und das Glück fährt mit!*

Es war ein schöner sonniger Abend und die Straße unter ihren Füßen fühlte sich warm an. Sie schaute sich um.

Hier soll ich jemanden treffen?

Weit und breit war nichts zu sehen, rein gar nichts. Ruby wollte sich gerade eingestehen, dass sie sich offenbar geirrt hatte, als ihr Blick auf einen Kanaldeckel fiel. Langsam ging sie darauf zu, kniete sich auf den Boden und wischte den Straßenstaub zur Seite. Auf dem Kanaldeckel war ein Firmenlogo zu sehen: eine Fliege, unter der die Worte *Brummer & Larve* standen. Am Rand war dasselbe, sich wiederholende Muster aus Achtern zu sehen wie auf der Karte und in der Mitte eine Zahl: 848.

Ruby strahlte.

Ah, also weder »acht vor acht« noch »acht für acht«, sondern »acht-vier-acht«!
Ruby wartete, ließ den Kanaldeckel nicht aus den Augen und blickte nur einmal kurz auf ihre Uhr. Erst kurz vor acht versuchte sie, den Deckel anzuheben. Aber das war leichter gesagt als getan!
Es musste irgendeinen Trick geben, und nach nur wenigen Minuten hatte Ruby ihn durchschaut: achtmal im Uhrzeigersinn drehen, viermal im Gegenuhrzeigersinn, dann wieder achtmal im Uhrzeigersinn – Volltreffer! Puh, der Deckel war ziemlich schwer, doch sie schaffte es schließlich, ihn zur Seite zu wuchten, und sah … rein gar nichts! Nur Dunkelheit, schwärzer als die Nacht.
Es gab nur *eine* Sache, vor der Ruby Redfort Angst hatte: wenn es irgendwo eng und dunkel war. Aber natürlich waren das keine Schränke oder winzige Räume oder Tunnel, von denen sie wusste, dass es einen Ausgang gab – nein, es betraf nur Orte, die ihr völlig unbekannt waren … wo es vielleicht gar keinen Ausgang gab … keinen Sauerstoff – *das* war es, wovor sie sich fürchtete.
Sie starrte etwa fünf Minuten lang in die bodenlose Dunkelheit, dann weitere zweiunddreißig Sekunden … und gab sich schließlich einen Ruck.
Sie konnte doch nicht aufgeben, wo sie schon so weit gekommen war, oder? Ihre innere Stimme sagte ihr, sie solle es wagen, ihr Körper sträubte sich noch etwas. Aber sie sagte

sich: Jetzt oder nie! Langsam und vorsichtig stieg sie an den Eisensprossen an der Wand nach unten und zog den Deckel über ihrem Kopf wieder zu. Sie schien sich aufzulösen und hatte keine Hände, keine Füße mehr – es war, als sei sie mit der Dunkelheit verschmolzen. Panik stieg in ihr auf, und ihr Verstand spielte ihr die üblichen Tricks. Ihr Atem ging kurz und hektisch; Ruby wurde leicht schwindelig und übel. »Reiß dich zusammen, Ruby«, zischte sie. Der Klang ihrer eigenen Stimme in der Dunkelheit hatte etwas Beruhigendes. Sie dachte an Mrs Digby – ihr ganzes Leben lang hatte die Haushälterin ihr den Rücken gestärkt, ihr ihre Ängste ausgeredet und Mut zugesprochen. Was würde sie ihr in einer Situation wie dieser raten?

»Jetzt sag bloß nicht, du fürchtest dich vor ein bisschen Dunkelheit, Ruby! Du meine Güte! Wieso auch? Es gibt so viele Dinge, die schlimmer sind und vor denen du dich fürchten solltest – zum Beispiel davor, so alt und vergesslich zu werden wie ich oder von einem dieser Stadtbusse mit den wilden jungen Fahrern überfahren zu werden! Davor muss man Angst haben, Kind – aber doch nicht vor ein bisschen Dunkelheit!«

Allein schon bei dem Gedanken an Mrs Digby wurde Ruby wieder etwas ruhiger. »Der Geist ist stärker als die Materie«, sagte Mrs Digby gern, und sie hatte recht. Ruby hatte es zu

ihrer REGEL 12 gemacht: BRING ORDNUNG IN DEINE GEDANKEN, UND DU HAST BESSERE CHANCEN.
Das war vermutlich die beste Regel für Situationen wie diese, oder?
Also: Nur keine Panik!
REGEL 19: PANIK LÄHMT DAS GEHIRN. Mit Panik kommt man nicht weiter. Panik kann tödlich sein.
Unten angekommen, tastete Ruby sich in gebückter Haltung langsam tiefer ins Nichts, und mit jedem Schritt wurden ihre Sinne schärfer. Sie merkte, dass der unterirdische Gang sich nach und nach weitete und die Wände glatt waren – keineswegs rau und uneben, wie man eigentlich erwarten würde. Es roch auch nicht feucht und muffig, sondern eher … nach nichts. Der Tunnel führte mal nach links, dann nach rechts, und nach einer Weile konnte Ruby sich aufrichten und normal weitergehen – aber es wurde und wurde nicht hell. Ruby verlor jedes Zeitgefühl und hätte nicht sagen können, wie lange sie sich schon hier unten durch die Dunkelheit tastete.
Ihr war heiß, und sie war total fertig, als sie irgendwann auf ein Hindernis stieß, das sich als Backsteinmauer entpuppte. Sie tastete sie mit beiden Händen ab, stellte sich auf die Zehenspitzen, bückte sich, griff nach links und rechts, aber es ging offenbar nicht mehr weiter. Es ging nur wieder zurück. Der Tunnel führte ins Nichts – und alles war umsonst gewesen!

Ruby sank auf den Boden, nahm den Kopf zwischen die Hände und fragte sich, woher sie die Energie für den ganzen langen Rückweg nehmen sollte. Sie wusste nicht, wie lange sie so dasaß.

Plötzlich hörte sie ein tiefes Grollen, das sich fast wie ein Erdbeben anhörte.

Dann ein greller Lichtschein – so gleißend weiß, wie die Dunkelheit eben noch pechschwarz gewesen war.

Ruby sprang auf die Füße, kniff die Augen zusammen, und ihr Herz pochte zum Zerspringen.

Da hörte sie eine Stimme.

»So, so, du hast es also geschafft, Ruby Redfort!«

10. Kapitel

Die Stimme

Ruby kannte diese Stimme. Es war die Stimme vom Telefon, die Stimme mit den Codes und Rätseln, doch Ruby konnte nicht sehen, woher sie kam.

Nach und nach gewöhnten sich ihre Augen wieder an die Helligkeit, und Ruby stellte fest, dass die Mauer wie durch Zauberhand verschwunden war, und sie taumelte in einen komplett weißen Raum.

Es war ein riesiger Raum mit einem großen Schreibtisch in der Mitte. Hinter diesem Schreibtisch saß eine Frau: die Frau mit der rauen Stimme. Sie war älter als Rubys Mutter, aber nicht *alt*. Ganz in Weiß gekleidet, sah sie elegant und umwerfend gut aus, gepflegt – aber keineswegs *aufgemotzt*, wie Mrs Digby sagen würde.

Unter dem weißen Schreibtisch konnte Ruby die Füße der Frau sehen – sie trug keine Schuhe, und ihre Zehennägel waren kirschrot lackiert, aber sie waren wirklich die einzigen Farbtupfer in diesem Raum. Die Frau sah gerade einige Papiere durch, in die sie so vertieft war, dass sie nicht mal den Kopf hob.

Eine Fliege summte ziellos durch den Raum.

Ruby war nicht schlecht in Physik, doch es war ihr ein Rätsel, wie ein so riesiger Raum am Ende eines so engen Tunnels liegen konnte – es kam ihr so vor, als wäre sie durch ein Abflussrohr gekrochen und in einem Ballsaal gelandet.

»Wow!«, sagte Ruby. »Ihre Innenarchitekten wissen echt, wie man ein Gefühl von Weite erzeugt.«

Die Frau griff nach ihrer Brille und schaute Ruby dann endlich an, aber nicht sonderlich neugierig. Sie wartete kurz, bevor sie in einem alles anderen als scherzhaften Ton fragte: »Weißt du, warum du hier bist?«

»Vielleicht weil Sie mich herzitiert haben und ich durch einen engen Tunnel gekrochen bin?«, sagte Ruby etwas patzig.

Die Frau musterte sie. »Weißt du, wer ich bin?«

Ruby betrachtete den Schreibtisch, dann das komplett weiße Gemälde, das an der Wand hing, und schließlich den Teppich auf dem Fußboden. Wenn man lange genug hinschaute, konnte man ein Muster in dem weißen Rahmen und der weißen Lackfarbe erkennen, ebenso im Flor des Teppichs. Es waren jeweils zwei Buchstaben, immer die gleichen.

»LB?«, sagte Ruby versuchsweise.

Die Frau nickte und hätte *fast* gelächelt. »LB ist korrekt. Ich bin hier der Boss.«

»Und wo bitte schön ist ›hier‹?«, fragte Ruby.

»Die Zentrale, das Headquarter – hier laufen sämtliche Informationen zusammen.«
»Wie bitte?«
»Nun, wenn du unbedingt einen Namen brauchst – Spektrum«, sagte die Frau.
»Bedauere«, sagte Ruby. »Sagt mir noch immer nichts.«
»Soll es auch nicht«, sagte die Frau. »Spektrum ist eine Geheimdienstagentur – ein *sehr* geheimer Geheimdienst.«
»Oh, scheint so«, sagte Ruby. »Ich hab tatsächlich noch nie davon gehört. Für wen arbeitet Ihre Agentur, für die Regierung?«
»Sagen wir der Einfachheit halber, dass wir nicht *für* die Regierung, aber auch nicht *gegen* sie arbeiten, wenn du verstehst, was ich meine.«
»Soll vermutlich heißen, dass ihr die Guten seid.«
»Ja, wir halten uns ehrlich gesagt für die *ganz, ganz* Guten, aber die Guten reicht schon.«
»Jeder hält sich für die Guten«, sagte Ruby.
»Stimmt«, räumte LB ein, »aber in unserem Fall trifft es zufällig zu.«
»Nun, das wissen *Sie* vielleicht, aber woher soll *ich* es wissen?«
LB holte tief Luft. »Wie ich hörte, giltst du als hochintelligent, nicht zuletzt dank deiner unfehlbaren Instinkte. Okay, dann stell dir die Frage: Was hat dich hierher geführt? Waren es deine exzellenten Instinkte oder einfach nur Neu-

gier? Würdest du wirklich durch einen engen, stickigen, stockdunklen Tunnel kriechen, wenn du denken würdest, wir seien die Bösen?«

Da war was dran.

»Und wofür steht LB?«, wollte Ruby wissen.

»Nicht dein Bier, wie man in deinem Alter vermutlich sagt«, erwiderte LB.

»Kein Mensch in meinem Alter würde so was sagen – außer er wollte vorgeben, in *Ihrem* Alter zu sein!«

Diese freche Antwort prallte jedoch an LB ab, die seelenruhig eine Schublade aufzog und einen roten Plexiglasordner herausholte. »Willst du wissen, warum wir dich durch den Tunnel kriechen ließen?«

»Ja, schon …«, sagte Ruby gedehnt – als wäre es ihr piepegal.

LB schlug den Ordner auf. »Vor fünf Jahren wurden wir zum ersten Mal auf dich aufmerksam. Wir studierten den Code, den du beim Junior-Codeknacker-Wettbewerb eingereicht hattest, und erfuhren von dem Angebot der Universität Harvard – ich nehme an, du erinnerst dich.«

»Ja, klar«, murmelte Ruby – es war eine Sache, an die sie sich nicht gern erinnerte. Die viele Aufmerksamkeit war ihr ziemlich auf den Keks gegangen.

»Wir waren schon damals an dir interessiert, doch als wir erfuhren, wie jung du warst, haben wir es uns anders überlegt. Kleine Kinder können wir nicht brauchen.«

»Aha! Halten Sie mich jetzt nicht mehr für ein kleines Kind?«
»Doch, ehrlich gesagt. Aber wir sind in einer verzweifelten Lage«, erklärte LB.
»Wow, Sie verstehen es echt, einem zu schmeicheln!«
LB blieb weiterhin sehr ernst. »Wir beobachten dich schon seit ein paar Jahren. Seit wir dich auf dem Radar haben, verfolgen wir deine schulischen Leistungen und deine Noten. Du bist nicht normal.«
»Das soll jetzt ein Kompliment sein, richtig?«
»Nein, so würde ich es nicht nennen.«
Ruby zuckte die Schultern. »Wieso ließen Sie mich dann kommen?«
»Ich muss wissen, ob du bereit bist, für uns zu arbeiten – selbstverständlich nur auf einem Gebiet, auf dem du dich auskennst.«
»Und was soll ich tun?«, fragte Ruby.
»Wir werden dir die Details zum gegebenen Zeitpunkt mitteilen, aber im Moment muss ich wissen, ob du dabei bist, oder nicht?«
»Sie müssen ja großes Vertrauen in mich haben.«
»Entweder das, oder ich bin verrückt«, sagte LB und widmete sich wieder ihren Papieren.
»Woher wollen Sie wissen, dass Sie mir vertrauen können?«, hakte Ruby nach.
LB hielt in einer Bewegung inne und blickte auf. »Wir ge-

hen davon aus. Uns ist nicht entgangen, dass du ein Geheimnis für dich behalten kannst.«

»Und wenn Sie sich täuschen?«, fragte Ruby.

»Tja, wenn wir uns täuschen«, sagte LB, seufzte und beugte sich vor. »Wenn du doch ein Plappermaul bist, wer, denkst du, würde dir glauben?«

Das stimmte. Für eine Schülerin wäre es sicher ziemlich schwierig, jemanden außer Clancy Crew davon zu überzeugen, dass es irgendwo unter der Stadt eine Geheimdienstzentrale gab, zu der man aber nur gelangte, wenn man sich die Mühe machte, neben dem alten, vergammelten Schild der ehemaligen Tankstelle Lucky Eight einen Kanaldeckel aufzumachen, hineinzuklettern und durch einen langen, dunklen Gang zu kriechen.

»Was ist? Bist du dabei?«

»Ich weiß immer noch nicht, worum es geht.«

»Du wirst instruiert werden, sobald du den obligatorischen Spektrum-Test gemacht und *bestanden* hast und natürlich als *sicher* eingestuft wurdest.« LB machte eine kurze Pause. »Ich möchte vorausschicken, dass es sich um einen Bürojob handelt: Es wird keine wilden Verfolgungsszenen im Auto geben, keine Fallschirmabsprünge in schwarzen Rollkragenpullis, und du bist keine *von uns*. Du wirst *keine* Geheimagentin sein, sondern nur diese eine Aufgabe erledigen. Und wenn alles vorbei ist, kehrst du wieder zu deinem langweiligen, stumpfsinnigen Schulalltag zurück.«

»Wow, Lady«, sagte Ruby spöttisch. »Ich bin drauf und dran, ja zu sagen.«
»Ah, ich vergaß«, sagte LB. »Es gibt auch ein kleines Honorar.«
»Ach nee, und wer zahlt es? Sie oder ich?«
LB überhörte diese ironische Bemerkung. »Hast du dich schon entschieden?«
»Aber Sie haben mir noch immer nicht gesagt, worum es geht!«
»Glaub mir: So ein Angebot kriegt man nicht alle Tage – also: ja oder nein?«
»Hmm, ich weiß nicht«, sagte Ruby und kaute an einem Fingernagel herum. »Im Moment muss ich eine Hausarbeit für Biologie machen – wissen Sie, ich muss mir ein Leben als Plankton vorstellen, und ich vermute, wie ein Plankton zu denken, kostet ganz schön viel Zeit … ich meine, herrje, ich weiß nicht mal, ob ich da noch viel freie Zeit habe.«
»Hör mal, Planktongirl«, sagte LB gedehnt. »Jetzt aber Spaß beiseite! Sprich mal Klartext: Ja oder nein?«
Ruby beäugte LB mit einem ihrer typischen Seitenblicke, bevor sie sich zu einer Antwort aufraffte. »Na schön, ich denke, das Plankton kann warten.«
»Gut, freut mich, dass wir das geklärt haben. Wir werden dafür sorgen, dass du vom Unterricht befreit wirst – darüber hinaus gilt: Nicht anrufen, *wir* rufen an.«

»Sonst noch etwas, das ich wissen müsste?«, fragte Ruby.
»Ähm, ja: REGEL 1: KLAPPE HALTEN!«

Als Ruby nach dem anstrengenden Rückweg den Kanaldeckel anhob, wurde sie von einer großen Hand am Kragen gepackt.
Unwillkürlich entfuhr ihr ein Aufschrei – was für Ruby Redfort höchst untypisch war.
»Keine Angst, Kleine! Sollen wir dein Rad in den Kofferraum packen, und ich fahre dich nach Hause?« Ruby hob den Kopf und blickte in das gebräunte Gesicht des neuen Haushaltmanagers der Familie Redfort.
»Hey, woher haben Sie gewusst, dass ich hier bin?«
»Och, ich hab einfach gespürt, dass du der Typ Mädchen bist, der abends gern ein bisschen durch die Kanalisation kriecht.«
Ruby musterte ihn eindringlich. »Wer sind Sie eigentlich wirklich?«
»Spektrum hat mich zu deinem Babysitter auserkoren«, erklärte Hitch und wischte sich den Staub von den Händen.
»Sorry, aber das können Sie sich abschminken«, sagte Ruby. »Da sind Sie nämlich gleich wieder arbeitslos. Seit ich ohne Hilfe in mein Gitterbettchen klettern konnte, gehe ich allein ins Bett.«
»Tja, Fräulein Gernegroß, eines musst du dir hinter die Oh-

ren schreiben: Es handelt sich nicht um irgendeinen Job, sondern sie vertrauen dir, Kind – in Dingen, die eigentlich niemand wissen dürfte.«

»Oh, soll das heißen, dass Sie auch zu diesem Verein gehören?«

»Ja, ich arbeite für Spektrum.«

»Jetzt sagen Sie bloß nicht, dass Sie ein Spion sind!«, sagte Ruby verblüfft.

»Agent«, korrigierte Hitch.

»Meinetwegen. Sie sind also *kein* Haushaltsmanager?«

»Nein, ich passe nur ein bisschen auf dich auf, bis mein Arm wieder okay ist. Ich brauchte einen ruhigen Job *ohne* Action – obwohl du zugeben musst, dass ich die Küche tipptopp sauber halte, nicht wahr?«

»Ich weiß nicht, ob ich Ihnen glaube«, sagte Ruby. »Mit der Wahrheit nehmen Sie es ja nicht so genau – apropos, was macht er denn, Ihr Putzarm?«

»Etwas besser, danke.«

»Gut – aber was ist wirklich passiert?«

»Ich wurde angeschossen.«

»Von wem?«

»Von irgendwem halt.«

»Ich wusstc gar nicht, dass man als Butler so gefährlich lebt. Was haben Sie gemacht? Eine der Ming-Vasen der Wellingfords fallen lassen?«

»Es gibt keine Wellingfords.«

»Hab ich mir gedacht! Wer hat dann auf Sie geschossen?«

»Glaub mir, Kleine, das willst du gar nicht wissen.«

»Und warum sollte ich Ihnen glauben?«

»Weil ich so ehrlich aussehe, vielleicht? Schau mich mal an: Können diese Augen lügen?«

»Pah! Was soll bitte schön ehrlich daran sein, sich als Butler auszugeben, wenn man gar keiner ist?«

»Nun, du kannst mir glauben, dass es wahrlich kein Vergnügen ist, bei fremden Leuten den Butler zu spielen. Ein ganz schön harter Job. Deine Eltern sind ziemlich pingelig.«

»Vielleicht sind Sie auch gar nicht so gut im Butler-Spielen, wie Sie sich einbilden. Clancy hat gleich vermutet, dass Sie kein Butler sind, sondern dass mehr dahintersteckt.«

»Das nehme ich jetzt als Kompliment.«

»Würde ich nicht – ich hielt Sie auf Anhieb für unterbelichtet. Mal ehrlich, kein normaler Mensch reist mit seinem eigenen Toaster durch die Gegend.«

»Der Toaster ist, ehrlich gesagt, ein Kommunikationsgerät – damit kann man schriftliche Nachrichten verschicken und empfangen.«

»Sieh an, sieh an«, sagte Ruby und hatte das Bild vor Augen, als Hitch seinen Toast so komisch anstarrte. »Und wie läuft es genau mit diesem ganzen Undercoverzeug?«

»Nun, deine Eltern dürfen natürlich keinen Verdacht

schöpfen, *niemand* darf etwas merken – und das gilt übrigens auch für deinen Kumpel Clancy Crew. Das ist REGEL NUMMER EINS: KLAPPE HALTEN!«

»Hab ich schon mal gehört«, kommentierte Ruby spöttisch.

»Also, ist das klar?«

»Klar doch: Klappe halten. Was soll daran schwierig sein?«

»Oh, Kleine, täusch dich da mal nicht: Das ist der schwierigste Teil. Codeknacken und alles andere ist ein Klacks im Vergleich dazu, ein Geheimnis wie dieses für sich zu behalten!«

Mrs Digby beschloss,
es sich gemütlich zu machen …

Sie hatte ihre neue Umgebung auskundschaftet und entdeckt, dass sie hier eingesperrt war – diese Schlösser konnte niemand knacken –, in einer Art riesiger Lagerhalle, aber immerhin hatte sie jeden nur erdenklichen Luxus.
So fühlt man sich also, wenn man Redfort heißt, sagte sie sich, als sie es sich im Designer-Klubsessel von Brant Redfort gemütlich machte. Sie trug eines von Sabina Redforts Abendkleidern – das lange, das von oben bis unten mit silbrigen Pailletten besetzt war. Okay, es war vielleicht etwas zu elegant für eine entlegene Lagerhalle, aber Mrs Digby hatte es schon immer mal anprobieren wollen, und außerdem würde es niemals jemand erfahren.
Mrs Digby, praktisch wie immer – meine Vorfahren waren Pioniere, die in Flüssen nach Gold gesucht haben, Waschbären jagten und rösteten und wilde Beeren roh aßen, manchmal auch die Waschbären roh und die wilden Beeren geröstet –, hatte eine Verlängerungsschnur aufgetrieben und den gut bestückten Kühlschrank eingeschaltet. In nächster Zeit würde sie nicht verhungern, das stand fest.
Wir Digbys haben immer überlebt, und daran wird sich nichts ändern, weil wir vor harter Arbeit nicht zurückschrecken und auch kleine Unannehmlichkeiten in Kauf nehmen, sagte sich Mrs Digby, während sie sich Mrs Redforts Kunstnerzstola um die Schultern legte.
Jetzt muss ich nur noch zusehen, dass ich den Fernseher angeschlossen kriege.

11. Kapitel

Die Augen folgten den Zeigern

»Sie ist bestimmt in Miami«, vermutete Brant Redfort.
»Wer ist bestimmt in Miami?«, fragte Sabina.
»Mrs Digby«, erklärte Brant. »Erinnerst du dich noch an damals, als sie so wütend war, weil du uns allen eine Essiggurkendiät verordnet hast? Da hat sie gesagt, die würde uns alle von innen her pökeln.«
»Ah, ja.«
»Und was hat sie damals gemacht? Hat ihre Koffer gepackt und ist nach Miami geflogen. Dort ist sie geblieben, bis du wieder Vernunft angenommen hattest, wie sie sagte.« Zufrieden verschränkte Brant die Arme vor der Brust – wie ein Mann, der gerade mit Erfolg ein kniffliges Kreuzworträtsel gelöst hatte.
»Weißt du was, Brant? Du bist ein *Genie*!«, rief Sabina und wandte sich strahlend an Ruby. »Dein Vater ist ein Genie, Ruby!«
Ruby war zwar etwas anderer Meinung, doch das behielt sie lieber für sich.
»Miami! Genau, dort muss sie sein!«, fuhr Sabina aufgeregt fort. »Am Pokertisch, jede Wette! Dem Himmel sei Dank!«

Sie goss sich ein weiteres Glas Tomaten-Sellerie-Vitaminsaft ein. »Sie ist eine Zockerin vor dem Herrn!« Zufrieden griff Sabina wieder nach ihrer Illustrierten: *Die Welt der Superreichen*. »Oh, da wird sich der alte Freddie aber freuen. Hier steht, dass die Sicherheitsvorkehrungen enorm verstärkt wurden und die Twinford City Bank jetzt zu den sichersten Banken der Vereinigten Staaten gehört.«
»Das höre ich gern«, sagte Brant. »Ich habe heute erst meinen letzten Gehaltsscheck eingereicht! Den weiß ich gern in guten Händen. Mit so was darf man nicht herumzocken!«
Sabina lachte, als hätte er den besten Witz des Jahrhunderts gemacht.
Ruby hatte diese Unterhaltung wohl oder übel mitbekommen, da sie am selben Tisch saß, und sie dachte über das nach, was ihr Vater gesagt hatte – nicht über die Bank, sondern über Mrs Digby. In Miami im Casino Glücksspiele machen – das war ihr zuzutrauen.
Ruby war noch am Grübeln, als Hitch ihr plötzlich eine frische Scheibe Toast servierte. Diese sagte ihr:

SEI IN ZEHN MINUTEN FERTIG
UND ZIEH DIR STIEFEL AN.

Mrs Bexenheath, die Schulsekretärin, blickte auf, als jemand ihr Büro betrat, der auf den ersten Blick wie ein Filmstar aus Hollywood aussah. Wie konnte sich dieser Traum-

mann vom *Walk of Fame* hierher in die schäbige Twinford Junior Highschool verirren – wo er absolut fehl am Platz wirkte? Und dann begann dieser attraktive junge Mann mit ihr zu plaudern, und es dauerte keine Minute, bis Mrs Bexenheath merkte, dass sie ihm gerade versichert hatte, es sei »absolut kein Problem«, Ruby Redfort für absehbare Zeit vom Unterricht freizustellen. Sie hatte wie hypnotisiert in seine wunderschönen Hollywoodaugen geblickt und sich gefragt, ob sie einfach nur braun oder doch vielleicht eher haselnussbraun waren. Und kaum hatte er sich verabschiedet, wusste sie nicht mehr genau, aus welchem Grund sie Ruby vom Unterricht befreit hatte, aber sie fand sich unglaublich verständnisvoll.
»Natürlich! Aber natürlich! Sie soll alle Zeit haben, die sie braucht«, hatte sie sich sagen hören.
»Aber denken Sie daran, Mrs Bexenheath, es muss streng geheim bleiben – behelligen Sie Mr und Mrs Redfort also besser nicht damit; falls es etwas zu besprechen gibt, wenden Sie sich einfach an mich, einverstanden?«
»O ja, gern, mach ich«, sagte Mrs Bexenheath und strahlte ihn an.
Hitch bedankte sich bei der Schulsekretärin für ihre herzliche, verständnisvolle Art und versprach ihr, selbstverständlich bald wieder vorbeizukommen. Er zwinkerte ihr zum Abschied zu und kehrte zu seinem Auto zurück, in dem Ruby auf ihn gewartet hatte.

»Und?«, fragte sie, sobald Hitch wieder auf dem Fahrersitz saß.

»Mrs Bexenheath lässt dich herzlich grüßen. Sie *besteht* darauf, dass du dir alle Zeit nimmst, die du brauchst.«

»Im Ernst? Was haben Sie der alten Schreckschraube denn erzählt?«, wollte Ruby wissen.

»Oh, dass sich deine Großmutter ein sehr seltenes, aber nicht ansteckendes Virus zugezogen hat, als sie in den holländischen Alpen auf Vögelbeobachtung war – und dass ihr Zustand jetzt sehr ernst sei«, sagte Hitch und drehte den Zündschlüssel um.

»Es *gibt* keine holländischen Alpen«, sagte Ruby mit Nachdruck.

»Mann, das hätte deiner Großmutter mal jemand sagen sollen! Das hat sie jetzt davon. Sieh mal einer an!«

»Geht nicht, sie lebt in New York – gut verschanzt in ihrem Penthouse-Apartment«, erklärte Ruby.

»Das verraten wir der Besenhexe besser nicht, sonst regt sie sich nur auf!«

»Mann o Mann, Sie sind echt ein Unikum von einem Butler!«

»Der Begriff *Haushaltsmanager* ist mir, ehrlich gesagt, lieber, aber danke für das Kompliment, Kleine. Und jetzt würde ich vorschlagen, dass wir unsere Freunde bei Spektrum besuchen gehen, was meinst du?«

»Wieso heißt es eigentlich Spektrum?«, fragte Ruby.

»Das wirst du schon sehen«, sagte Hitch, gab Gas und flitzte aus der Parklücke.
Ruby lehnte sich zurück. Vielleicht war dieser Typ doch nicht so übel. Eines musste man ihm lassen: Er hatte Phantasie und konnte sich total unsinnige Geschichten ausdenken – vielleicht würden sie doch ganz gut miteinander auskommen.

Diesmal betrat Ruby die Geheimdienstzentrale nicht durch den engen Tunnel von dem Kanaldeckel aus – o nein! Hitch und sie kletterten über die Brüstung der Twinford-Brücke und dann an den Eisenstreben hinunter. Ruby begriff, warum der Toast ihr empfohlen hatte, Stiefel zu tragen.
Vor einer winzigen rostigen Metalltür hielten sie an. Auf diese Tür waren Graffiti aufgesprüht – unsinnige Wörter und Bilder, darunter auch eine Fliege. Sie sah etwas anders aus als die Fliege von *Brummer & Larve* auf dem Kanaldeckel, aber eine Fliege war es definitiv.
»Wieso sind wir nicht durch die Kanalisation gekrochen?«, fragte Ruby.
Hitch schmunzelte. »Wir von Spektrum haben ein Sprichwort: *Wenn du deine Feinde direkt vor deine Tür locken willst, benutze ständig denselben Eingang.* Aus diesem Grund haben wir mehrere verschiedene Zugänge – dauernd wird einer dichtgemacht und der nächste geöffnet. Wenn

wir das nicht täten, würden wir über kurz oder lang auffliegen.«

»Aber wie wird das alles gebaut?«, fragte Ruby, während sie in die düstere Öffnung starrte. »Und wie werden die vielen Verbindungsgänge konstruiert? Das verstehe ich nicht …«

»Sollst du auch nicht, Kind – das müssen *sie* wissen, während wir nur staunen dürfen«, erklärte Hitch ihr mit einem Augenzwinkern.

Hitch und Ruby wurden von einer altmodisch gekleideten Frau begrüßt, die sich schlicht als Summ vorstellte. Ruby dachte sofort an eine Biene, aber sehr emsig kam sie Ruby nicht vor – ganz im Gegenteil.

»Summ?«, wiederholte Ruby.

»Spitzname«, sagte Summ als Erklärung. Man merkte schnell, dass sie nicht sehr mitteilsam war. Der Empfangsraum war hell und blitzend und so geräumig, dass man sich unwillkürlich fragte, wo der viele Platz *her*kam!

»Lässt du uns eine Minute allein, Kleine?«, sagte Hitch.

Ruby schlenderte durch den hallenartigen Empfangsraum, und ihre Augen huschten von Gegenstand zu Gegenstand, während ihr Hirn versuchte, das Ganze hier einzuordnen. Summ und Hitch waren relativ weit weg, am anderen Ende des Empfangsraums, doch Ruby spitzte die Ohren und bekam fast jeden zweiten Satz mit, na ja, *fast* jeden zweiten

Satz – das meiste war eher langweilig, doch dann wurde sie plötzlich hellhörig.
»Meinst du, sie kann sich wirklich mit Du-weißt-schon-wem messen?«
»Bradley Baker? Tja, das werden wir sehen.«
»Also, ich würde mich schon wundern, wenn sie ihm auch nur annähernd das Wasser reichen könnte.«
»Wer weiß, vielleicht überrascht sie uns alle.«
Ruby hatte keine Ahnung, von wem sie sprachen – Bradley Baker? Wer war er, und warum musste sie sich mit ihm messen?
»Bereit, Kleine?«, rief Hitch.
Ruby musste nicht länger so tun, als würde sie nicht lauschen, und ging zu den beiden hinüber. »Was jetzt?«
»Du wirst zuerst unserer Sicherheitsüberprüfung unterzogen, und anschließend machst du den 99-Sekunden-Test.«
»Was für ein 99-Sekunden-Test?«, fragte Ruby. »Und warum sollte ich den machen wollen? Ich dachte, ich hätte bereits bestanden.«
»Kleine, jeder, der seinen Fuß über die Schwelle von Spektrum setzt, muss den Agententest machen – das ist Vorschrift.«
Ruby wollte schon wieder widersprechen, doch da kam ein Mann mittleren Alters mit einer ungepflegten Frisur und einem leicht dämlichen Grinsen herein.

»Kommen Sie, Miss Redfort, Zeit für Ihr Close-up«, sagte er. »Muss alle Sicherheitsdetails aufnehmen: ein hübsches Fahndungsfoto, zwei Pfotenabdrücke, Fußabdrücke, Größe, Gewicht, Haarfarbe, Farbe der Augen und Zähne und Nägel – egal, was, ich brauche es.«
So ein Witzbold, dachte Ruby, doch dann stellte sich heraus, dass er keine Witze machte.
Nachdem sie auf Herz und Nieren geprüft, vermessen und gewogen worden war und sogar ihre Haare gezählt worden waren – zumindest kam es ihr so vor –, war noch etwas Zeit, bis der Spektrum-Test anfangen würde.
»Summ, zeig der Kleinen doch kurz den Raum mit unseren technischen Spielereien«, sagte Hitch. »Dann ist sie beschäftigt und macht keinen Unsinn.«
Mit dieser Prognose lag er allerdings voll daneben …

Summ erfüllte ihre Aufgabe ohne große Begeisterung, führte Ruby durch diverse Gänge und Räume und zeigte unterwegs auf dies und jenes. In alle Richtungen gingen Korridore ab, Wendeltreppen führten in ein anderes Stockwerk. Ruby kam sich vor wie in einem Labyrinth. Es sah völlig anders aus als in den Headquarters, die Ruby aus dem Fernsehen kannte – es war viel, viel interessanter. Mit Ausnahme von LBs Büro waren die Wände total farbig, während Ruby sich vorgestellt hatte, eine Zentrale müsse in Schwarz, Weiß und Chrom gehalten sein. Nein, weit gefehlt – jede Abteilung hatte eine andere Farbe; Korridore veränderten sich ganz allmählich, und Blau ging zum Beispiel in Indigoblau und dann in Violett über.

»Ah, jetzt verstehe ich«, sagte Ruby. »Deshalb nennt ihr diesen Ort Spektrum – wegen der Farben, richtig?«

»Mhmm«, sagte Summ und nickte.

Als sie den Raum mit den Spezialgeräten betraten, schlug Rubys Herz schlagartig schneller. Von klein auf hatte sie davon geträumt, Superkräfte zu haben. Was sie an den Comic-Heften *Agent wider Willen lebt gefährlich* am spannendsten fand, waren die technischen Spielereien. In brenzligen Situationen zauberte *Agent wider Willen* immer irgendein Spezialgerät aus dem Ärmel – und rettete damit sein eigenes und oft auch das Leben vieler anderer.

Summ deutete auf einen kleinen silbernen Gegenstand.

Die Atemgürtelschnalle

Anwendung unter Wasser. Schnalle vom Gürtel ziehen und zwischen die Zähne nehmen. Damit kann man 27 Minuten und zwei Sekunden lang atmen. Warnung: Es gibt keine Reserveluft.

Fluchtschuhe

Auf grünen Knopf in der Sohle des linken Schuhs drücken, und die Schuhe verwandeln sich in Rollschuhe.

Nein, wie aufregend, dachte Ruby spöttisch, so was hatte ein Kind an meiner Schule auch mal. Doch dann las sie weiter.

> *Drückt man auf den roten Knopf in der Sohle des rechten Schuhs, werden die Düsenturbinen aktiviert. Damit erzielt man eine maximale Geschwindigkeit von 146,2 Stundenkilometern über eine Entfernung von 10 km. Warnung: Füße können überhitzen. Nicht auf unebenem Untergrund verwenden!*

Etwas klein, oder?, fand Ruby. Die Dinger müssen für eine Frau sein, die eine Kinderschuhgröße hat!
Sie ging zur nächsten Vitrine weiter: Darin lag ein elegantes kurzes Cape-Jäckchen. Es war weiß, hatte eine pelzgesäumte Kapuze und wurde mit einem einzelnen, großen glänzenden Glasknopf geschlossen.

> Damen-Fallschirm-Cape
> *Durch Ziehen am Knopf wird der Fallschirm ausgelöst. Warnung: Um Ohrenschmerzen zu vermeiden, vor Absprung die Kapuze aufsetzen.*

»Wird nicht mehr benutzt«, sagte Summ und warf einen Blick über die Schulter. »Unsere Agentinnen weigern sich strikt, dieses Ding noch anzuziehen – ist offenbar total aus der Mode.«

Da war Ruby ganz anderer Meinung – und mal ehrlich: Was wusste Summ schon von Mode? Sie sah wie ein Champignon auf zwei Beinen aus. Ruby fand das Cape total cool.
Summ führte sie weiter und zeigte auf etliche, winzige lebensrettende Survival-Tools und tödliche, ebenfalls lebensrettende Waffen – allesamt getarnt als Kugelschreiber, Broschen, Miniradios, Hüte und Mützen, Schirme, Sonnenbrillen, Autoschlüssel und tausend andere alltägliche Dinge.
Der nächste Gegenstand stach Ruby sofort ins Auge: eine Armbanduhr. Sie lag in einer Glasschublade im Inneren einer speziellen Vitrine, und daneben lag ein Zettel, auf dem stand: *Nur für Ausstellungszwecke – nicht berühren.* Auf dem Zifferblatt der Uhr waren zwei Comic-Augen, die den Zeigern folgten. An der Spitze des Minutenzeigers saß eine Fliege, die sich fleißig und beständig tickend um das Zifferblatt arbeitete. Schon wieder diese Fliege! Für den Bruchteil einer Sekunde flackerte etwas in Rubys Hinterkopf auf. Herbstblätter wirbelten durch ihren Kopf, und ein seltsames, unheimliches Gefühl beschlich sie, doch sie bekam es irgendwie nicht zu fassen. Und *Flutsch!* war es wieder weg.
Das Uhrenarmband war mehrfarbig gestreift und hatte einen interessanten Verschluss, das Zifferblatt war emailfarben und mit Chrom eingefasst. Nicht nur, dass die Uhr so interessant aussah – ganz klar, dass das noch nicht al-

les sein konnte. Auf dem Label stand: *Die Fliege. Fluchtuhr,* und in roten Buchstaben stand darunter: BERÜHREN STRENGSTENS VERBOTEN!

Mal ehrlich – wie hätte Ruby da widerstehen können? Kaum war Summ ein Stück weiter vorne in die Beschreibung eines weitaus weniger interessanten Gegenstands vertieft, nahm Ruby die Uhr verstohlen von der Halterung und schob sie über ihr Handgelenk. Wow, sie passte perfekt!

Ruby drückte auf den kleinen Aufziehknopf, und ein Titankabel schoss heraus – so dünn, dass man es mit bloßem Auge kaum sehen konnte. Es hatte ein Häkchen am Ende und war somit eindeutig eine Art Kletterhilfe. In null Komma nichts hatte Ruby herausgefunden, dass man nur an den Zeigern drehen musste, um das Kabel je nach Bedarf länger oder kürzer zu machen. Allerdings fand sie nicht auf Anhieb heraus, wie man das Häkchen losmachte und das Kabel wieder einziehen konnte – und das war ziemlich doof, denn in diesem Moment wurde die Tür geöffnet, und Ruby hörte leise, gedämpfte Schritte näher kommen. Eindeutig *nackte* Füße!

LB.

Ruby stand stocksteif da und lächelte, als könnte sie kein Wässerchen trüben. Vielleicht würde LB nicht merken, was sie getan hatte, und falls doch, konnte sie LB mit ihrem Lächeln eventuell besänftigen.

Aber mit einem Lächeln kam man bei LB offenbar nicht weit.
»Redfort, wenn du schon grinsen musst wie eine Idiotin, dann bitte nicht in *meine* Richtung«, sagte LB genervt. Doch zum Glück merkte sie nicht, dass sie Ruby quasi in flagranti ertappt hatte, denn sie wandte sich ab und unterhielt sich mit Summ. Hinter ihrem Rücken mühte sich Ruby derweil mit dem Kabel ab – und war heilfroh, als es ihr endlich gelang, das Häkchen abzumachen. Sie entdeckte auch noch die Kabel-Einziehfunktion – keine Sekunde zu früh. Denn da rief ihr Summ zu, sie könne zu ihrem Eingangstest gehen. Dummerweise hatte Ruby keine Chance mehr, die Uhr an ihren Platz zurückzulegen.
Summ hatte es plötzlich sehr eilig. »Schieb einfach die Schublade zu«, sagte sie. »Sobald wir den Raum verlassen, wird alles automatisch verriegelt.«
Auweia, dachte Ruby. Wenn sie mit dieser Uhr erwischt wurde, war ihre Agententätigkeit vermutlich vorbei, noch bevor sie begonnen hatte. Ihr blieb nichts anderes übrig, als sie in ihre Jackentasche zu stopfen, ganz nach unten. Vielleicht ergab sich später eine Möglichkeit, die Uhr zurückzulegen – nach dem Test.
Dann würde niemand etwas mitbekommen.

12. Kapitel

Das stumme E

Im Korridor stießen sie auf einen verklemmt wirkenden Mann in einem bescheuerten Anzug.

»Ruby … Redfort?«, las er von seinem Klemmbrett ab, als würde eine ganze Schulklasse darauf warten, den Geheimagenten-Eignungstest abzulegen.

Ruby blickte sich um. »Nun, ich weiß ganz zufällig, dass das da Summ ist«, sagte sie und deutete mit dem Kinn auf ihre Begleiterin. »Folglich nehme ich an, dass Sie mich meinen, richtig?«

Der Mann schniefte. »Folgen Sie mir, folgen Sie mir.« Er war wirklich *sehr* steif. Dabei war er maximal dreiundzwanzig und erbärmlich angeberisch gekleidet. Topgestylte Frisur und gebleichte Zähne, aber null Stil.

Rubys Blick fiel auf das Namensschildchen an seinem Revers: MIKE GROETE. »Mike Kröte?«, las sie laut.

»Grote, wenn ich bitten darf«, korrigierte sie der Typ ungehalten. »Das E ist stumm.«

Er führte sie durch mehrere Gänge, deren Wände von Orange über Gelb zu Ockerfarben übergingen. Weil die Farben so schön glänzten, fuhr Ruby mit einer Fingerspitze über die Lackfarbe, doch da herrschte der junge Mann sie an: »Berühren verboten!« Und noch ehe Ruby etwas erwidern konnte, hielt der Mann abwehrend eine Hand hoch. »Keine Fragen bitte!«

Ruby stöhnte innerlich auf. Junge, Junge, ist das ein Unsympath.

Schweigend gingen sie weiter, bis der Typ vor einer Tür stehen blieb, die eine eher undefinierbare Farbe hatte – man hätte sie als Schlamm bezeichnen können. Er öffnete sie und führte Ruby in einen Raum, der völlig leer war – abgesehen von einem Schreibtisch. Mister Unsympath legte einen Stapel Blätter auf den Schreibtisch. »Hier ein Stift. Du hast eine Stunde und eine Minute Zeit. Du darfst genau *eine* Antwort hinschreiben; jedes Durchstreichen und jede Änderung gilt als falsche Antwort. Solltest du den Drang verspüren, zur Toilette zu gehen, verkneif es dir. Noch Fragen? Gut, davon ging ich auch aus.«

»Doch, Herr Kröte, eine Frage hätte ich.« (Sie ignorierte die Sache mit dem stummen E.) »Haben Sie sich schon mal überlegt, einen Pflegeberuf zu ergreifen? Mal ehrlich – so ein angeborenes Talent im Umgang mit Menschen sollte man nicht brachliegen lassen.«

Groete kniff die Augen zusammen und fixierte sie abschätzig – wie eine Kobra … oder eher wie ein Schakal?

»Mach deinen Test, Kleine, fall schön durch, und irgendeiner von den Erwachsenen wird dich wieder heim zu

Mami fahren. Ein paar *wenige* Leute hier mögen zwar große Stücke auf dich halten, aber merk dir eins: Du bist kein Bradley Baker, und wirst auch nie einer sein!«

»Und wer ist dieser Bradley Baker?«

Doch Groete schien nicht gewillt, sie aufzuklären. Er ging zur Tür und knallte sie so heftig hinter sich zu, dass die Wände vibrierten.

Ich muss an das stumme E denken, sagte sich Ruby.

Sie griff nach dem Stift und nahm sich die Blätter vor. Es waren insgesamt siebenunddreißig Fragen, die sie in einer Stunde und einer Minute lösen musste. Das bedeutete, dass sie für jede genau neunundneunzig Sekunden Zeit hatte. Sie schaute auf die Uhr und begann zu lesen.

Der Spektrum-Agenten-Test
37 Fragen – Zeit: 61 Minuten*

(1) Du bist für den Transport von drei Häftlingen ins Bezirksgefängnis verantwortlich: Alexei Asimov, Walter Trunch und Carlo Carlucci. Unterwegs müsst ihr einen Fluss überqueren, doch es passen nur drei Personen auf einmal ins Boot. Das Problem ist, dass du die Verbrecher nicht beliebig zusammenlassen kannst, denn Asimov will Trunch umbringen und Trunch Carlucci. Wie kannst du die drei Verbrecher wohlbehalten ans andere Ufer bringen?

* Die Lösungen stehen hinten im Buch

Ruby schmunzelte. Herrje, ein Kinderspiel – nur noch 36 Fragen übrig.

(2) Du hast sieben Goldbarren. Einer davon ist eine Fälschung und wiegt weniger als die anderen. Du hast zwar eine Waage, darfst sie aber nur zweimal benutzen. Wie findest du heraus, welcher Goldbarren eine Fälschung ist?

Mann o Mann, wenn alle Fragen so einfach waren, wie sollte sie dann die restliche Zeit totschlagen?

(3) Wie lautet das Ergebnis?

$$9! \prod_{p\ prime} \left\{ \left(1 - \frac{1}{p}\right)^4 \left(1 + \frac{4}{p} + \frac{1}{p^2}\right) \right\}^{-1} \lim_{T \to \infty} \frac{1}{T \log^9 T} \int_1^T \left| \left(\sum_{n=1}^{\infty} n^{-(1/2 + it)} \right) \right|^6 dt$$

Nun, das sah schon etwas interessanter aus – Frage drei gehörte zu den Fragen, über die selbst angesehene Mathematiker oft eine ganze Nacht lang brüten. Ruby legte die Stirn in Denkerfalten – aber nur knapp achtundzwanzig Sekunden lang. Dann huschte ein Lächeln über ihr Gesicht.
Oh, ich hab's!

Als Groete nach einer Stunde und einer Minute wieder ins Zimmer trat, sah er Ruby über ihre Aufgabenblätter gebeugt sitzen und auf ihrem Stift herumkauen.
»Na, mein Kind, steckst du fest? Zu schwer, hm?«, fragte Groete schadenfroh.
»Na ja, ich versteh da etwas nicht.«
»Mach dir nichts daraus, Kleine, es ist nun mal ein schwieriger Test – wie sollte da ein Kind wie du mitkommen?«
»Oh, da bin ich aber froh! Denn diese Frage hier verstehe ich beim besten Willen nicht.«
Er blickte über ihre Schulter.

(25) Die Spektrum-Agenten Bret, Emily und Chuck wollen zu einem Konzert der Clairvoyants. Eine Stunde vor Beginn fahren sie los. Bret nimmt Route A, die doppelt so lang ist wie Emilys Route B, doch der Durchschnitt ihrer beiden Routen entspricht genau der Route C, die Chuck fährt. Das Problem ist, dass Bret sich verfährt und einen Umweg von 10 Meilen macht, was bedeutet, dass er letztendlich eine Strecke zurücklegt, die genau so lang ist, wie die von Chuck und Emily zusammen. Angenommen, sie fahren alle mit einer Durchschnittsgeschwindigkeit von 40 Meilen pro Stunde, um wie viel kommt Bret dann zu spät zum Konzert?

»Tja, an *der* Frage haben sich schon andere die Zähne ausgebissen«, sagte Groete mit einem süffisanten Grinsen. »Nicht jeder hat genügend Grips dafür.«
Mit großen unschuldigen Augen blickte Ruby zu ihm hinauf. »Oh, das ist nicht das Problem. Die Antwort lautet fünfzehn Minuten – ich verstehe nur nicht, warum jemand so weit fahren sollte, um eine lahme Band wie die Clairvoyants zu hören!«
Mike Groete fiel die Kinnlade herunter. Er riss die Blätter an sich und stapfte empört hinaus. Zu schade, dass sie Clancy nicht von diesem Schnösel erzählen konnte, dachte Ruby. Sie hätte zu gern gesehen, was Clancy da für ein Gesicht gemacht hätte: offener Mund, ungläubiges Blinzeln – Junge, Junge, wie schrecklich gern hätte sie es ihm erzählt!
Während Ruby wartete, kritzelte sie ein paar Karikaturen von Kröte hinten in ihr Notizheft – ziemlich gut gelungen, wie Ruby fand.
Fünfundzwanzig Minuten später näherten sich Schritte im Korridor, und Ruby war richtig froh, als Hitch ins Zimmer kam und nicht das stumme E.
»Können wir gehen, Kleine?«
Ruby nickte.
Hitch zeigte auf die Tür. »Dann nichts wie los. Verschwinden wir von hier, bevor Groete die wenig schmeichelhaften Karikaturen sieht, die du von ihm gemacht hast.«

»Hey, woher wissen Sie davon?«
»Ich habe dich über den Monitor beobachtet – nicht schlecht. Du hast Talent.«
»Danke«, sagte Ruby. »Clancy und ich wollen irgendwann unser eigenes Comic-Heft herausgeben.«
»Gute Idee«, sagte Hitch.
Sie gingen etwa fünfzehn Sekunden lang schweigend nebeneinander her, bis Ruby sich nicht länger beherrschen konnte. »Und?«
Hitch sah sie fragend an.
»Wie habe ich abgeschnitten?«, fragte Ruby.
»Ach, das …«, antwortete Hitch. »Ja, war okay. Sechsunddreißig von siebenunddreißig Antworten waren richtig. Nicht schlecht.«
»Wie bitte?! *Eine* Antwort war falsch?«, sagte Ruby bestürzt.
Er zwinkerte ihr zu. »Ach was, Kleine. War nur ein Scherz.«
Ruby blieb abrupt stehen. »Soll das heißen, dass ich bestanden habe? Ich hab's geschafft? Ich meine, siebenunddreißig von siebenunddreißig, damit müsste ich doch bestanden haben!«
Hitch sah sie an. »Mach dir nicht gleich ins Hemd, Kleine. Ja, du hast bestanden.«
Ruby versuchte, ganz cool zu bleiben, aber hey – sie hatte den Neunundneunzig-Sekunden-Test bestanden! Da würde sich doch wohl jeder freuen, oder?

Als sie im Aufzug standen, fragte Ruby: »Wer ist übrigens dieser geheimnisvolle Bradley Baker?«
»Bradley Baker?«, wiederholte Hitch. »Och, niemand.«
Pah! Es gab sicher eine Menge Dinge, die Ruby bis jetzt noch nicht über Spektrum wusste, aber sie hätte ihren Kopf verwettet, dass dieser Bradley Baker mit Sicherheit nicht *niemand* war.

13. Kapitel

Schön brav

Hitch führte Ruby in ein Büro, das in allen Farben des Regenbogens gestrichen war. Hier saß Summ, in einem Kreis aus Schreibtischen und von Telefonen umgeben – und jedes hatte eine andere Farbe.

»Und jetzt?«, fragte Ruby.

»Jetzt wartest du hier schön brav, bis jemand dir etwas anderes sagt«, sagte Hitch mit Bestimmtheit.

»Und worauf soll ich warten?«, hakte Ruby nach.

»Auf LB«, erklärte er. »Sie will dich einweisen – komm also nicht auf die Idee, dich hier auf eigene Faust umzusehen. Bleib schön hier sitzen – das ist ein Befehl. Verstanden?«

Ruby blieb tatsächlich schön brav sitzen – für haargenau neunundzwanzig Sekunden. Da fiel ihr etwas ein. Das war eine gute Gelegenheit, die Armbanduhr zurückzulegen, bevor jemand merken würde, dass sie verschwunden war.

Sie sah zu Summ, die darauf zu warten schien, dass eines der zweiundfünfzig Telefone läuten würde.

»Deshalb heißen Sie also Summ«, sagte Ruby.

Summ schaute sie verdutzt an.

»Wegen der Telefone. Wenn die alle auf einmal läuten, geht es hier sicher zu wie in einem Bienenstock.«

»Nein«, antwortete Summ. »Nicht deshalb.«

Es dauerte nicht lange, bis tatsächlich eines der Telefone läutete, das gelbe. Summ nahm ab und begann zu reden, auf Japanisch. Ruby sah ihre Chance gekommen, stand auf und gab der Sekretärin wortlos zu verstehen, dass sie dringend aufs Klo musste.

Ist okay, gab sie ihr per Zeichensprache zu verstehen. »Ich weiß, wo es ist. Kein Problem.«

Summ biss sich auf die Lippe und deutete auf ihre Uhr, um Ruby zu verstehen zu geben, dass sie ›nicht lange‹ brauchen sollte.

Ruby öffnete die Tür und düste dann blitzschnell durch den Gang bis zur Toilette. Sie ging hinein, zog ihre Stiefel aus und stellte sie in eine der Kabinen. Wenn also jemand nach ihr suchen würde, würde er glauben, sie säße auf dem Klo. Lautlos zog sie die Tür hinter sich zu und flitzte barfuß durch den Korridor. Sie wusste noch, dass sie bei Purpurrot nach rechts abbiegen musste, und wenn sich die Farbe in Kirschrot veränderte, nach links. Die Tür zum Raum mit der technischen Spezialausrüstung war etwa auf halber Höhe, das hatte sie sich gemerkt. Aber sie brauchte ja noch den Code. Ihr fiel ein, dass Summ auf ihre Uhr geblickt hatte, bevor sie ein paar Zahlen eintippte.

Ich wette, das ist es!

Sie holte die Fluchtuhr aus ihrer Tasche, überprüfte die Uhrzeit und tippte sie dann ein.
Mit einem leisen Klicken öffnete sich die Tür. Zu schade, dass ich diese Uhr zurücklegen muss, sie ist ganz schön nützlich.
Als sie den großen Raum betrat, gingen ringsum in allen Vitrinen die Lichter an, und die vielen Spezialgeräte glänzten hinter oder unter dem Glas wie die Schmuckstücke bei einem Juwelier. Ruby ging zu der Schublade, aus der sie die Uhr genommen hatte, und wollte sie gerade aufziehen, als ihr etwas ins Auge stach: ein silbernes Pfeifchen. Es sah wie eine Hundepfeife aus, aber die Schrift auf dem dazugehörenden Schildchen war verschmiert. Außerdem hatte das Pfeifchen ein sehr hübsches Band, an dem man es sich um den Hals hängen konnte. Vielleicht lag es an diesem Band, vielleicht auch an der Tatsache, dass Ruby sich schon immer ein silbernes Hundepfeifchen gewünscht hatte – jedenfalls konnte sie der Versuchung nicht widerstehen und hängte sich das Pfeifchen um, bevor sie begriffen hatte, was sie da tat, und betrachtete sich in der Glasscheibe.
Sie blies hinein – kein Ton! Aber es war bestimmt nicht *nur* eine Hundepfeife! Sie blies noch einmal hinein und dann noch ein weiteres Mal, aber nichts geschah! Enttäuscht blies sie weiter und atmete dabei so, wie wenn man in eine Mundharmonika bläst.

»Muss kaputt sein«, sagte Ruby laut und merkte, dass ihre Stimme plötzlich von sehr weit weg zu kommen schien. Wow, es ist ein Stimmenwerfer! Sie holte noch einmal tief Luft und sagte dann: »Hallo!« Diesmal klang ihre Stimme, als käme sie von irgendwo hinter ihr. Ruby experimentierte noch eine Weile weiter – das Pfeifchen hatte vier kleine Löcher, und je nachdem, welches sie zuhielt, kam ihre Stimme aus einer anderen Himmelsrichtung: Norden, Osten, Süden oder Westen. Wenn sie das Pfeifchen nach oben hielt, kam ihre Stimme von oben.

Als sie gerade versuchsweise »Ich bin hier drüben!« rief, hörte sie jemanden hereinkommen. Verflixt.

Blitzschnell schlüpfte Ruby hinter eine der Vitrinen.

»Hast du das gehört?«, sagte eine Stimme, die sie nicht kannte.

»Was?«, fragte eine zweite Stimme.

»Hey, wieso sind alle Lichter an?«

»Vielleicht stimmt etwas nicht mit den Sensoren?«

»Meinst du? Es sei denn …«

»Was? Meinst du, jemand könnte hier sein? Soll ich den Sicherheitsdienst rufen?«

Ruby erstarrte.

Au Mann, jetzt krieg ich Ärger.

Sie war drauf und dran, sich zu zeigen, als die erste Stimme sagte: »Na ja, entweder das oder du gehst und holst ein Insektenspray – es ist vermutlich nur eine große Spinne.

Weißt du, wie oft Spinnen Alarmanlagen und Sensoren aktivieren? *Sehr* oft, glaub mir.«
»Wirklich? Muss ja eine Spinne sein, so groß wie ein Elefant!«
»Jetzt sag bloß nicht, du hast Angst vor Spinnen?«
»Nein, das nicht«, sagte die zweite Stimme etwas gereizt. »Ich mag sie nur nicht, das ist alles.« Ruby hörte die Schritte näher kommen.
Mist, sagte sie lautlos, nichts wie weg hier! Sie ließ das Pfeifchen schnell unter ihrem T-Shirt verschwinden. Auweia, jetzt hatte sie schon *zwei* Dinge geklaut! Sie legte sich auf den Boden und robbte hinter den Vitrinen zur Tür. Im Korridor angekommen, rannte sie, so schnell sie konnte, zur Toilette und zog ihre Stiefel wieder an.

Mit rotem Gesicht und leicht verschwitzt kehrte sie in Summs Büro zurück.
»Was ist mit dir los? Du siehst irgendwie mitgenommen aus«, sagte Summ.
»Ich fühle mich auch nicht sehr gut«, sagte Ruby wahrheitsgemäß, »aber geben Sie mir zwei Minuten, dann wird das wieder.«
»Herrje …« Summ schien etwas besorgt, denn sie hatte keine Erfahrung mit Kindern und erst recht nicht mit solchen, die sich nicht wohl fühlten. »Wie du meinst«, sagte sie skeptisch. »LB will dich übrigens sehen – sobald du wie-

der fit bist, bring ich dich in das Wartezimmer vor ihrem Büro. Dort bleibst du sitzen und fasst ja nichts an! Keinen Mucks, bis LB dich holen kommt.«

»Klingt echt nach Spaß«, sagte Ruby.

Da niemand in der Nähe war, konnte sich Ruby in Ruhe in dem Wartezimmer umsehen. An den Wänden hingen große farbenfrohe Gemälde, allesamt abstrakt. Einige waren so abstrakt und farbenfroh, dass einem allein schon vom Hinsehen die Augen weh taten.

LB muss ein großer Fan von Op-Art sein, dachte Ruby. Ihre Mutter stellte solche Bilder in ihrer Galerie für moderne Kunst aus, und Ruby wusste, dass sie unheimlich teuer waren. Eine ganze Wand des Wartezimmers war mit konzentrischen Kreisen bemalt, in Farben, die zu schwirren und zu vibrieren schienen. Ruby starrte die Kreise so intensiv an, dass ihr irgendwann schwindlig wurde. Sie verlor das Gleichgewicht und fiel nach vorn. Als sie geistesgegenwärtig die Hände ausstreckte, um sich aufzufangen, kam sie unabsichtlich an einen versteckten Riegel – und was wie eine Wand ausgesehen hatte, wurde zu einer Tür, die prompt aufschwang.

Hupps!

Direkt vor sich sah sie einen Raum, der vollkommen leer war, aber dafür waren sämtliche Wände vom Fußboden bis zur Decke mit Schwarzweißfotos tapeziert. Es waren hauptsächlich Fotos von Menschen – Menschen und Autos, Menschen hoch oben in den Bergen und in Dschungeln, Menschen auf Elefanten, Menschen, die in Kanus irgendwelche Stromschnellen hinunterfuhren. Ein Foto gefiel ihr besonders gut. Es zeigte einen recht jungen Mann, bestimmt noch ein Teenager, der im Cockpit eines Flugzeugs saß und in die Kamera lächelte. Ruby nahm an, dass er vermutlich der Sohn eines der Geheimagenten war. Sie entdeckte noch ein Foto von ihm, diesmal beim Sporttauchen.

Der hat's gut, dachte sich Ruby. Ganz oben links war das Foto eines Mannes, Aug in Aug mit einem riesigen Krokodil. Er schnitt eine Grimasse, schielte und war von dem Reptil offenbar kein bisschen eingeschüchtert. Der Mann kam ihr vage bekannt vor, doch ohne ihre Brille konnte Ruby nicht erkennen, wer er war oder ob und wo sie ihn schon mal gesehen hatte. Doch dann siegte ihre Neugier: Sie holte einen Stuhl aus dem Wartezimmer und kletterte darauf, um das Foto besser sehen zu können.

»Ich glaub, mich laust der Affe«, murmelte sie. »Das ist mir vielleicht ein Butler!« Auf dem Foto war Hitch Anfang zwanzig, und ohne Anzug sah er ganz anders aus.

»So, so, du bist also eine Schnüfflerin, Ruby Redfort!«

Ruby wirbelte herum, verlor erneut das Gleichgewicht und fiel vom Stuhl. Wenig würdevoll landete sie der Länge nach auf dem kühlen Gummibelag des Fußbodens.

Als sie langsam den Kopf hob, sah sie ein Paar nackte Füße vor sich – mit rot lackierten Fußnägeln.

»Oh, Entschuldigung, ich wollte nicht … war nur ein Versehen, aber die Tür ging ganz von allein auf«, stammelte Ruby.

»Was kommt als Nächstes? *Ich war's nicht* oder was?« LBs Stimme klang noch frostiger als sonst. Sie war nicht nur wütend, sie war stocksauer!

»Ich will mich nicht herausreden oder was auch immer – ich habe nur gesagt, dass es ein Versehen war, ein Zufall, wirklich!«

»Aha! Rein zufällig hast du eine Geheimtür geöffnet? Rein zufällig einen Stuhl in meinen Privatraum geholt? Rein zufällig hast du dich darauf gestellt und angefangen, rein zufällig meine privaten Fotos anzuglotzen? Erstaunlich viele Zufälle auf einmal, ich muss schon sagen!«

»Na ja, so wie Sie es sagen, klingt es schon irgendwie schlimm«, sagte Ruby.

»Neugierde kann tödlich sein«, schnaubte LB. »Merk dir das!« Das klang fast wie eine Drohung, und Ruby richtete sich schnell auf. Sie merkte, dass sie sich die Jacke aufgerissen hatte – ein langer Riss am linken Ärmel –, was ihr noch zusätzlich peinlich war.

»Ich habe bestimmt nichts Wichtiges gesehen – ach übrigens, das dort ist ein sehr hübsches Foto von Ihnen. Wann wurde es aufgenommen? Sie sehen noch so jung aus, ist das daneben Ihr Freund?« Ruby zeigte auf das Foto einer mädchenhaft aussehenden LB, die mit einem verzückten

Lächeln auf einen attraktiven jungen Mann schaute. Doch in der Jetzt-Zeit lächelte LB kein bisschen, ganz im Gegenteil. Wenn Blicke töten könnten, wäre Ruby garantiert tot umgefallen. Und sie merkte, dass LB sich mit Komplimenten und schnellem Plappern nicht ablenken ließ.

»Hättest du bei dem Test vorhin nicht so gut abgeschnitten und wüssten wir nicht bereits, was wir über dich wissen, würde ich mir ernsthaft überlegen, ob wir es wirklich mit dir versuchen sollten.«

»Ich sagte doch schon, dass es mir leid tut! Ich bin keine Schnüfflerin, jedenfalls normalerweise nicht ...«

»Erspar mir dein Gefasel, Redfort – ich gebe dir noch *eine* Chance, aber streng dich an. Denn im Moment bin ich drauf und dran, dich vor die Tür zu setzen.« LB hielt Daumen und Zeigefinger ganz dicht aneinander, um Ruby zu zeigen, wie viel Spielraum sie ihr noch gab. Viel war es nicht, maximal ein Millimeter.

Ruby biss die Zähne zusammen und blieb stumm.

LB deutete auf einen Stuhl, und Ruby setzte sich, doch dann leuchtete ein Lämpchen auf LBs Schreibtisch auf.

LB stieß einen tiefen Seufzer aus und sagte: »Ach je, ich muss dich kurz allein lassen, aber maximal drei Minuten, keinesfalls länger. Aber ich warne dich: Fass ja nichts an – setz dich notfalls auf deine Hände, wenn's nicht anders geht.«

LB ging hinaus. Ruby saß tatsächlich reglos da, aber nur zwei Minuten und fünfzehn Sekunden lang. Dann erblickte sie einen kleinen farbigen Gegenstand, der unter LBs Schreibtisch gefallen war. Sie konnte nicht anders; er zog sie wie magisch an, und ohne lange zu überlegen, ging sie auf alle viere und hob ihn auf. Es war ein Schlüsselring, mit einem bunten Würfel als Anhänger, der aus noch kleineren Buchstabenwürfelchen bestand, die man verdrehen konnte, um daraus ein oder mehrere Wörter zu bilden.

Da öffnete sich die Tür. Vor Schreck versteckte Ruby den Schlüsselanhänger in ihrer Hand und versuchte, sich nichts anmerken zu lassen.

LB setzte sich. »Ich komme besser gleich zum Punkt. Du musst für uns ein paar Akten durchgehen – wir haben vor kurzem unsere Codeknackerin verloren und somit ein Superhirn weniger.«

»Wie haben Sie sie verloren?«

»Sie ist ums Leben gekommen, im Urlaub beim Bergsteigen.«

»Ist sie abgestürzt?«

»Lawine; bis sie sie endlich ausgegraben hatten, war es zu spät – ihre Begleitperson wurde nie gefunden.«

»Tut mir leid«, sagte Ruby und zückte ein Kaugummi.

»Lass das!«, zischte LB, und Ruby steckte ihn schnell wieder ein.

»Sie hatte Pech, es gab keine Vorwarnung; alle waren überrascht.« LB machte eine kurze Pause, als müsste sie sich erst wieder fassen. »Wie dem auch sei: Lopez arbeitete an einem Fall mit dem Decknamen *Katzengold* – wir waren dabei, ein Komplott aufzudecken, bei dem es um einen Überfall auf die Twinford City Bank geht. Allerdings haben wir bis heute keine Ahnung, wer dahintersteckt.«

»Die Twinford City Bank? Die einbruchsichere Bank?«, sagte Ruby verblüfft. »Wann soll der Einbruch stattfinden?«

»An dem Abend, an dem die riesige Goldlieferung aus der Schweiz eintrifft. Das wird am 22. April sein, und der Raubüberfall soll genau zwölf Stunden später stattfinden!«

»Wenn Sie all das schon wissen, wozu brauchen Sie mich dann?«

LB schwieg für eine ganze Weile; vielleicht fragte sie sich, inwieweit sie dieser grünäugigen, eher kleingewachsenen Göre aus Twinford trauen konnte. Dann holte sie tief Luft und sagte: »Wir bekamen einen Anruf von Lopez. An ihrem dritten Urlaubstag rief sie Summ an und sagte: ›Sag der Chefin, ich habe etwas übersehen. Sag ihr, ich hab's im Spiegel gesehen, und jetzt weiß ich Bescheid.‹«

»Das war alles?«, fragte Ruby. »Klingt irgendwie mysteriös. Und wer ist diese Chefin?«

»Das dürfte ich sein«, sagte LB frostig. »Natürlich würde sie nichts so Wichtiges über eine ungeschützte Leitung sagen. Sie sagte, sie würde sich nach ihrer Klettertour am Abend wieder melden. Sie hatte auch schon ihren Rückflug gebucht und wollte zehn Tage früher als geplant zurückkommen.«

»Haben Sie eine Idee, was sie gemeint haben könnte?«, fragte Ruby.
»Wir können davon ausgehen, dass sie von einem Code sprach – den sie anfangs vermutlich übersehen hatte. Und im Urlaub ist sie dann irgendwie dahintergekommen.«
»Hatte sie die Unterlagen bei sich?«, fragte Ruby.
»Natürlich *nicht* – es ist strengstens verboten, Verschlusssachen aus dem Spektrum-Gebäude mitzunehmen. Was immer sie übersehen hatte, muss in den Katzengold-Akten zu finden sein. Deshalb möchten wir, dass du die Unterlagen von ganz vorne durcharbeitest, auf die gleiche Weise wie sie – vielleicht entdeckst du ja, was sie beim ersten Durchgang übersehen hat.«
Ruby krauste die Stirn. »Was könnte sie gemeint haben, als sie sagte, sie hätte es *im Spiegel* gesehen?«
»Das bezog sich auf die hiesige Tageszeitung, den *Twinford Tagesspiegel* – darin hat sie alle verschlüsselten Nachrichten entdeckt.«
Ruby blieb stumm.
LB machte eine ungeduldige Handbewegung. »Alles Nähere erfährst du morgen. Du kommst wieder hierher, und Agent Blacker wird dich ins Archiv bringen, wo du sämtliche Unterlagen von Agentin Lopez durcharbeitest und hoffentlich schnell einen Erfolg vorweisen kannst. Verstanden?«
»Ähm … ja.«
»Okay, du kannst gehen.«

14. Kapitel

Lösch mich nicht!

Auf der Rückfahrt in den Cedarwood Drive testete Ruby ihre Ruby-Redfort-Überredungskünste an Hitch.

»Finden Sie nicht, dass es eine gute Idee wäre, wenn ich ein kleines Funkgerät hätte, damit ich jederzeit Kontakt aufnehmen kann?«

»Mit wem?«

»Mit der Zentrale«, erklärte Ruby.

»Nein, Kleine. Du kommunizierst nicht direkt mit dem Headquarter. Das läuft grundsätzlich über *mich.*«

»Okay, dann muss ich eben mit *Ihnen* jederzeit Kontakt aufnehmen können.«

»Und wozu?«, fragte Hitch.

»Na, Sie wissen schon, falls ich Sie mal superdringend sprechen muss«, sagte Ruby.

»Kein Problem. Es gibt diese unglaublich genialen Apparate, auch Telefone genannt …«

»Aber wenn mal keine Telefonzelle in der Nähe ist … oder sagen wir, wenn sie schon belegt ist und ich zuerst durch die Gegend rennen müsste, um eine andere zu finden?«

»Ich könnte mir vorstellen, dass du ziemlich schnell laufen kannst.« Hitch war offenbar immun gegen Rubys Argumente.

»Au Mann, kriege ich dann nicht wenigstens ein kleines Walkie-Talkie?«, quengelte Ruby. »Wo ist da das Problem?«

»Das Problem bist *du*«, erklärte Hitch ungerührt. »Du musst dir solche Sachen aus dem Kopf schlagen. Schau, Kleine, es ist ein Bürojob, okay? Du bist engagiert worden, um Akten durchzuarbeiten und Informationen zu entschlüsseln – da geht es nicht um Leben oder Tod, und das ist gut so.«

»Aber wenn doch? Ich meine, wenn ich etwas herausbekomme – sagen wir etwas total Wichtiges ... und Dringendes, eine ganz heiße Spur, die ich blitzschnell verfolgen muss – zum Beispiel jemandem auf den Fersen bleiben, bevor er verschwindet; Sie wissen schon, rasch eingreifen, bevor etwas Schlimmes passiert!«

»Kleine, du glaubst gar nicht, wie blitzschnell du aus Spektrum rausfliegst, falls du auf die Idee kommst, bei irgendetwas einzugreifen! Egal, was du herausfindest, du bleibst, wo du bist! Keine Dramen, keine Heldentaten. Sitzen bleiben und abwarten lautet deine Devise – capito?«

»Au Mann«, stöhnte Ruby. »Hat Ihnen schon mal jemand gesagt, dass Sie einem gewaltig auf die Nerven gehen können?«

»Ständig, Kleine. Deshalb wäre es klug, wenn du es dir hinter die Ohren schreibst: Keine Alleingänge! Eine weitere

Grundregel.« Hitch sah sie prüfend an. »Hast du gehört, Kleine?«
Ruby nickte. Sie hatte es gehört, aber es war schwer zu sagen, ob sie auch auf ihn hören würde. Denn Hören und auf jemanden Hören sind bekanntlich zwei verschiedene Dinge.

Wieder zu Hause, ging Ruby als Erstes ins Wohnzimmer und hörte die Nachrichten auf dem Familien-Anrufbeantworter ab. Hoffentlich hatte die Schule nicht angerufen und etwas gesagt, das ihre Eltern auf die Idee bringen könnte, dass sie den Unterricht schwänzte.
Vielleicht hatte Mrs Digby aus Miami angerufen oder wo immer sie gerade war.
Es gab etliche Nachrichten vom *Detective* für ihren Vater, die besagten, dass die Polizei »noch keine heiße Spur« hätte – und etliche Nachrichten von ihrem Vater für ihre Mutter, ungewöhnlich mies gelaunt, in denen er über die Fluggesellschaft schimpfte, die von ihrem Gepäck noch immer »nichts gehört oder gesehen« hatte. Die Reinigung hatte auch angerufen und gesagt, sie hätten »Probleme mit dem Tomatenfleck« und müssten die Jacke zwecks »Spezialreinigung« einschicken.
Die letzte Nachricht war von Freddie Humbert, der endlos über die Probleme mit dem Sicherheitssystem der Bank quasselte und dass er »bis über beide Ohren« drinstecke

und in absehbarer Zeit »weder zu den Treffen des Museumskomitees noch zum Golfspielen« kommen könne. Zum Abschluss sagte er noch, Brant solle nicht vergessen, seiner niedlichen Tochter auszurichten, sie solle sich doch mal bei Quent melden, der »sich schrecklich freuen würde, sie mal wiederzusehen«.

Ruby verzog das Gesicht – Quent Humbert war so ungefähr der Letzte, mit dem sie sich treffen wollte. Sie wollte die Nachricht gerade löschen, als ihr Vater nach Hause kam.

»Au Mann!«, entfuhr es Ruby, »was machst *du* um diese Zeit zu Hause?«

»Tut mir leid, ich wollte dich nicht erschrecken, Schatz. Ich habe heute früher Schluss gemacht. Hörst du den AB ab? Gibt's was Interessantes?«

Ruby drückte auf den Wiedergabeknopf. »Weiß nicht. Hab nicht zugehört.« Sie eilte nach oben in ihr Zimmer und checkte ihren privaten Anrufbeantworter. Auch hier eine Nachricht. Von Clancy.

»Hi, Ruby, wo hast du heute gesteckt? Du hast mir gar nicht erzählt, dass du nicht zur Schule kommst! Bist du krank? Wie auch immer – ruf mich an, okay? Hey, lösch mich nicht, nicht lööööööööö … aaaahhh!«

Ha, ein klassischer Clancy-Crew-Gag! Grinsend löschte Ruby die Nachricht. Aber hey, verflixt! Was sollte sie Clancy erzählen? Das hatte sie nicht bedacht, als sie versprach, die Klappe zu halten. Sie konnte ihn nicht anlügen, das hatte sie noch nie getan, aber sie hatte geschworen, dichtzuhalten. Hitch hatte offenbar recht: Einen Code zu knacken war ein Kinderspiel im Vergleich dazu, ein Geheimnis wie dieses zu hüten. Sie musste nachdenken! Aber alles, was ihr einfiel, war: Verdammt, Dad wird mich bestimmt zwingen, Quent anzurufen!

Sie griff in ihren Rucksack, um die Spektrum-Fluchtuhr herauszuholen, doch sie war nicht da. Ruby blieb fast das Herz stehen, bis ihr einfiel, dass sie sie ja in ihre Jackentasche gesteckt hatte.

Aber wo ist, bitte schön, meine Jacke?

Da hörte sie ihre Mutter rufen.

Himmel, was jetzt?

»Essenszeit!«, rief ihre Mutter.

Die Uhr musste warten – bei »Essenszeiten« kannte ihre Mutter kein Pardon.

Das Essen wollte und wollte kein Ende nehmen. Ruby fand die Gesellschaft ihrer Eltern wieder einmal ziemlich öde. An diesem Tag quasselten sie wieder hauptsächlich über Dinge, die Ruby schon von ihrer Geschichtslehrerin, Mrs Schneiderman gehört hatte – und sie hingen ihr ehrlich gesagt zu den Ohren heraus.

»Findest du die Legende, die sich um den Jadebuddha rankt, nicht auch total entzückend, Brant?«, säuselte Sabina.

»Ja, sehr«, bestätigte Brant.
»Sie ist so romantisch, nicht wahr? Dem Buddha um Punkt Mitternacht ins Auge zu blicken – also genau dann, wenn er bei uns aus dem Fußboden hochsteigt – und in dieser Sekunde doppelt so weise werden und halb so alt!«
»Unglaublich romantisch«, nuschelte Brant mit vollem Mund, da er gerade einen Bissen Steak kaute.
»Wahnsinn: halb so alt und doppelt so weise! In nur einer Sekunde!«
»Nie altern oder verwelken – der alte Menschheitstraum!«, sagte Brant verzückt.
So ging es während des ganzen Hauptgangs und auch noch während des halben Nachtischs.
»Moment mal! Wie wär's, wenn wir eine Tombola machen?«, rief Sabina plötzlich begeistert aus. »Jeder darf seinen Namen auf einen kleinen Zettel schreiben und in einen Hut legen. Und wer gewinnt, darf um Schlag Mitternacht als Erster dem Buddha in die Augen blicken!«
»Wie bei einer Lotterie? Man kauft ein Los und kann eventuell die ewige Jugend gewinnen?«
»Richtig.« Sabina war mächtig stolz auf sich.
»Eine großartige Idee, Liebste«, sagte Brant. »Was meinst du, Ruby-Schatz? Eine Bombenidee, oder nicht?«
Ruby reagierte nicht, sie war mit ihren Gedanken ganz woanders.
»Ruby?«

Ruby schreckte auf. »Hä? Was?«
»Dein Vater und ich haben uns gerade überlegt, dass wir eine Jadebuddha-Tombola machen, bei der es einen glücklichen Gewinner gibt.«
»Und was kann der gewinnen?«
»Er darf dem Jadebuddha um Punkt Mitternacht in die Augen blicken.«
»Warum sollte er das wollen?«, fragte Ruby verwirrt.
»Ruby, geht es dir gut?«, fragte ihre Mutter besorgt. »Hast du denn gar nichts von dem mitbekommen, was ich gerade gesagt habe?«
»Entschuldige«, sagte Ruby, »ich habe an etwas ganz anderes gedacht.«
»Das habe ich gemerkt«, sagte ihre Mutter.
»Nun«, sagte ihr Vater. »Ich denke, dann rufe ich am besten gleich mal Marjorie und Freddie an – sie werden begeistert sein!«
»Au ja, tu das!«, rief Sabina. Sie verstummte für eine Minisekunde und fuhr dann fort: »Ich hab mir gerade überlegt, ob es nicht an der Zeit wäre, über die Kanapees zu reden – was meinst du, Ruby? Ich wäre für Kanapees, belegte Schnittchen, die irgendwas mit Eis zu tun haben, schließlich wurde die Buddha-Statue in einem Eisberg gefunden.«
Nach dem tödlich langweiligen Gerede über die Jadebuddha-Tombola wollte Ruby nicht auch noch hören, wie

ihre Mutter über tiefgefrorenes Fingerfood plauderte, und sie beschloss, die Fliege zu machen.
»Mom, ich muss noch mit Floh raus.«
»Ich war vor einer Stunde schon mit ihm Gassi«, erklärte Sabina.
»Schon, aber ich hab es ihm versprochen«, rief Ruby und flitzte bereits die Treppe hinauf.
»Einem Hund etwas *versprochen*?« Sabina blickte ihr kopfschüttelnd nach.

Auf dem Rückweg von ihrem Hundespaziergang ging Ruby im Amster Green Park zu der großen Eiche. Sie wollte nachsehen, ob Clancy eventuell eine Nachricht für sie hinterlegt hatte. Tatsächlich! Eine codierte Botschaft, doppelt gefaltet.
Decodiert lautete sie:

> Sag mal, stimmt etwas nicht? Hab euren Butler in seinem Cabrio gesehen – ich traue ihm irgendwie nicht!

Mit einem Anflug von schlechtem Gewissen faltete Ruby den Zettel wieder zusammen und steckte ihn in das Astloch zurück, als hätte sie ihn nie gelesen.

Zu Hause angekommen, stapfte sie niedergeschlagen die Treppe hinauf in ihr Zimmer. Sie machte die Tür hinter sich zu, und da fiel ihr die Uhr wieder ein. Sie wusste, dass sie in ihrer Jackentasche war – die Frage war nur: Wo *war* ihre Jacke?

Ein Messer schlitzte ritsch-ratsch
eine weiße Designercouch auf,
und bei diesem unverkennbaren Geräusch
wachte Mrs Digby erschrocken auf …

Zum Glück hatte Mrs Digby beschlossen, am anderen Ende der Lagerhalle im Gästebett der Redforts zu schlafen. Sie hatte es schon immer mal ausprobieren wollen – es hatte eine sehr teure Federkernmatratze.

Sie schlüpfte in den Morgenmantel und tapste auf Zehenspitzen an der Wand der Lagerhalle entlang, wo sie hinter den riesigen Frachtcontainern nicht zu sehen war. Von hier aus hatte sie einen ziemlich guten Blick auf das Geschehen – doch was sie sah, gefiel ihr ganz und gar nicht. Etliche brutal aussehende Typen nahmen die Möbel der Redforts auseinander, rissen Schubladen heraus und Schranktüren ab, öffneten Glaskonserven und schlitzten Kissen auf, so dass die Federn in alle Richtungen flogen. Mrs Redforts diverse Schmuckschatullen wurden achtlos aufgerissen, durchwühlt und dann auf den Boden geworfen. Erstaunlich, dass sich diese Typen kein bisschen für den Inhalt interessierten, obwohl manche der Schmuckstücke etliche tausend Dollar wert waren.

Mrs Digby ballte die Fäuste und war drauf und dran, sich auf diese Unholde zu stürzen und ihnen gehörig den Kopf zu waschen. Zu ihrer Erleichterung hörte sie dann aber eine Frauenstimme rufen: »Was zum Kuckuck treibt ihr Blödmänner da?«

Höchste Zeit, dass jemand einschreitet, dachte Mrs Digby.

Die Frauenstimme fuhr fort: »Wir suchen nach etwas, das sehr klein und immens wertvoll ist, aber wie sollen wir

das finden, wenn ihr ohne Sinn und Verstand alles auf den Kopf stellt?«
Die Schlägertypen schwiegen betreten.
Hätte ich nicht besser sagen können, dachte Mrs Digby zufrieden. Sie konnte die Frau von ihrem Versteck aus nicht sehen, aber es war anzunehmen, dass sie das Sagen hatte, denn während der nächsten elf Stunden durchsuchten die Typen gewissenhaft jeden einzelnen Gegenstand der Redfort'schen Besitztümer, hoben alles auf, drehten es in den Fingern, inspizierten es und legten es dann zurück.
Wonach um alles in der Welt suchen diese Rüpel?, fragte sich Mrs Digby.
Doch was immer es war, sie schienen es nicht zu finden.

15. Kapitel

Streng vertraulich

Frohen Mutes stand Ruby am nächsten Morgen auf und machte sich fertig. Sie konnte es kaum erwarten, zu Spektrum zu kommen und mehr über ihren geheimnisvollen Job zu erfahren. Aber zuerst musste sie die Fluchtuhr – sprich ihre Jacke – finden. Sie war sich ziemlich sicher, dass sie sie in Hitchs Wagen liegen gelassen hatte. Dort wäre sie zwar in Sicherheit, doch was war, wenn er sie entdeckt und die Taschen durchwühlt hatte? Das war ihm zuzutrauen – und in dem Fall würde sie ganz schön alt aussehen.

Doch als sie nach unten kam, stand Hitch in der Küche und war in die Betrachtung einer Toastscheibe vertieft.

»Ist der Toast vertraulich, oder kann ihn jemand essen?«, fragte sie.

Er blickte auf. »Streng vertraulich«, antwortete er und biss hastig hinein. »Und, aufgeregt? Du freust dich sicher auf deinen ersten Tag als Codeknackerin!«

Ruby bedachte ihn mit einem vernichtenden Blick.

Er zwinkerte ihr zu. »War nur ein Gag, Kleine. Ich weiß doch, dass du viel zu cool bist, um wegen irgendwas *aufgeregt* zu sein!«

Nach einem weiteren vernichtenden Blick marschierte Ruby zur Hintertür.

»Moment, wo willst du hin?«

»Zu meinem Rad. Ich möchte gleich los. Frühstück kann ich mir im Diner holen.«

»Nichts da, Kleine. Strenge Anweisung von oben: Ich werde dich jeden Tag zu Spektrum fahren und abends wieder abholen.«

»O Mann!« Ruby verdrehte die Augen. »Ich muss nicht durch die Gegend kutschiert werden. Ich nehme mein Rad, okay?«

»Nicht okay«, erklärte Hitch mit Nachdruck. »Ich muss dafür sorgen, dass dir niemand heimlich folgt und dass du wohlbehalten dort ankommst. Falls ich mal keine Zeit habe, wird dich einer meiner Kollegen nach Hause fahren.«

Ruby klappte den Mund auf, um zu widersprechen, doch Hitch hob warnend eine Hand. »Keine Diskussion!«

Ruby klappte den Mund wieder zu.

»Und jetzt ab ins Auto, wir müssen los.«

»Ich hab aber noch nicht gefrühstückt!«, protestierte Ruby. »Wichtigste Mahlzeit des Tages und so weiter …«

»Wir holen unterwegs was, okay? Zisch ab! Ich komme in einer Sekunde nach.«

Ruby stieg in seinen Wagen und war froh, als sie ihre Jacke zusammengeknüllt hinter dem Beifahrersitz im Fußraum entdeckte. Sie tastete in der Tasche herum, bis ihre Finger

die kühle Metalluhr umschlossen – Hab ich dich, du kleiner Ausreißer.
Sie betrachtete die Uhr. Von allen Gegenständen, die sie je in den Fingern gehabt hatte, war diese Uhr mit Abstand der interessanteste – doch leider gehörte er ihr nicht. Und früher oder später würde garantiert jemand merken, dass die Uhr verschwunden war, ebenso wie das Pfeifchen und der Schlüsselanhänger. Und die Spektrum-Leute mussten nur zwei und zwei zusammenzählen, und sie wäre überführt. Was war nur mit ihr los? So etwas passierte höchstens Red Monroe – aber doch nicht Ruby Redfort!
Sie ließ die Uhr wieder in der Tasche verschwinden. Den Schlüsselring hatte sie bereits an ihrer Jeans befestigt und den Anhänger in der Gesäßtasche stecken, und das Pfeifchen hing um ihren Hals, verborgen unter ihrem T-Shirt. Jetzt musste sie nur noch eine Möglichkeit finden, die Sachen zurückzulegen, bevor jemand merken würde, dass sie weg waren.

Auf dem Weg zu Spektrum mussten sie an einer roten Ampel halten, und wer ging da über die Straße? Clancy Crew, Del Lasco und Elliot Finch, die gerade Donuts gekauft hatten und sie jetzt verputzten. Ruby rutschte auf ihrem Sitz nach unten.
»Keine Bange, Kleine, sie können dich nicht sehen. Nur mich.«

»Wie das?«, fragte Ruby.
»Spezialglas«, erklärte Hitch und klopfte an die Windschutzscheibe. »Wenn dieser Schalter unten ist«, fuhr er fort und zeigte auf einen kleinen silbernen Hebel, »sieht man auf der Beifahrerseite nur einen leeren Platz, als wärst du gar nicht da.« Um seine Worte zu beweisen, ließ er sein Seitenfenster hinunter, streckte den Kopf hinaus und rief: »Hey, Kinder, ich nehme nicht an, dass ich euch überreden kann, mir einen von euren Donuts zu überlassen, oder?«
»Im Leben nicht, Mann«, rief Del mit vollem Mund. »Hab nur noch zwei.«
Clancy hielt sich zurück, denn er dachte nicht im Traum daran, diesem dubiosen Butler der Redforts einen seiner Donuts abzugeben, und ganz bestimmt nicht umsonst. Erstens mochte er Hitch nicht und zweitens war er ihm sowieso suspekt.
Elliot dagegen warf einen Blick auf den letzten Donut in seiner Papiertüte. »Was bieten Sie?«, fragte er.
»Wie wär's, wenn ich errate, was für 'nen Donut du hast? Wenn ich recht habe, krieg ich ihn umsonst; andernfalls bekommst du zehn Dollar.«
Elliot konnte sein Glück nicht fassen – dieser Typ würde im Leben nicht erraten, was für einen Donut er hatte, und das bedeutete, dass er ein gutes Geschäft machen würde.
»Gern«, sagte Elliot. »Hätte nichts dagegen, Ihnen zehn Dollar abzuknöpfen.«

»Und?«, flüsterte Hitch, ohne die Lippen zu bewegen.

»Da der, den er in der Hand hält, ein Bananen-Donut ist, bedeutet das, dass der in seiner Tüte ein Schoko-Himbeer-Donut mit Erdbeerglasur und Regenbogenstreuseln ist«, wisperte Ruby.

»Okay«, sagte Hitch und griff sich an die Schläfe, als warte er auf eine Eingebung. »Ich würde mal sagen … hm, Schoko-Himbeer mit Erdbeerglasur und Regenbogenstreuseln. Hab ich recht?«

Elliot bekam vor Staunen den Mund nicht mehr zu und überreichte ihm wortlos seine Tüte.

»Macht Spaß, mit dir Geschäfte zu machen, Kumpel«, sagte Hitch und gab Gas, da die Ampel inzwischen grün war.

»Wer war denn das?«, fragte Del ungläubig.

»Irgendein Blödmann, der bei den Redforts arbeitet«, brummte Clancy.

»Hä? Sie haben einen Magier angestellt?«, kommentierte Elliot, noch immer verdattert.

»Hey, das war echt cool«, sagte Ruby, als sie auf die Brücke von Twinford zufuhren.

»Immer gern zu Diensten, Miss«, sagte Hitch, als er ihr den Donut reichte.

In der Spektrum-Zentrale wurde Ruby gesagt, sie solle im Warteraum Platz nehmen. Sie war irgendwie hibbelig. Außerdem war sie nicht besonders scharf darauf, diesen

Agent Blacker kennenzulernen – bis jetzt hatte sie mit den Leuten vom Headquarter nicht gerade gute Erfahrungen gemacht.
Doch dann kam Agent Blacker an – mit einem Lächeln auf den Lippen!
»Nichts für ungut, aber du siehst noch ganz schön jung aus«, sagte er zur Begrüßung.
»Ich trinke viel Bananenmilch, das hält jung«, antwortete Ruby.
»Im Ernst? Wie viele Liter pro Tag?«
Agent Blacker sah ziemlich ungepflegt aus, hatte sein Namensschildchen verkehrt herum angesteckt, und seine Haare waren so strubbelig, als hätte er sich seit Weihnachten nicht mehr gekämmt. Aber immerhin hatte er eine freundliche Stimme, richtig herzlich – das merkte Ruby schon nach diesen paar Worten.
»So, so«, fuhr er fort, »du wirst also den Lopez-Code für uns knacken?« Er zerzauste ihr die Haare. »Weißt du was? Ich traue es dir tatsächlich zu.«
An Ruby Redforts Haaren herumzufummeln war normalerweise nicht ratsam, doch aus irgendeinem Grund hatte Ruby heute nichts dagegen. Vielleicht war sie einfach nur froh, dass endlich mal jemand nett zu ihr war.
»Danke, aber ich glaube, mit dieser Meinung stehen Sie hier allein auf weiter Flur. Ich fühle mich hier so willkommen wie jemand, der die Pest hat.«

»Ach was, wenn du die Pest hättest, würden sie nicht mal mit dir reden«, sagte Blacker ungerührt.
Er winkte Ruby mit sich zu einer Tür, und sie fand sich in einer Gasse wieder, vor einem Müllcontainer und einem alten Lieferwagen, der wie ein Müllauto aussah. »Unser Luxusschlitten«, sagte Blacker und steuerte den Lieferwagen an.
»Das soll ein Witz sein, oder?«, fragte Ruby.
War es nicht.
»Wohin fahren wir – zum Schrottplatz?«
»O oh, nicht lästern, Ruby. Stimmt, der Van ist schon etwas betagt, aber er fährt noch wie eine Eins. Und schön unauffällig ist er auch.«
»Nur wenn wir tatsächlich zu einer Müllhalde fahren«, gab Ruby zu bedenken.
Blacker lachte wie ein ertappter Schuljunge. »Klar.«
Zwanzig Minuten später begriff Ruby, warum. Sie hielten vor einem alten Bürogebäude in der Maverick Street an, im Osten der Stadt, in einem Gebiet, das Trashford genannt wurde. Der Schrottplatz war tatsächlich nicht weit weg.
»So, da wären wir«, erklärte Agent Blacker, »unser Archiv. Hier hat Lopez gearbeitet, perfekt getarnt und absolut sicher.«
Ruby blickte an dem schäbigen Gebäude hinauf, das zwischen einem altmodisch aussehenden Waschsalon und einem mit Brettern vernagelten Gemischtwarenladen ein-

geklemmt war. »Nehmen Sie es mir nicht übel, aber meiner Meinung nach sieht diese Bruchbude nicht besonders sicher aus.«

Blacker zeigte auf die Tür. »Dann versuch mal, diese Tür hier auf die Schnelle aufzubrechen – unter achtzehn Stunden Bohren geht hier nichts.«

Wenn das stimmte, dann war Rubys Arbeitsplatz wirklich gut getarnt.

Ihr Begleiter schloss die Tür auf. Sie war braun – zumindest die oberste Schicht –, große Fetzen der alten Farbe blätterten ab, und darunter kamen etliche frühere Anstriche zum Vorschein, in sämtlichen Farben des Regenbogens. Ruby betrat einen kleinen Raum, der vom Fußboden bis zur Decke mit Aktenordnern übersät war – braunen Aktenordnern.

»Wenn jemand Lopez heimlich gefolgt wäre, hätte er nur ein altes verstaubtes Büro vorgefunden. Lopez hat allen erzählt, sie sei Buchhalterin – niemand außer den Leuten von Spektrum wusste, was sie wirklich gemacht hat.«

»Wie? Und sie war nie in geheimer Mission unterwegs oder auf irgendwelchen abenteuerlichen Touren?«, fragte Ruby.

Blacker schüttelte den Kopf. »Sie musste nie etwas tun, das in irgendeiner Form gefährlich gewesen wäre – LB verliert ihre Codeexperten nicht gern, nicht nachdem … na ja, sie verliert sie eben nicht gern. Sie passt gut auf ihre Superhirne auf.«

Ruby blickte durch den trostlosen Büroraum. Mal ehrlich, wer länger hier saß, *musste* depressiv werden.
»Sie hat also Tag für Tag hier gesessen und diese tristen alten Wände angestarrt? Was hat sie zum Ausgleich gemacht?«
»Na, Bergsteigen«, erklärte Blacker.
»Wahrscheinlich wollte sie zur Abwechslung mal was Schönes sehen«, sagte Ruby mit einem Blick auf das vor Schmutz starrende Fenster.
»Ich nehme an, LB hat dir schon alles erklärt«, sagte Blacker und deutete auf die gegenüberliegende Wand. »In den Aktenordnern in dem Regal dort drüben ist alles gesammelt, was wir über den geplanten Banküberfall herausgefunden haben.«
Ruby zählte sie – es war eine stattliche Anzahl.
»Wir wollen, dass du jede einzelne Akte durchsiehst und darauf achtest, was Lopez beim ersten Durchgang übersehen haben könnte. Es muss etwas geben, was ihr im Urlaub eingefallen ist. Das heißt, sie muss den Fall im Geiste noch mal durchgegangen sein, und *schwupp!* – plötzlich ging ihr ein Licht auf. Das Problem ist nur, dass wir nicht die leiseste Ahnung haben, was es war.«
»Wie seid ihr überhaupt darauf gekommen, dass jemand einen Banküberfall plant?«, fragte Ruby.
»Wir bekamen einen Anruf von der Götz Bank in der Schweiz, von der die Goldlieferung kommen wird. Sie haben uns mitgeteilt, dass sie sich ganz sicher sind, dass

jemand sich in ihr Security-System eingeschleust hat und nun über sämtliche Informationen verfügt, die mit dem Transfer der Goldbarren in die Twinford City Bank am 22. April zusammenhängen.«

Ruby zog einen Kaugummi aus ihrer Tasche. »Darf ich?«

Blacker nickte. »Klar, warum nicht?«

»Gewisse Leute stört es«, sagte Ruby und zuckte mit den Schultern. Sie schob sich das pinkfarbene Viereck in den Mund. »Und wie haben die Götz-Leute es gemerkt?«

»Die verantwortliche Person war sehr … du weißt schon, *gewissenhaft*. Sie legte Wert auf einen minutiös geplanten Ablauf und war die Einzige, die Zugang zu den Dokumenten und Unterlagen hatte. Und obwohl nichts fehlte, war sich diese Person ganz sicher, dass jemand herumgeschnüffelt hatte.«

Ruby nickte.

»Kurze Zeit später haben wir den Anruf einer neuen Kundin der Twinford Bank mitgeschnitten, die sagte, sie suche ein Bankschließfach für ihre äußerst kostbaren Schmuckstücke – aber zuvor wolle sie den Tresorraum sehen, in dem ihre Sachen aufbewahrt werden würden.«

»Das ist doch nichts Besonderes. Ich wette, meine Mutter würde es auch tun.«

»Aber deine Mutter würde vermutlich nicht halb so viele Fragen stellen wie diese Frau.«

»Was für Fragen?«

»Na, zum Beispiel, ob es stimme, dass das Untergeschoss der Bank von Jeremiah Stiles entworfen wurde! Ob es wirklich so schwierig sei, sich im Labyrinth der Gänge zurechtzufinden, und so weiter.«

»Kann doch sein, dass sie sich für Architektur interessiert«, meinte Ruby.

»Klar kann das sein«, erwiderte Blacker. »Der Bankangestellte, der sie herumführte, war auch dieser Ansicht. Sie schien sich die Gänge bis zum Tresorraum richtiggehend einzuprägen. Und dann war da noch etwas Auffälliges. Sie hatte einen komischen Akzent – komisch insofern, als er irgendwie künstlich klang. Wie inszeniert, als würde sie versuchen, so zu klingen, als sei sie von hier, obwohl sie es gar nicht ist. Sie trug einen kleinen Hut mit einem Schleier vorm Gesicht – wie man es aus manchen alten Filmen kennt, sehr stylish und alles, aber vielleicht etwas übertrieben für einen Bankbesuch.«

»Okay, sie war also etwas exzentrisch – aber das trifft auf etliche Leute aus Twinford zu«, meinte Ruby.

»Durchaus, durchaus, aber da war noch etwas: Als die Bank hinterher ihren Personalausweis überprüfte, hat sich herausgestellt, dass sie seit über zwanzig Jahren tot ist.«

»Oh, das ist tatsächlich etwas merkwürdig«, sagte Ruby, »selbst für jemanden aus Twinford. Und was war mit den Überwachungskameras – haben die eine gute Aufnahme von ihr gemacht?«

»Da ist etwas schiefgelaufen«, erklärte Blacker. »Lag vielleicht an ihrem Schleier, aber das Gesicht der Dame war auf allen Aufnahmen unscharf, wie abgeschirmt vor der Kamera – die Gesichtszüge waren absolut unkenntlich.«

»Und weiter?«, hakte Ruby nach.

Blacker schüttelte den Kopf. »Nichts weiter. Es gab keine weiteren Anfragen zu Bankschließfächern und Sicherheitsvorrichtungen, und in der City Bank ließen sich auch keine exzentrischen Ladys mehr blicken.«

»Aber ihr geht nicht davon aus, dass Wer-immer-es-auch-war aufgegeben hat, richtig?«

»Tja, in dem Punkt hatten wir einfach Glück, würde ich sagen, denn wir sind über etwas gestolpert.«

Agent Blacker ging zum Aktenregal, griff nach dem Ordner mit der Aufschrift *Katzengold I* und legte ihn auf den Schreibtisch, an dem Lopez während all die Jahre gesessen haben musste. Es war ein altmodisch aussehendes Möbelstück, das schon etliche Jahrzehnte auf dem Buckel hatte, mit kleinen, farbigen Griffen an den Schubladen, einem eingebauten Stiftehalter und einer cool aussehenden blassblauen Lampe; Agent Blacker knipste sie an und forderte Ruby mit einer Geste auf, sich zu setzen.

»Schau ihn mal durch, um dir einen Eindruck zu verschaffen. Mach es dir ruhig gemütlich, du wirst hier vermutlich eine ganze Weile sitzen. Und nichts überstürzen – denk daran, Lopez muss etwas übersehen haben, und sie war *sehr* gewissenhaft. Folglich musst du *noch* gewissenhafter sein.« Er reichte ihr eine schrumpelige braune Papiertüte; darin war ein Donut.

»Wow! Können Sie Gedanken lesen?«, rief Ruby.

»Wieso? Donuts mit Geleefüllung mag doch jeder«, antwortete Blacker achselzuckend.

Der Aktenordner war voller Kleinanzeigen, allesamt aus der Tageszeitung ausgeschnitten.

Es waren ausschließlich Privatanzeigen.

Und sie wirkten auf den ersten Blick sehr harmlos.

Dame fortgeschrittenen Alters sucht Freundin, die sich ebenfalls für Katzen, Häkeln und alte Geschichte interessiert.

Fitnesstrainer gesucht von fitnessscheuem Finnen.

Griechisch kochen lernen! Nach dem Essen kein langweiliges Geschirrspülen! Man wirft die Teller einfach hinter sich!

Schweigend las Ruby Seite um Seite. Es gab Hunderte dieser teilweise absurd klingenden Kleinanzeigen, die alle offenbar aus dem *Twinford Tagesspiegel* ausgeschnitten worden waren – doch es war keine einzige darunter, die auf Ruby auch nur annähernd verdächtig oder düster und bedrohlich gewirkt hätte.

Was konnte Lopez übersehen haben?

Nach etwa einer Stunde angestrengter Lektüre rief Ruby zu Blacker ins Nebenzimmer. »Und wie seid ihr auf die Idee gekommen, diese Kleinanzeigen im *Twinford Tagesspiegel* zu sammeln?«

»Oh, das ist eine interessante Geschichte«, sagte Blacker, kam in Rubys Zimmer und setzte sich auf eine Kiste. »Die Polizei hat einen stadtbekannten Kleinkriminellen namens Fingers MacGraw aufgegabelt. Er fuhr einen schweineteuren Wagen, der ihm nicht gehörte, und konnte auch nicht glaubhaft erklären, wo er ihn herhatte. Der Wagen wurde durchsucht, und dabei hat man im Handschuhfach Unmengen dieser Kleinanzeigen entdeckt.«

»Na und? Fingers liest vielleicht gern Kleinanzeigen. Ist schließlich nicht verboten.«

»Richtig, aber sie konnten nichts mit Fingers zu tun haben; man fand darauf nicht einen einzigen Fingerabdruck von ihm. Er hat allem Anschein nach nicht mal von diesen Anzeigen gewusst. Und außerdem, was hätte er mit ihnen anfangen sollen? Fingers kann kaum lesen; er ist ein äußerst schlicht gestrickter kleiner Taschendieb, der niemals einen größeren Coup planen könnte.«

»Und das Ganze sah nach einem größeren Coup aus?«, fragte Ruby.

»Durchaus, durchaus«, sagte Blacker. »Eine Menge sorgfältig gesammelter Zeitungsanzeigen und Tipps aus dem *Twinford Tagesspiegel* – ich meine, *wozu* das Ganze? Was haben sie zu bedeuten?«

»Für mich sehen sie eher willkürlich aus«, sagte Ruby.

»Ja«, sagte er, »genau das ist es ja: so willkürlich, dass wir uns fragten, ob sie wirklich willkürlich waren, wenn du verstehst, was ich meine. Und warum hat der Besitzer den Wagen bei der Polizei nicht als *gestohlen* gemeldet? Es war ein teurer Wagen, fast wie neu.«

»Aber die Polizei hat doch sicher die Kennzeichen überprüft und den Besitzer ausfindig gemacht, oder?«, sagte Ruby.

»Klar. Wir wissen, auf wen der Wagen angemeldet war, es handelt sich um dieselbe tote Frau, die unter diesem Namen in der Bank war.«

»Oh, das klingt tatsächlich ziemlich verdächtig«, sagte Ruby.

Blacker nickte. »Deshalb ließen wir Lopez die ganzen Anzeigen durchsehen, um zu hören, was sie davon hielt.«

»Und wie lange hat es gedauert, bis ihr wusstet, dass ihr auf der richtigen Spur wart?«, fragte Ruby.

Blacker deutete auf eine weitere Reihe von Aktenordnern. »Lopez begann, den *Tagesspiegel* sehr, sehr gründlich zu lesen – aber erst als sie all diese Akten angelegt hatte, begann sie zu ahnen, was es mit diesen Kleinanzeigen auf sich hatte.«

»Junge, Junge, ihr müsst wirklich eine Wahnsinnsgeduld haben«, sagte Ruby, als sie Akte *Katzengold II* aus dem Regal holte. »Und was genau hat sie vermutet?«

Agent Blacker schmunzelte. »Sorry, aber LB will, dass du von allein dahinterkommst.«

Während der nächsten Stunden rührte Ruby sich kaum von der Stelle – sie saß nur da und las Anzeige um Anzeige.

Die meisten Anzeigen waren Privatanzeigen. Einige waren unter der Rubrik TOLLE TIPPS erschienen: Von überallher schrieben die Leute, wie sie es zum Beispiel schafften, eine Katze von einem Baum herunterzulocken oder Schuhcremeflecken aus einer Cordsamthose zu entfernen. Die Anzeigen waren schlimmstenfalls todlangweilig und bestenfalls ganz amüsant, aber keine wirkte auf den ersten Blick verdächtig – keine, bis Ruby allmählich das Prinzip durchschaute. Die erste Anzeige, die Ruby durchschaute, war sehr, sehr einfach zu entschlüsseln. Sie lautete:

> *Der interessante Erlebnisbericht. William Albert Riders erzählt konsequent, objektiv, multi medial: Tolle Ausflugsziele Mexikos. 20/22 $ Abendkasse/Person. Rücktritt ist legitim.*

Hier musste man nur den jeweils ersten Buchstaben beachten. Das Ergebnis lautete: *Die Ware kommt am 22. April.*

Die anderen Anzeigen waren etwas schwieriger zu knacken, aber natürlich kein Problem für Ruby.
Wichtig war auch hier immer der erste Buchstabe einer Anzeige, dann ging es in bestimmten Abständen weiter. Meist war es immer der fünfte Buchstabe eines Textes, während der Inhalt völlig belanglos war. Nach einigem Herumfriemeln entdeckte Ruby noch etwas: Drei Pünktchen in einer Privatanzeige standen in den kodierten Botschaften allem Anschein nach für ein Fragezeichen. Und danach ging es wieder mit dem ersten Buchstaben weiter.
Während Ruby die in Frage kommenden Kleinanzeigen nach und nach penibel entschlüsselte, wurde ihr immer klarer, worum es ging: Fünf oder mehr Personen kommunizierten miteinander über eine bestimmte Sache, und es ging ganz gewiss nicht darum, wie man Schuhcremeflecken aus einer Cordhose herausbekam. Die Sache wurde immer spannender.

Gegen Mittag bestellte Blacker Pizza.
»Und? Bekommt die Sache allmählich Hand und Fuß, Ruby?«
»Ich habe begriffen, in welche Richtung es geht.« Sie zeigte ihm, was sie bisher entschlüsselt hatte.
Sie hatte folgende Nachrichten entschlüsselt und chronologisch richtig sortiert:

Die Ware kommt am 22. April

Um Mitternacht holen wir sie uns!

Ist es was Wertvolles?

Was ist wertvoller als Gold?

Benötige Grundriss vom Untergeschoss

Hab ich besorgt – sende Plan zu

Wo ist der Schlüssel?

Noch nicht lokalisiert, weiß aber, wer ihn hat!

»Nicht schlecht«, sagte Blacker. »Ich denke, du bist auf der richtigen Spur.«

»Und wo ist dieser Schlüssel denn nun?«, fragte Ruby.

»Das ist es ja! Für den Tresorraum braucht man gar keinen – jedenfalls nicht direkt. Es ist ein zweifacher Code. Freddie Humbert, der Bankdirektor, hat die eine Hälfte, sein Sicherheitschef die andere. Um den gesamten Code in die Finger zu bekommen, müsste man sie schon *beide* auf einmal entführen, und seit LB die 24-Stunden-Überwachung eingeführt hat, ist eine Entführung so gut wie unmöglich.«

Ruby legte die Stirn in Denkerfalten. Wenn die Katzengoldbande so gefährlich war, dass sie Spektrum Kopfzerbrechen bereitete, müssten diese Kriminellen doch gemerkt haben, dass die City Bank ihre Sicherheitsvorkehrungen verschärft hatte, oder? Warum wussten sie dann nicht, dass sie einen Code brauchten und keinen Schlüssel? Diese Typen würden mit so einem wackligen Plan grandios auf die Nase fallen! Sie wussten vielleicht, wie man Schuhcreme aus einer Cordsamthose herausbekam, aber sie hatten definitiv keine Ahnung, wie man den sichersten Tresorraum der Vereinigten Staaten von Amerika ausrauben konnte!
Ruby dachte angestrengt nach. Irgendetwas stimmte da nicht ... es sei denn, die Bande hatte etwas sehr viel Größeres im Visier.
War dieser Plan nur eine Vorstufe zu etwas anderem?
War ihr tatsächlicher Plan eventuell viel raffinierter? War es das, was Lopez entdeckt hatte? Wusste die Katzengoldbande mehr über die Twinford City Bank, als das Spektrum-Team ihr zutraute?
Gegen drei Uhr rief Hitch an, um zu hören, wie es ihr ging. »Hör mal, Kleine, tut mir leid, aber ich kann dich erst später als vereinbart abholen – im HQ hat sich etwas Wichtiges ergeben. Du musst bis um sieben Uhr durchhalten, dann hole ich dich ab.«
Nach so viel Nachdenken und Überlegen war Ruby ziemlich fertig und hatte null Lust, noch ein paar Stunden hier

auszuharren. Was die Sache noch schlimmer machte, war, dass Blacker den Kopf zur Tür hereinstreckte und sagte: »Tut mir leid, Ruby, aber ich muss ins HQ. Scheint 'nen Notfall zu geben. Ein Ersatz für mich ist schon unterwegs, um auf dich aufzupassen. Ich warte natürlich, bis er da ist.«

»Oh«, sagte Ruby. »Okay.«

Sie machte sich wieder an die Arbeit, doch keine zehn Minuten später wurde sie aus ihrer Konzentration gerissen – diesmal von einer *sehr* unsympathischen Stimme. Ruby hob den Kopf und blickte in die arrogante Miene des Stummen E.

»Na, na, wenn das nicht die kleine Ruby Redfort ist!«

»O nein«, stöhnte Ruby.

»Glaub mir, Kleine«, sagte Groete, »ich schlag auch nicht gerade Purzelbäume vor Freude, dass ich auf dich aufpassen darf.«

Blacker runzelte die Stirn. »Reiß dich zusammen, Groete, hast du gehört?« Dann wandte er sich an Ruby. »Wir sehen uns morgen wieder.« Er schnappte sich seine Jacke, marschierte zur Tür und rief über die Schulter: »Sei nett zu ihr, Groete! Du weißt doch hoffentlich noch, wie das geht, oder?«

Groete verzog das Gesicht, als hätte er in eine Zitrone gebissen.

»Keine Angst«, sagte er zu Ruby. »Dein netter Babysitter ist morgen bestimmt wieder da, um dir das Händchen zu halten. Und Hitch wird dir zur Belohnung einen schönen Eisbecher machen, wenn du nach Hause kommst.«

Himmel, dieser Depp ging ihr wirklich tierisch auf die Nerven, doch Ruby beschloss, sich nicht provozieren zu lassen.

Ganz ruhig bleiben, Ruby.

An diesem Tag las Ruby so viel wie nie zuvor an einem einzigen Tag, und das wollte etwas heißen, denn Ruby war eine Leseratte allererster Güte. Einmal hatte sie an einem einzigen Tag alle hundertzwei Comics von *Der kriminelle Spion* gelesen, aber das hier zu lesen war viel, viel anstrengender.

Gegen sechs Uhr war sie fix und fertig – sie hatte den ganzen Nachmittag über kaum aufgeblickt. Sie reckte und streckte sich auf ihrem Stuhl und zog dabei geistesabwesend den Schlüsselring mit dem Würfelanhänger aus der Tasche ihrer Jeans. Sie betrachtete ihn, ohne groß zu denken – zum Denken war sie viel zu müde. Reglos saß sie einige Augenblicke lang da, bevor ein Summen sie wieder ins Hier und Jetzt zurückholte – eine Stubenfliege war aufgewacht und surrte nun hektisch in der Ecke des Büros hin und her. Ruby sah, wie sie sich auf dem Sattel eines Fahrrads niederließ, das dort an der Wand lehnte. Es war ein Damenrad, das vermutlich Lopez gehört hatte, wie Ruby annahm. Ruby blickte zuerst zur Tür, dann zu Groete – der angeregt telefonierte. Und schon war ihr Entschluss gefasst.

»Sorry«, sagte sie, »aber ich muss los. Hitch hat angerufen und gesagt, ich dürfe mit dem Rad nach Hause fahren – er hat noch eine Weile zu tun.«
Groete deckte die Sprechmuschel ab. »Gut, gut, dann zieh Leine, Kleine. Ist mir doch egal.« Er wedelte mit der Hand. »Vielleicht darfst du ja noch ein bisschen fernsehen, bevor du in dein Heia-Bettchen musst.«
Ruby fand diese Idee ganz verlockend – sie hatte echt so viel gelesen, dass es für eine ganze Woche reichte!

Mrs Digby dagegen vermisste
ihre heißgeliebten Bücher schmerzlich …

Sie saß ohne ihre heißgeliebten Taschenbücher da, die die Einbrecher offenbar nicht sehr interessant gefunden hatten, da sie sie in ihrer Einliegerwohnung hatten liegen lassen. Mrs Digby war eine unersättliche Leserin und liebte ihre Krimis sogar noch mehr als die Thriller im Fernsehen.

Wenn sie schon alles klauen mussten einschließlich mir, warum zum Kuckuck hatten sie nicht den Anstand, auch meine Wertsachen mitzunehmen?

Sie stutzte.

Ah, sie haben bestimmt Rubys Sachen mitgenommen, und das Kind hatte bestimmt den einen oder anderen spannenden Krimi in ihrem Zimmer.

Sie blickte auf die Uhr – kurz vor sieben.

Schnell, viel Zeit hab ich nicht.

Mrs Digby konnte ihrem Luxusgefängnis zwar nicht entkommen, aber sie konnte sich wenigstens eine schöne Tasse Tee machen – auch wenn die Milch leider sauer geworden war.

»Mist!«, murmelte sie, bevor sie es sich auf einem Sessel gemütlich machte, um sich eine ihrer Lieblingsserien anzusehen:

War Gift im Spiel?

Sie lehnte sich gerade entspannt zurück, als ein schriller Schrei sie wieder auffahren ließ.

Noch bevor Mrs Digby den Kopf drehen konnte, rief eine

nervöse Frauenstimme: »Keine Bewegung, Lady, am besten nicht mal blinzeln.«

Mrs Digby hatte schon viel erlebt in ihrem Leben, und sie wusste, wann es klug war zu blinzeln und wann nicht.

16. Kapitel

Nicht hinschauen!

Es war ein schönes Gefühl, wieder auf einem Fahrrad zu sitzen, und Lopez' Rad war für Ruby zwar etwas zu groß, aber dafür war es eine Luxusausführung. Es war schnell und leicht, und Ruby kam flott voran, und das war ein Glück, weil es bereits dunkel wurde und das Rad kein Licht hatte. Sie war gerade an der steilsten Stelle – eine recht einsame Straße, die Ost-Twinford mit West-Twinford verband –, als sie plötzlich das dumpfe Gefühl hatte, dass das Hinterrad Luft verlor.

Verflixt, das hat mir gerade noch gefehlt! Ruby sprang vom Rad und untersuchte das Hinterrad. Sie hatte kein Flickzeug dabei und würde zu Fuß nach Hause gehen müssen – und das war noch ganz schön weit. Zu allem Überfluss begann es auch noch zu nieseln.

Na klasse, einfach klasse!

Ein paar wenige Autos fuhren an ihr vorbei, als sie das Rad den Hügel hinaufschob – manche bremsten etwas ab, doch keines hielt an. Das war Ruby ganz recht, sie hätte sich nicht von jemandem mitnehmen lassen, den sie nicht kannte. Inzwischen war es stockdunkel geworden, es gab zwar die

eine oder andere Straßenlaterne, aber hier im Industriegebiet brannte in keinem der zum größten Teil leerstehenden Lagerhäuser Licht. Aus dem Nieselregen war ein kräftiger Regenschauer geworden, der auf den Asphalt platschte.
Sehnsüchtig dachte Ruby an ihr eigenes, robustes Mountainbike – Schnelligkeit war zwar ganz nett, aber viel wichtiger war bei einem Rad, dass es zuverlässig war.
So ein Mist aber auch!
Vor lauter Hadern mit sich und der Welt merkte Ruby zuerst gar nicht, dass ihr ein Auto folgte. Sie hatte es vage in großer Entfernung gehört, als es am Fuß des Hügels einen Gang zurückschaltete. Doch dann hatte sie nicht mehr darauf geachtet. Das Motorengeräusch war sehr leise geworden, weil das Auto quasi im Schritttempo fuhr: Es überholte Ruby nicht, sondern folgte ihr nur. Auf der Straße bildeten sich immer mehr Pfützen, und es dauerte nicht lange, bis Rubys Füße pitschnass waren. Der Schnürsenkel ihres linken Turnschuhs hatte sich gelockert, und sie bückte sich, um ihn wieder zuzubinden. Rubys Finger waren steif vor Kälte und bekamen den glitschigen Schnürsenkel nicht richtig zu fassen. Aber schließlich bekam sie einen unschönen Knoten hin und stopfte die Enden in ihren Schuh.
Und da erst wurde sie auf den Wagen aufmerksam.
Noch in gebückter Haltung drehte sie den Kopf; die Scheinwerfer strahlten sie voll an und blendeten sie, so

dass sie sich unwillkürlich eine Hand vor die Augen hielt. Das Auto kam beängstigend langsam näher, und das Gesicht des Fahrers war nicht zu erkennen. Rubys Gedanken überschlugen sich – Freund oder Feind? Kein anständiger Fremder würde einen voll anstrahlen und dabei langsam näher kommen, so dass einem richtig unheimlich wurde. Also eindeutig Feind!

Ruby bekam es plötzlich mit der Angst zu tun, sie richtete sich blitzschnell auf und lief los. Sie spürte tückische Steinchen unter ihren Sohlen und hörte ihre Schuhe in den Pfützen schwappen, aber am lautesten war ihr Herz, das ihr bis zum Hals schlug. Und in ihrem Kopf war nur Platz für einen einzigen Gedanken: Wie konntest du nur so dumm sein?

Als sie den Kopf drehte, um zu sehen, wo das Auto inzwischen war, stolperte sie und landete bäuchlings in einer Pfütze. Der Wagen hielt an. Durch die blendende Helligkeit der Scheinwerferlichter sah sie, wie sich die Tür öffnete und eine dunkle Gestalt ausstieg. Ein Mann! Er stand zuerst nur reglos da, und hinter dem Licht war sein Gesicht völlig ohne Konturen. Dann setzte er sich in Bewegung und kam zielgerichtet auf Ruby zu. *Poch-poch* machten seine Schuhe auf dem glänzenden feuchten Asphalt, und *poch-poch* machte auch Rubys Herz. Sie hielt die Luft an, merkte, dass sie es nicht mal schaffte, ihre Hände zu Fäusten zu ballen … Panisch tastete sie nach einem Stein oder Stock, nach irgendetwas, das sich als Waffe eignete, um diesen gespenstischen Fremden abzuwehren. Doch da beugte sich der Mann auch schon über sie ... und sie konnte sein Rasierwasser riechen.

»Wann fängst du endlich an, etwas vorsichtiger zu werden, Kleine?«

»Hitch?«, krächzte Ruby. »*Sie?!*«

»Ja, da kannst du von Glück reden, Kleine«, lautete die Antwort.

17. Kapitel

Ein mulmiges Gefühl

Die Heimfahrt war nicht sehr angenehm. Hitch war nicht sauer, das war gar nicht nötig – Ruby war selbst schon total sauer auf sich. Sie war allerdings auch ziemlich froh – sie saß in einem schönen, warmen Auto und war nicht einem blutrünstigen Verrückten in die Hände gefallen. Es war ja nicht so, dass die Welt voll davon war, aber man konnte nie wissen … und da Ruby in letzter Zeit nicht allzu viel Glück gehabt hatte, war die Wahrscheinlichkeit relativ hoch, auf einen blutrünstigen Verrückten zu stoßen.

Hitch war ungewöhnlich schweigsam auf der Heimfahrt, während Ruby vor sich hin schimpfte. Ab und zu schaute er sie an, zog höchstens mal eine Augenbraue hoch oder nickte zustimmend, aber sie rechnete ihm hoch an, dass er sich die Bemerkung *Hab ich's dir nicht gesagt?* verkniff. Das war auch gar nicht nötig.

Zu Hause im Cedarwood Drive setzte sich Ruby niedergeschlagen auf einen Barhocker am Frühstückstresen, während Hitch Lopez' Fahrrad aus dem Kofferraum holte. Als er in die Küche kam, sagte er: »Hör mal, Kleine, ich bin vielleicht nicht ganz unschuldig, das gebe ich zu, ich hab dir absichtlich Angst gemacht, um dir eine Lektion zu erteilen. Was meinst du? Sollen wir einen Neuanfang machen?«

Ruby staunte nicht schlecht – damit hätte sie nun wirklich nicht gerechnet.

»Na schön«, sagte sie. »Ich glaube, ich hätte auf Sie hören sollen, aber ich bin nun mal gern unabhängig. Das verstehen Sie doch sicher, oder?«

Hitch nickte. »Okay, dann würde ich vorschlagen, dass du in Zukunft allein zur Maverick Street und zurückfahren darfst, aber mit deinem *eigenen Rad* und unter der Bedingung, dass du diesen kleinen Peilsender am Lenker anbringst.« Er holte ein kleines rundes, orangefarbenes Metallding aus der Tasche, das eigentlich wie eine Fahrradklingel aussah. »Sobald dir etwas verdächtig vorkommt, drückst du auf den grünen Knopf in der Mitte, und ich eile zu dir.«

Das war ein faires Angebot, wie Ruby fand. »Klar, kann ich machen.«

»Da wäre aber noch eine weitere Bedingung«, fuhr Hitch fort. »Sollte dich mal jemand beschatten – und damit meine ich in Zusammenhang mit deinem Job bei Spektrum, jemand, der herausgefunden hat, woran du arbeitest –, ist Schluss mit lustig und deine Karriere als Codeknackerin gelaufen.«

»Okay.« Ruby nickte widerwillig. »Ich denke, damit kann

ich leben.« Was blieb ihr anderes übrig als zuzustimmen? Und außerdem – sie würde sich von niemandem verfolgen lassen!

Am Samstagmorgen zog Ruby ihre Jeans und ein T-Shirt mit dem schlichten Aufdruck HILFE NAHT! an. Sie schaute aus dem Fenster – Mrs Gruber führte ihre Katze Gassi, wie immer samstags –, doch davon abgesehen war nicht viel los. Ruby ging nach unten, kraulte Floh hinter den Ohren, sprang auf ihr Rad und radelte zur Maverick Street. Ungefähr auf halber Strecke beschlich sie ein … na ja, nicht direkt komisches, aber doch *mulmiges* Gefühl. Sie hatte keine Ahnung, warum, aber sie wurde das Gefühl nicht los, dass jemand jede ihrer Bewegungen beobachtete.
Du wirst nervös, Ruby, das ist nicht gut. Holzauge, sei wachsam, aber werd bloß nie nervös.
Aber sie konnte das Gefühl einfach nicht abschütteln, dass gleich etwas Schlimmes passieren würde. Und dieses Gefühl bestätigte sich, als ihr niemand anderer als Groete, das Stumme E, die Tür öffnete.
»Sieh an, sieh an, das Wunderkind.« Er tippte auf seine Uhr. »Du kommst zu spät.«
Rubys Lächeln verblasstc. »Sic mich auch! Wo ist Agent Blacker?«
»Kommt eventuell später noch, aber im Moment bin ich der Babysitter vom Dienst.«

Ruby bedachte ihn mit ihrem eigens für Blödmänner einstudierten mitleidigen Blick. »Und wo ist das Baby? Jetzt sagen Sie bloß nicht, Sie haben es schon verlegt!«
Groete richtete seinen Zeigefinger auf sie. »Du hältst dich für was Besonderes, stimmt's?«, zischte er. »Dann will ich dir mal was sagen, du Zwerg. Im Moment habe ich hier das Sagen, und du hast zu spuren, capito? Ich hatte gestern schon genug Ärger, weil du allein nach Hause geradelt bist. Ab jetzt behalte ich dich im Auge, glaub mir, und mir machst du so schnell nichts mehr vor.«
»Du meine Güte«, murmelte Ruby.
An diesem Morgen wurde kein Donut mit Geleefüllung auf ihren Schreibtisch gelegt, und nützliche Informationen würde es auch nicht geben, ganz zu schweigen von ein paar netten Worten, mit denen einem die Arbeit schneller von der Hand ging.
Ruby schlug Lopez' Ordner auf und machte da weiter, wo sie am Vortag aufgehört hatte.
Sie sah, auf welche Weise Lopez alles aneinandergefügt hatte, Stück für Stück. Sie hatte die entschlüsselten Nachrichten chronologisch geordnet, so dass sie eine Art Konversation ergaben. Sobald man den Überblick hatte, war das große Ganze leicht zu sehen. Nur ein einzelnes Puzzlestück zu kennen, nützte gar nichts – für sich allein ergab es keinen Sinn. Irgendwann fiel Ruby auf, dass der geplante Überfall raffinierter war, als man auf den ersten Blick mei-

nen könnte: Lopez hatte erkannt, dass nur der Kopf des Ganzen, der eigentliche Drahtzieher, den Gesamtplan kannte. Alle anderen Mitglieder der Verbrecherbande besaßen lediglich ihr Puzzlestück, und das war schon alles.
Clever, dachte Ruby, ganz schön clever. Von diesem Drahtzieher kann man echt was lernen in Sachen Geheimhaltung …
Da kam Groete hereingeschlendert. »Hier, ein Sandwich, falls du Hunger hast – hoffe, du magst Fischpaste –, ich nicht, deshalb war ich so frei und nahm das mit dem Ei. Hey, das reimt sich sogar!«
Mann o Mann, dachte Ruby. Für eine Kinderstube war bei euch daheim wohl kein Platz!
Ruby schnüffelte an dem Fischsandwich, bevor sie zaghaft hineinbiss. Okay, es war nicht gerade der Hit, aber sie hatte schon schlechter gegessen.
Als sie sich beinahe schon bis zum Ende des letzten Ordners durchgearbeitet hatte, entdeckte sie eine weitere Anzeige, die dechiffriert folgendermaßen lautete:

Übergabe Brunnen –
werde gegen 18 h dort sein.

Das war's, das war alles.
Ruby hatte sämtliche Unterlagen durchgearbeitet – und was wusste sie jetzt? Nicht so viel wie Lopez, das stand fest.

Sie hätte das alles gern mit jemandem besprochen, um es aus einem anderen Blickwinkel zu sehen – doch mit dem doofen Groete wäre jeder Versuch zwecklos.

Sie blickte sich in dem schäbigen Büro um. Sie hörte ihn telefonieren – er quatschte ohne Punkt und Komma, und Ruby begann sich zu fragen, wie Lopez es hier aushalten konnte. Tagein, tagaus hier an diesem Schreibtisch sitzen und an Dingen herumknobeln, die am Ende ins Nichts führen konnten – was für ein Leben war das? Bestimmt ein sehr einsames …

Da fiel ihr Blick auf ihr Spiegelbild im Glas der Tür zum Nachbarraum – und sie sah den Spruch auf ihrem T-Shirt: HILFE NAHT! Sie riss ein Stück vom Klebeband von der Rolle und klebte es über NAHT!, so dass auf dem T-Shirt nur noch HILFE stand.

Und dann, wie durch ein Wunder, marschierte Blacker zur Tür herein.

Er beäugte sie. »Hast du dich im Klebeband verheddert oder sendest du eine Art SOS-Ruf?«

Ruby rang sich ein gequältes Lächeln ab. »Na ja, sagen wir so: Ihr rechtzeitiges Auftauchen hat vermutlich ein Gewaltverbrechen verhindert.«

Er zeigte auf das kleine Büro, in dem Groete arbeitete.

»Ihr zwei versteht euch nicht sonderlich gut, hm?«

»O doch, Kröte und ich verstehen uns bestens, ungefähr wie Hund und Katz. Könnte nicht besser sein.«

»Hm, na ja, er ist etwas gewöhnungsbedürftig, ich weiß.« Blacker reichte ihr einen Donut. »Wie sieht's aus? Hast du den Fall geknackt?«
»Sehr witzig! Ich kam genau bis zum Brunnen. Habt ihr herausgekriegt, welcher Brunnen gemeint ist?«
»Leider nicht, es muss an die hundert Brunnen hier in der Gegend geben. Wir vermuten aber, dass es ein Brunnen in der Stadt sein muss, weil es da die meisten Brunnen gibt. Doch in welcher Stadt? Das ist die große Frage.«
»Ihr seid der Sache noch nicht nachgegangen?«
»Ging nicht. Außerdem wurde Lopez immer nervöser und hatte richtig Hummeln im Hintern. Hat sie tierisch gewurmt, dass wir nicht herausbekamen, wer diese Leute sind. Wir waren irgendwie in einer Sackgasse gelandet. In ihrer letzten Arbeitswoche bin ich noch mit ihr auf einen Drink in Blinky's Bar gegangen, und gegen vier hab ich sie vor dem Schönheitssalon am Twinford Square abgesetzt – sie war Stammkundin dort, ließ ihre Haare maniküren oder was weiß ich – sie hat immer großen Wert darauf gelegt, tipptopp auszusehen! Frisur, Nägel, alles!«
»Oh, ich hatte sie mir ganz anders vorgestellt«, sagte Ruby. »Ich hätte sie als lässigen Typ eingeschätzt.«
»Lässig, o nein, nicht unsere Lopez, die sah immer aus wie aus dem Ei gepellt, picobello – außer an dem Tag, bevor sie in Urlaub fuhr.«
»Wie meinen Sie das?«

»Als sie von dem Salon zurückkam, hatte sie nur an *einer* Hand die Nägel lackiert.«
»Haben Sie sie gefragt, warum?«
»Ich wäre der Letzte, der sich dazu einen Kommentar erlauben kann«, sagte Blacker und zeigte Ruby seine eigenen ungepflegten Fingernägel. »Wenn sie nur die Nägel an einer Hand lackiert haben wollte, dann war das ihre Sache. Aber trotzdem hat etwas mit ihr nicht gestimmt – sie war irgendwie durch den Wind … total unkonzentriert.«
Ruby ließ sich das durch den Kopf gehen. »Sie vermissen sie, hm?«
»O ja, sehr. Sie war ein netter Mensch.« Er machte eine kurze Pause, ehe er fortfuhr: »Ich habe gestern die Sachen zusammengepackt, die sie bei sich hatte, als sie starb. Muss sie ihrer Familie zuschicken.« Er deutete auf ein kleines Päckchen oben auf dem Regal neben der Tür. »Sieht nicht nach viel aus, hm?«
Dem konnte Ruby nur zustimmen.
Blacker verabschiedete sich wieder und wünschte ihr viel Glück. »Vielleicht sehen wir uns am Montag wieder, Ruby. Denk einfach weiter nach. Ich weiß, dass du es schaffen wirst!«
Davon war Ruby inzwischen nicht mehr überzeugt. Sie hatte es als Herausforderung empfunden, das eine Puzzlestück, das noch fehlte, zu finden, doch auch nach weiteren dreieinviertel Stunden war sie kein bisschen klüger.

Wieder daheim, ging Ruby gleich ins Souterrain zu Hitch, der in seinem kleinen, aber gemütlichen Apartment saß, Musik hörte und eine Zeitung las.
Er blickte auf. »Hey, Kleine, da bist du ja wieder! Wie läuft's in der Welt der Verbrechen?«
»Oh, die ist … Sie wissen schon … voller Verbrecher.«
»Aber niemand ist dir heimlich gefolgt oder so? Du hattest keine mulmigen oder komischen Gefühle, wie ich hoffe?«
»Nein«, sagte Ruby, »keine mulmigen Gefühle.« Sie beschloss, die komischen für sich zu behalten.
»Weißt du inzwischen etwas, was wir nicht wissen?«
Ruby überlegte kurz, musste sich aber eingestehen, dass dem nicht so war. Sie schüttelte den Kopf. »Leider nicht.«
»So ein Pech aber auch!«, seufzte Hitch. »Wir hatten so große Hoffnungen in dich gesetzt.«
»Ist ja noch nicht aller Tage Abend«, sagte Ruby. »Ich meine, LB hat mir keine Frist gesetzt oder so.«
»Tut sie nie«, erklärte Hitch. »Sie will, dass man ständig auf dem Posten ist. Aber klar, du musst immer damit rechnen, dass sie dich noch am selben Tag rauswirft – also drücken wir dir die Daumen!«

18. Kapitel

Im Zweifelsfall lieber nichts sagen

Ruby ging nach oben in ihr Zimmer, übersah das blinkende Lämpchen ihres Anrufbeantworters geflissentlich, öffnete ihr Notizheft und begann, die interessantesten Dinge des Tages aufzuschreiben. Sie hatte kaum angefangen, als es an der Tür läutete – sie rutschte von der Fensterbank und schaute nach, wer vor der Überwachungskamera stand. Es war Clancy Crew, der sein Gesicht so dicht vor die Kamera hielt, dass seine Augen total verzerrt und riesig waren.

O nein!, dachte Ruby. Es war nicht so, dass sie keine Lust gehabt hätte, Clancy zu sehen; sie wusste nur nicht, was sie ihm hätte sagen sollen. Sie beschloss, sich tot zu stellen – REGEL 4: IM ZWEIFELSFALL LIEBER NICHTS SAGEN.

Würde Hitch die Tür aufmachen? Ruby wartete mit angehaltenem Atem. Nein, wegen seiner Musik hatte er vermutlich nichts gehört. In dem Fall würde Clancy nicht mitkriegen, dass sie zu Hause war, es sei denn, er hätte das Haus schon eine Zeitlang beobachtet, und das war nicht anzunehmen.

Nach einer Weile hörte sie, dass etwas in den Briefkasten geworfen wurde, gleich darauf entfernten sich Clancys Schritte. Die Gartentür wurde zugemacht.

Ruby ging nach unten und holte einen sorgfältig gefalteten Zettel aus dem Briefkasten. Eine Schlange!
Darauf hatte Clancy in ihrem Geheimcode geschrieben:

> Was ist los, Ruby??? Wieso gehst du nicht mal mehr ans Telefon? Hat euer komischer Butler dich in Geiselhaft genommen?

Sie ging wieder nach oben und hatte ein schrecklich schlechtes Gewissen. In ihrem Zimmer drückte sie auf den Abspielknopf ihres Anrufbeantworters und hörte die Nachrichten ab. Die erste Stimme, die sie hörte, gehörte Clancy. Er fragte, ob sie auf dem Weg zum Basketballtraining wie üblich ins Donut-Diner käme. »Wie wär's mit einem Schinken-Käse-Toast? Würde dich sogar einladen.«
Die nächste Nachricht war von Del, die über das Spiel reden wollte. »Wir müssen die Taktik ändern, Mann – die doofe Pupswell darf uns nicht noch einmal schlagen!«
Dann war da noch eine Nachricht von Red, die fragte, ob Ruby ihr ihre Geige ausleihen könnte, da sie sich auf ihre versehentlich draufgesetzt hatte, und die sei jetzt »in mehreren Einzelteilen« und »total im Eimer«, und ihre Mutter würde sie »höchstwahrscheinlich umbringen«. Dann eine weitere Nachricht von Clancy. Diesmal sagte er nur: »Ruby, hier Clance, bitte ruf doch zurück!«
Ruby verspürte einen Stich im Herzen. Sie saß eine Weile

da und überlegte angestrengt. Sie saß echt in der Zwickmühle – entweder Clancy belügen oder gegen die wichtigste Spektrum-Regel verstoßen. Hatte sie überhaupt eine Wahl? Da drangen Geräusche aus der Küche herauf, und Ruby schaute durch ihr Periskop: Consuela war eingetroffen und unterhielt sich mit Hitch, während sie das Abendessen zubereitete. Auf einen Schlag wusste Ruby, was sie zu tun hatte. Sie musste mit Hitch reden – er würde sicher begreifen, in welchem Dilemma sie steckte.

Sie schlenderte in die Küche, wo Hitch inzwischen Martini-Gläser abtrocknete, während er mit Consuela plauderte, die vierzehn große Tomaten mit etwas füllte, was nach noch mehr Tomaten aussah. Ruby fand, dass Consuela für eine Köchin ziemlich *overdressed* war – mit ihren Stöckelschuhen und den langen lackierten Fingernägeln. Ein Wunder, dass sie damit überhaupt arbeiten konnte! Außerdem lachte sie viel zu oft und viel zu schrill, ganz ähnlich wie gewisse Mädchen an Rubys Schule, wenn Richie Dare in der Nähe war.

»Au Mann«, murmelte Ruby vor sich hin. Sie holte tief Luft. »Hitch, kann ich Sie etwas fragen?«

»Klar kannst du, und du wirst es bestimmt auch tun«, antwortete er.

Consuela kicherte albern, und Ruby warf ihr einen finsteren Blick zu.

»Kann ich Sie vielleicht für fünf Trillisekunden aus der

Küche entführen?« Ruby gab ihm mit einem Blick zu verstehen: *Nicht vor der da*, und Hitch legte das Geschirrtuch weg und bat Consuela, ihn kurz zu entschuldigen. Consuela machte einen Schmollmund und kicherte schon wieder.

»O nein!«, stöhnte Ruby, aber nur innerlich.

Sobald sie mit Hitch allein war, fragte sie: »Was mache ich mit Clancy?«

»Wie meinst du das? Wieso Clancy? Was hat er damit zu tun?«

»Er hat in meinem Leben mit allem zu tun, und jetzt, wo ich für Spektrum arbeite, kann ich nicht mal mehr mit ihm reden.«

»Logisch, das ist eine Grundregel, Kleine: Kein Wort zu niemandem, und somit auch nicht zu ihm!«

»Aber …«

»Kleine, ein Ton, und du sitzt tiefer in der Tinte, als du dir jemals hättest träumen lassen – ist das klar?«

Ruby nickte. Dieser Typ würde keinen Millimeter nachgeben. Sie hatte das Gefühl, als würde eine Zentnerlast auf ihr liegen. Clancy anlügen – wie sollte das gehen? Sie war erledigt.

Sie beschloss, etwas frische Luft zu schnappen – und ging mit Floh Gassi. Dabei ging sie absichtlich in die entgegengesetzte Richtung vom Amster Green Park.

Als Ruby wieder nach Hause kam, wurde sie von ihrer Mutter begrüßt.
»Na, Fremdling, wo hast du gesteckt?«
Ruby war etwas überrascht über diese Frage und wusste nicht, was sie darauf sagen sollte – sie wusste nicht mal, ob die Frage ihrer Mutter ernst oder als Scherz gemeint war.
REGEL 4: IM ZWEIFELSFALL LIEBER NICHTS SAGEN.
Leute, die in der Klemme saßen, verrieten sich manchmal dadurch, dass sie wie ein Wasserfall quasselten.
Deshalb beschränkte sich Ruby auf ein lässiges: »Na, du weißt schon.«
»O ja, junges Fräulein. Ich wollte dich nach dem Match abholen, um dich zum Friseur zu fahren. Hast du das vergessen?
Mist! Ruby fiel siedendheiß ein, dass ihre Mutter es tatsächlich erwähnt hatte – wie hatte sie das vergessen können? So etwas konnte sie jederzeit auffliegen lassen! REGEL 7: NIEMALS KLEINIGKEITEN VERGESSEN! ES SIND GENAU DIE KLEINEN DINGE, DIE ANDERE AUF DIE SPUR DER GROSSEN BRINGEN. Das hatte Ruby schon zig Mal in *Crazy Cops* erlebt. Es war eigentlich eine ihrer wichtigsten Regeln.
»Hey, deine neue Jacke hat einen Riss«, sagte ihre Mutter. »Wie ist das denn passiert?«
Tja, Ruby, lass dir schnell was einfallen!
»Ähm, nun … ach ja …« Ruby überlegte fieberhaft, doch ihr

fiel beim besten Willen nichts ein, was höchst untypisch für sie war.

»Es ist bei Mrs Beesman passiert, richtig?«

»Wie?«

»Ich war drauf und dran, eure Trainerin Newhart anzurufen«, sagte ihre Mutter, »weil ich nicht wusste, wo du steckst. Doch dann traf ich zufällig Clancy, und er hat mir erzählt, dass du neuerdings freiwillig der armen alten Mrs Beesman zur Hand gehst. Ruby, warum hast du es mir nicht erzählt? Ich finde es sehr, sehr lieb von dir, Schatz! Und dabei hast du deine neue Jacke ruiniert, stimmt's? Wundert mich nicht – *so* wie ihr Hof aussieht!«

»Na ja …«, murmelte Ruby. Ihre Mutter löcherte sie mit Fragen über Mrs Beesman, doch Ruby konnte die ganze Zeit nur denken: Clancy hat mir ein Alibi verschafft, obwohl ich seine Anrufe ignoriere und ihm aus dem Weg gehe – trotzdem hat er mich gedeckt. Wow, so ein toller Freund!

Prompt regte sich ihr schlechtes Gewissen wieder.

Ihre Mutter wollte gar nicht mehr aufhören, über Mrs Beesman zu reden, und sagte ein ums andere Mal, wie stolz sie sei, eine Tochter zu haben, die einer armen alten Frau gegenüber so nett und hilfsbereit war.

»Ruby, du beschämst mich richtig! Ich selbst wäre *nie* auf die Idee gekommen, ihr zu helfen.«

Ruby schämte sich noch mehr.

Sie gab sich cooler, als sie sich fühlte. »Ach, Mom. Wir können nun mal nicht alle Heilige sein.«
Doch ihre Mutter ließ das Thema nicht so schnell fallen. »Auch wenn du so bescheiden tust, Ruby, bin ich als deine Mutter mächtig stolz auf dich, das kannst du mir nicht verbieten.« Sie küsste Ruby auf beide Wangen – und Ruby hatte den leisen Verdacht, dass genau das Clancys Rache sein könnte.
Auch beim Abendessen schwärmte Sabina noch in den höchsten Tönen von Rubys Gutherzigkeit, diesmal ihrem Mann gegenüber.
»Ganz großartig, Schatz«, sagte ihr Vater.
Später musste Sabina es auch noch Mrs Irshman am Telefon erzählen. »Sie hat Mrs Beesmans Hof aufgeräumt, ja, Mrs Beesman, die mit den vielen Katzen.«
Ruby wurde immer mulmiger – ihr würde nichts anderes übrigbleiben, als tatsächlich zu Mrs Beesman zu gehen und ihr ihre Hilfe anzubieten – andernfalls käme sie in Teufels Küche. Was hatte Clancy ihr da nur eingebrockt? Und so was soll ein guter Freund sein?
Als hätte sie nicht schon alle Hände voll damit zu tun, einen Banküberfall zu verhindern! Jetzt musste sie auch noch den total verwahrlosten Hof dieser verrückten Katzenfreundin ausmisten!

19. Kapitel

Eine einzige, klitzekleine Lüge

Am nächsten Tag war Sonntag, und Ruby wurde nicht bei Spektrum erwartet. Eine gute Gelegenheit, sich mal wieder um ihre Freunde zu kümmern – besonders Clancy. Sie wusste immer noch nicht, wie sie ihm ihr Fehlen in der Schule erklären würde, aber das Beste wäre wohl, ihm die Wahrheit zu sagen – sprich: natürlich die Lüge von der kranken Großmutter, die auf Hitchs Mist gewachsen war. Allerdings war es so, dass Ruby gar nicht gut darin war, ihre Freunde anzulügen. Mrs Drisco? Kein Problem. Ihre Eltern? Ein Kinderspiel. Nicht aber ihre Freunde – das fühlte sich irgendwie nicht richtig an.

Sie konnte nur hoffen, dass sich keiner von ihnen daran erinnerte, dass die fragliche Großmutter sich in Wirklichkeit schon längst von diesem Planeten verabschiedet hatte.

Es ist doch nur eine einzige, klitzekleine Lüge, sagte sich Ruby.

Sie stieg aus dem Bett und ging zu dem Kleiderhaufen, der auf dem Fußboden lag. Am Vorabend war sie so mit anderen Dingen beschäftigt gewesen, dass sie die Uhr komplett vergessen hatte. Jetzt endlich hatte sie Gelegenheit, sie sich genauer anzusehen, um herauszufinden, was sie alles konnte. Doch komischerweise war ihre Jacke nicht mehr in dem Haufen – mehr noch: nicht mal mehr in ihrem *Zimmer*.

»Hey, Mom!«, rief Ruby. »Hast du meine Jacke gesehen?«

»Oh, die hab ich geholt, als du geschlafen hast, Schatz. Hitch sollte sie zur Näherin bringen.«

»Das darf doch nicht wahr sein!«

»Ruby, du kannst nicht mit einem Riss in der Jacke herumlaufen!«, rief ihre Mutter zurück. »Außerdem hast du noch zig andere.«

»Darum geht's nicht«, murrte Ruby. »Man sollte die Finger von den Sachen anderer lassen!« Junge, Junge, wenn sie diese Uhr verloren hatte, würde LB ihr den Kopf abreißen!

Sie zog sich ein T-Shirt über den Kopf, auf dem LASS MICH ÜBERLEGEN … NEIN! stand, und zog gerade ihre Jeans an, als das Telefon in ihrem Zimmer läutete. Ohne lange zu überlegen, wer es sein könnte, nahm sie ab.

»Twinford Seniorenheim, bleiben Sie ruhig in Ihrem Rollstuhl sitzen, während wir um Sie herum staubsaugen!«

»Mensch, Ruby, wo steckst du die ganze Zeit?« Es war Clancy.

Ruby holte tief Luft. »Ach, hast du es nicht gewusst? Meine Großmutter ist sehr krank und ich … du weißt schon, ich heitere die alte Dame ein bisschen auf.«

»Echt? Das tut mir aber leid. Deine arme Mutter macht sich sicher große Sorgen.«
»Woher weißt du, dass es die Mutter meiner Mutter ist?«
»Na, weil ich heute Morgen mit deiner anderen Großmutter gesprochen habe – sie hat wegen irgendeiner Party bei uns angerufen und wollte meine Mutter sprechen, und ich vermute mal, sie würde nicht an Partys denken, wenn sie schwer krank wäre, denkst du nicht auch?« Clancy sagte es ganz beiläufig.
»Ja, stimmt, du hast recht, es ist die Mutter meiner Mutter – die Arme. Sie hat's bös erwischt, aber ich denke, sie packt es noch mal, sie ist zäh wie … ich weiß nicht.«
»Mhm, muss sie wohl sein«, sagte Clancy mitfühlend.
Ruby schwafelte noch ein Weilchen über ihre Großmutter, bis es Clancy irgendwann zu viel wurde.
»Hey, Ruby, du redest mit mir, Clancy Crew«, fiel er ihr ins Wort. »Kennst du mich noch? Ich bin dein bester Freund! Und ich sag es dir nur ungern, aber deine Großmutter mütterlicherseits ist nicht krank – sie ist rein zufällig schon tot!«
»Autsch, Clance, das war jetzt echt nicht nett. Eine so schlimme Nachricht muss man mit mehr Einfühlungsvermögen überbringen.«
»Ruby, was ist denn los? Zuerst erzählst du mir von eurem Butler, der definitiv kein Butler ist, dann von mysteriösen Anrufen und Codes und so weiter. Und jetzt ist plötzlich

nur noch Schweigen im Walde – als hättest du das alles nur erfunden.«
»Okay, hab ich vielleicht«, sagte Ruby kleinlaut.
»Ach nee? Sag mal, willst du mich veräppeln? Ich mach mir echt Sorgen um dich, und du lügst mich an, dass sich die Balken biegen! Und übrigens, nur zu deiner Information: Sag mir lieber gleich, was los ist, denn andernfalls finde ich es von allein heraus, das dürfte dir doch klar sein.«
Ruby musste nicht lange nachdenken, um einzusehen, dass das keine leere Drohung war. Doch sie sagte nur: »Herrje, ich glaub, meine Mutter ruft mich. Ich muss aufhören, tschüs.«
»Lüg dich ruhig selbst an, Ruby Redfort! Aber mich kannst du nicht anlügen«, sagte Clancy und knallte den Hörer auf die Gabel.
Ich fürchte, da ist was dran. Ruby zog ihre Stiefel an, schnappte sich die erstbeste Jacke und verließ das Haus. Floh folgte ihr voller Freude.

»Hallo, Ruby«, sagte Elliot. »Wo hast du die ganze Zeit gesteckt?«
»Oh, meine Großmutter … sie ist krank«, sagte Ruby.
»Ach je«, sagte Elliot. »Wird sie wieder gesund?«
»Das wissen die Götter.«
Elliot schaute auf den Boden und kickte einen alten Tennisball weg, der neben dem Bordstein lag. Dann blickte er

wieder auf und sagte: »Sag mal, wer ist eigentlich der Typ, der deine Mutter ständig durch die Gegend kutschiert?«

»Oh, du meinst Hitch? Unser neuer Butler«, erklärte Ruby.

»Euer Butler?«, wiederholte Elliot. »Ihr habt einen *Butler*?«

»Na ja, eher Haushaltsmanager – ich nenne ihn Butler, aber eigentlich ist er Haushaltsmanager.« Ruby hätte sich auf die Zunge beißen können – warum bezeichnete sie ihn dauernd als Butler?

Elliot fand die Info total lustig. »Butler!«, wiederholte er prustend, »Butler!« Er bog sich vor Lachen – buchstäblich, denn er verbog sich wie eine Ziehharmonika und lachte, bis ihm die Tränen kamen.

Da kam Mouse Huxtable um die Ecke. »Hey, was gibt's so Lustiges?«

»Nichts«, brummte Ruby.

Mouse betrachtete Elliot. »Sag mal, meinst du, ihm fällt gleich der Kopf ab?«

»Schwer zu sagen«, antwortete Ruby. »Ist bisher nie passiert.«

Diese Szene war nichts Ungewöhnliches. Elliot neigte zu unkontrollierbaren Lachanfällen, und das bei den unpassendsten Gelegenheiten. Er konnte ungebremst und meist lautlos lachen, bis seine Schultern bebten und ihm Tränen über die Wangen liefen. Das Schlimmste daran war, dass Elliots Lachen höchst ansteckend war, und wenn man erst mal mitlachte, konnte man kaum wieder aufhören.

Doch diesmal fand Ruby das Ganze absolut nicht witzig.
»Reg dich wieder ab, Kumpel – es sind wirklich schon komischere Sachen passiert.« Doch das sah Elliot offenbar anders.
Ruby merkte, dass ihre Mundwinkel zu zucken begannen, doch diese Genugtuung gönnte sie Elliot nicht. Deshalb sagte sie schnell zu Mouse: »Du, hör mal, wollen wir uns einen Fruchtshake holen?«
Die beiden Mädchen und der Hund ließen Elliot auf dem Bürgersteig stehen und gingen über die Straße zum Saftladen Cherry Cup. Ruby mochte die Fruchtshakes, die es hier gab, denn sie hatten eine schier unbegrenzte Auswahl sowohl an exotischen als auch einheimischen Obstsorten. Cherry, der Besitzer, war ein Mann Ende fünfzig, der Versicherungen verkauft hatte, bis er vor fünf Jahren seinen Job an den Nagel hängte und einen Saftladen eröffnete. Es machte ihm sichtlich Spaß, Früchte aller Art in allen möglichen und unmöglichen Variationen in den Mixer zu stecken und zu Säften zu verquirlen. Wenn er gefragt wurde, wie es ihm ginge, antwortete er unweigerlich: »Nicht schlecht«, was im Klartext »verdammt gut« bedeutete.
»Wo warst du in den letzten Tagen, Ruby?«, fragte Mouse.
»Meine Großmutter ist krank«, antwortete Ruby.
»Echt? Schlimm?«
»Ganz, ganz schlimm«, erklärte Ruby mit gedämpfter Stimme.

»Das tut mir aber leid«, sagte Mouse. »In welchem Krankenhaus liegt sie?«
Ruby starrte auf den Boden. »Ähm, in einem in New York. Ich flieg dauernd hin und her.«
Herrje, noch eine Lüge, dachte sie bestürzt.
Mouse nahm Rubys Verlegenheit als Zeichen, dass ihr das Thema unangenehm war, und verstummte. Da ging die Tür auf, und Clancy Crew marschierte herein. Er streifte Ruby nur mit einem kurzen Blick. »Hallo, Clance«, sagte Mouse.
»Hey, Mouse«, sagte Clancy. Ruby blieb stumm.
Clancy ging an einen der Tische und setzte sich. Er zog ein Comic-Heft aus der Tasche, das den passenden Titel *Zisch ab!* trug, und begann zu lesen. Mouse schaute zuerst auf Ruby, dann auf Clancy und schließlich wieder auf Ruby. »Sag mal, willst du mir etwas sagen?«
»Zum Beispiel?« Ruby starrte angestrengt auf die Getränkekarte des Cherry Cup.
»Na, zum Beispiel, ob ihr zwei Krach habt, oder so?«
»Nicht dass ich wüsste«, meinte Ruby nur.
»Bist du dir sicher? Ich hab Clance nicht mehr so erlebt, seit du damals auf seine Schildkröte getreten bist.«
»Hör mal, Mouse, können wir bitte das Thema wechseln? Ich mag im Moment nicht über Clancy Crew reden, okay?«
»Wie du meinst, Ruby«, seufzte Mouse.
»Hör mal, Mouse, ich hab im Moment andere Sorgen als

einen Kumpel, der meint, er müsse einen auf beleidigt machen.«

»Verstehe«, sagte Mouse und biss sich auf die Lippe.

Ruby fühlte sich noch mieser. Sie log Mouse nicht gern an, und jetzt hatte sie sie auch noch angepflaumt. »Entschuldige, war nicht so gemeint, wie es rüberkam. Es ist nur so, dass mir der Kopf schwirrt vor Problemen – wo meine Großmutter so krank ist und meine Mutter vor Angst kaum noch schlafen kann.«

Noch eine Lüge. »Schon gut, Ruby – das versteh ich doch. Soll ich für dich auch gleich ’nen Shake bestellen?«

»Danke, Mouse, bist ein Schatz – Ananas und Quitte, mit zwei Strohhalmen. Hier.« Sie reichte ihr einen Dollar. »Geht auf mich.«

Mouse marschierte los, um die Bestellung aufzugeben. Wenig später standen die beiden Mädchen am Tresen. Mouse spielte mit den Zahnstochern herum und piekste in die Plastikkirschen, die als Dekoration auf dem Tresen lagen. Sie fing Rubys Blick auf. »Hey, ich wette, dass es mit seinen Zähnen zu tun hat.«

»Hä?«, fragte Ruby.

»Dass Clancy so mies drauf ist – muss an seinen Zähnen liegen. Hab gehört, wie seine Mutter sagte, einer seiner Backenzähne sei entzündet und müsse raus. Du weißt ja, wie Clancy reagiert, wenn er das Wort *Zahnarzt* nur hört. Ich wette, er ist deshalb so komisch drauf.«

Ruby grinste. »Weißt du was, Mouse? Ich denke, du hast recht – wie so oft.«
Mouse fühlte sich geschmeichelt und wechselte vorsichtshalber das Thema. »Hast du schon gehört, dass das Fernsehen nach Twinford kommt? Sie wollen den *sichersten Tresorraum in den USA* filmen.«
Ruby sah sie nur ratlos an.
»Twinford City Bank, du weißt schon – das Gold.«
»Ach so. Ja, hab's in der Zeitung gelesen – das diebstahlsichere Gold.«
Als sie wenig später das Lokal verließen, rief Mouse: »Bis bald, Clancy.«
»Ja, bis bald, Mouse«, rief er zurück.
Er tat, als wäre Ruby Luft für ihn.

Erst am späten Nachmittag kehrte Ruby nach Hause zurück, und als sie die Treppe zu ihrem Zimmer hinaufgehen wollte, hörte sie die Singsangstimme von Barbara Bartholomew. Sie warf einen Blick ins Wohnzimmer: Rubys Mutter lag malerisch ausgestreckt auf einem neuen eleganten Sofa, während Barbara im Schneidersitz auf einem Stapel Seidenkissen saß. Die beiden schlürften raffiniert aussehende Cocktails und unterhielten sich angeregt.
»Du kannst dir nicht vorstellen, Babs, wie großartig Hitch heute Morgen reagiert hat – ich bin gerade noch mit einem blauen Auge davongekommen.«

»Im Ernst?«
»Ja, weißt du, er hat mich in die Stadt gefahren – ich musste kurz zu Glenthorn, dem Juwelier, der gerade eine meiner Halsketten abändert …«
»Etwa die aus weißer Jade?«, fiel Barbara ihr ins Wort.
»Richtig, die aus weißer Jade«, bestätigte Sabina. »Ich will sie bei der Museumsfeier tragen und möchte eine andere Fassung haben, eine modernere …«
»Oh, da bin ich aber gespannt«, säuselte Barbara.
»Jedenfalls hat Hitch im Wagen gewartet, weil es wie üblich keinen freien Parkplatz gab.«
»Oh, Sabina, meine Liebe, gibt es dort nie – ist es nicht schrecklich?«
»Doch, finde ich auch. Warum der Bürgermeister nichts dagegen unternimmt, ist mir ein Rätsel! Aber egal, wo war ich stehen geblieben?«
»Hitch saß im Wagen«, sagte Barbara.
»Richtig. Also … ich gehe kurz in das Geschäft, maximal dreißig oder auch vierzig Minuten, und Hitch fährt ständig um den Block, und als ich wieder auf der Straße stehe und darauf warte, dass er wieder auftaucht … weißt du, was da passiert?«
»Was?«, flüsterte Barbara und war ganz Ohr.
»Da kommt ein Taschendieb und reißt mir die Handtasche weg!«
»Allmächtiger! Ich fass es nicht!«

»Ist leider wahr! Und kein Mensch tut etwas. Ich meine, der Typ ist natürlich blitzschnell weggerannt, aber … das sollte man als Frau doch erwarten dürfen, oder?«
»Definitiv«, bekräftigte Barbara.
»Doch das Tolle kommt erst: Plötzlich kommt Hitch um die Ecke gebogen und sieht, dass ich dem Räuber nachbrülle. Er springt aus dem Wagen und läuft dem Kerl nach. Ich hab noch nie einen Mann so schnell rennen sehen!«
»Hitch, euer Butler? Das glaub ich jetzt nicht!«
»Kein Scherz, Barbara, er rennt dem Kerl nach, holt ihn ein, verpasst ihm ein paar gezielte Karatehiebe, und der Kerl lässt meine Handtasche fallen.«
»Wahnsinn!«
»Ich habe meine Handtasche jedenfalls wieder und bin mit einem blauen Auge davongekommen.«
»Und was war mit dem Dieb?«
»Hitch hat ihn eine Feuerleiter hinaufgejagt und über das Dach vom Wilmot-Gebäude, aber von dort aus ist der Räuber ungefähr zwölf Meter tief auf einen vorbeifahrenden Laster der Müllabfuhr gesprungen – und weg war er!«
»Oh, Sabina, da hast du ja einen tollen Butler – halt ihn dir warm.«
»Darauf kannst du wetten, Babs!« Die beiden Frauen brachen in ein kindisches Gekicher aus.
Ruby ging in die Küche, wo Hitch gerade ein paar Appetithäppchen zubereitete.

»Wie ich höre, waren Sie heute der Held des Tages.«
»Na ja, Taschendiebe zu jagen gehört eigentlich nicht zu meinen Aufgaben, ist aber eine nette Abwechslung zur Zubereitung von Käsestangen und anderen Snacks.«
»Aber Sie machen es wirklich ganz ausgezeichnet«, sagte Ruby und äffte den Tonfall ihrer Mutter nach.
»Es ist nicht so schwer, wie es aussieht. Willst du es ausprobieren?«
»Nö, ich würde nur Ihren Stil versauen. Aber ich vermute, dass Ihre Schulter langsam besser wird, wenn Sie jetzt schon Diebe eine Feuerleiter hochjagen können, oder?«, sagte Ruby.
»Ja, sieht ganz so aus – und das kann nur eines bedeuten. Ich werde demnächst von hier abgezogen, aber ich werde dafür sorgen, dass ein Ersatzmann kommt, der auf dich aufpasst.«
»So, so, genau wie die gute alte Mary Poppins werden Sie einfach verschwinden«, sagte Ruby und goss sich ein Glas Bananenmilch ein.
»Tja, Kleine. Ich sage nicht, dass es nicht superkalifragilistisch war, dich kennenzulernen, aber andererseits bin ich auch ganz froh, wieder meinem normalen Broterwerb nachgehen zu können, wenn du verstehst, was ich meine.«
»Das verstehe ich sogar sehr gut«, sagte Ruby.

Als Ruby in ihr Zimmer hinaufging, kam ihr auf der Treppe Consuela entgegen, die ein vollbeladenes Tablett mit schmutzigen Tassen und Müslischalen vor sich hertrug.
»Oh, ich wollte die Sachen gerade runterbringen«, sagte Ruby hastig, weil sie ahnte, dass sie gleich einen Anschiss kassieren würde.
»Es gehört nicht zu meinen Aufgaben, hinter dir herzuräumen – ich bin Diätköchin, kein Hausmädchen«, fauchte Consuela. »Aber uns ist in der Küche das Geschirr ausgegangen – war alles in deinem Zimmer!«
»Oh, tut mir leid, echt wahr.« Ruby schenkte Consuela ihr schönstes *Tut-mir-ja-so-leid*-Gesicht, und Consuelas finstere Miene wurde prompt etwas freundlicher.
»Ach übrigens, dein Freund Clancy hat angerufen«, sagte sie. »Ich soll dich fragen, wie es deiner Großmutter geht. Ich glaube, er denkt, sie sei krank oder so.«
»Ach ja, Clance ist manchmal etwas verwirrt – und bringt dann alles durcheinander. Ist irgendeine Krankheit.«
»Ach je, der Arme«, sagte Consuela mitfühlend, was gar nicht ihre Art war.
»Ja, ist echt schlimm«, sagte Ruby, und als sie ihre Zimmertür hinter sich zumachte, hatte sie begriffen, dass jede noch so kleine Unwahrheit offenbar zu hundert weiteren Unwahrheiten führte. Das war ihre REGEL 32: EINE EINZIGE KLEINE LÜGE – UND SCHON MUSST DU DIR EIN DUTZEND WEITERE EINFALLEN LASSEN.

Als sie am nächsten Tag durch Twinford radelte, hatte sie schon wieder das komische Gefühl, beobachtet zu werden, obwohl es weit und breit kein Anzeichen dafür gab.
Nachdem Ruby etwa sechs Stunden lang in dem verstaubten braunen Büroraum gesessen hatte, merkte sie, dass sie sich langweilte – es lag nicht direkt an der Arbeit, die heute echt mühsam war: die Akten immer wieder durchzusehen, um herauszufinden, ob es nicht irgendwo einen roten Faden gab, der sie irgendwie weiterbrachte. Nein, das Problem war die Umgebung, das Gefühl, von der Welt abgeschnitten zu sein, mit nur einem absoluten Blödmann als Gesellschaft. Ob es Lopez ähnlich ergangen war?
Allerdings war Ruby in einer doppelt schlechten Situation, denn es sah ganz danach aus, als würde sie versagen, und Angst vor Versagen war ein echt komisches, ganz neues Gefühl für sie.
In düstere Gedanken versunken, begann sie, ihren Stift auf dem Schreibtisch hin und her zu rollen – sie merkte nicht einmal, dass sie das tat. Sie schreckte erst auf, als Groete im Nebenraum rief: »Hey, Kleine! Kannst du vielleicht damit aufhören?«
Ruby zuckte zusammen, und der Stift rollte über den Schreibtisch und fiel an der Rückseite auf den Boden.
Mist! Sie glitt von ihrem Stuhl und schaute unter den Tisch – sie konnte den Stift zwar sehen, ihn aber nicht erreichen. So leise wie möglich begann Ruby, das schwere

Möbelstück herumzuschieben, bis sie es ein paar Zentimeter von der Stelle gerückt hatte. Sie streckte die Hand aus, so weit sie konnte, und tastete herum, bis sie gefunden hatte, wonach sie gesucht hatte. Doch der Kugelschreiber, den sie hervorzog, war nicht ihrer. Er war grün und hatte eine weiße Beschriftung: *Springbrunnen.*

Ruby saß so lange reglos da, bis Groete hereinkam, um nach ihr zu sehen.

Als er sie dasitzen und wie hypnotisiert auf einen Kugelschreiber starren sah, machte er unweigerlich wieder einen seiner doofen Sprüche. Doch Ruby hörte gar nicht hin. Ihr fiel nur auf, dass er einen Mayonnaise-Kleckser auf der Krawatte hatte, aber sie machte sich nicht die Mühe, ihn darauf aufmerksam zu machen – sie grübelte angestrengt über Lopez nach.

Mrs Digby war gerade damit beschäftigt,
einen Teefleck aus Mrs Redforts Morgenmantel zu waschen …

… als sie eine Stimme oder besser gesagt Stimmen hörte.
»Wir reden besser mal mit der Alten, vielleicht kriegen wir sie ja dazu, mit uns zusammenzuarbeiten, kapierst du?«
Oh, ich kapiere sehr gut, sagte sich Mrs Digby. Sie lehnte sich in ihrem Stuhl zurück und wartete auf das Unvermeidliche. Da wurde auch schon die Tür geöffnet, und zwei Männer marschierten herein, der mit dem netten Gesicht, den sie schon mal gesehen hatte, und ein anderer, sehr viel größerer Mann, fast ein Riese, den kennenzulernen sie noch nicht das Vergnügen gehabt hatte. Die Frau, die neulich den schrillen Schrei ausgestoßen hatte, war nirgends zu sehen.
Der nett aussehende Mann schien das Sagen zu haben – jedenfalls übernahm er das Reden.
Mrs Digby stand auf und stützte die Hände auf die Hüften.
»Was soll das bitte schön? Gibt's diese Woche einen Preis, wenn man eine alte, wehrlose Frau entführt, oder was?« Sie würde ihre Gefangenschaft doch nicht tatenlos hinnehmen! Die Digbys hatten sich immer mit Händen und Füßen gewehrt, wenn ihnen Unrecht geschah, auch wenn sie am kürzeren Hebel saßen.
»Alles, was wir von Ihnen wollen«, sagte der Mann, »ist, dass Sie Ihre Arbeitgeber anrufen und sagen, dass Sie gesund und munter in Miami sitzen.«
Mrs Digby verschränkte die Arme vor der Brust.
»Und warum sollte ich das tun, wenn es gar nicht stimmt?«

»Nun ja«, sagte der nette Mann und lächelte sie an. »Warum sagen Sie es nicht einfach trotzdem?«

»Weil ich dann eine Lügnerin wäre, und das bin ich aus Prinzip nicht!« Mrs Digby schürzte trotzig die Lippen.

»Tja«, fuhr der Mann geduldig fort, »dann überkreuzen Sie einfach Zeige- und Mittelfinger hinter Ihrem Rücken und stellen sich vor, dass Sie eine sind.«

Mrs Digby seufzte gequält. »Und was sollte ich bitte schön in Miami tun?«

»Vielleicht Blackjack spielen? Oder haben Sie nicht eventuell Freunde dort?«

»Und was ist, wenn ich sage, dass ich gar nicht in Miami bin, sondern in einer Lagerhalle, und mit vorgehaltener Waffe bedroht werde – was machen Sie dann?«

»Dann«, sagte nun der andere Mann, der mit den großen Pranken und den silbernen Ringen, die ein bisschen wie ein Schlagring aussahen, »dann werden Sie sich vermutlich wünschen, Sie wären doch in Miami und würden Blackjack spielen …«

»Okay, okay, hab's kapiert, Dicker.« Mrs Digby griff zum Hörer und hoffte, dass Ruby heute zufällig die Schule schwänzte – wenn Ruby ihre Stimme hörte, würde sie sofort merken, dass etwas nicht stimmte. Ruby war ein helles Köpfchen. Mrs Digby wählte die Nummer der Redforts, doch niemand nahm ab.

»Hinterlassen Sie eine Nachricht!«, zischte der Typ.

Mrs Digby starrte seinen silbernen Schlagring an und kam zu dem Schluss, dass sie besser tun sollte, was ihr gesagt wurde.

»Sie werden es sowieso nicht glauben!«, fauchte sie, nachdem sie eine Nachricht aufgesprochen hatte. »Ihr könnt mich lange zwingen, irgendwelchen Quatsch auf den AB zu sprechen, aber die Redforts kennen mich in- und auswendig. Sie werden es sofort merken, dass ich dazu gezwungen wurde. Die Sache stinkt zum Himmel, denn sie wissen, dass ich keinen Vetter namens Ernie habe, bei dem ich angeblich bin! Eines kann ich euch sagen: Das wird euch noch leid tun, ihr Schurken! Eine arme, wehrlose Frau entführen …« Mrs Digby platzte fast vor Wut, doch ihre Entführer lachten nur.

»Warten Sie mal nicht zu lange, bis Sie sich retten lassen, Sie arme, wehrlose Frau – bevor Ihr Verfallsdatum überschritten ist!«

20. Kapitel

Nicht sehr wahrscheinlich, aber durchaus möglich

Als Ruby auf dem Rad in ihre Straße einbog, fiel ihr ein Lieferwagen von *Sushi-Land* auf, der auf der anderen Straßenseite parkte. An der Haustür wurde sie von Floh mit einem freudigen Bellen begrüßt, und als sie die Treppe zu ihrem Zimmer hinauflief, bekam sie ein paar Gesprächsfetzen ihrer Eltern mit, die in der Küche saßen.

»Wie nett, dass Mrs Digby sich endlich gemeldet hat, nicht wahr, Schatz?«

»Ja«, sagte Brant zustimmend. »Ich wusste gar nicht, dass sie einen Cousin namens Ernie hat.«

»Ich auch nicht – aber das beweist wieder einmal, dass man einen Menschen sein ganzes Leben lang kennen kann und doch nicht alles über ihn weiß. Trotzdem, ich bin froh, dass sie eine schöne Zeit hat – so eine kleine Auszeit tut ihr bestimmt gut.« Sabina griff nach ihrer Illustrierten. »Aber ich freue mich, wenn sie wieder da ist.«

»Ja, ich kann es kaum erwarten, es Ruby zu sagen. Sie wird sich wie ein Schneekönig freuen«, sagte Brant.

»Was Ruby sagen?«, fragte Ruby. Sie ließ ihren Rucksack auf den Boden fallen und ging zum Kühlschrank.

»Dass Mrs Digby angerufen hat!«, sagte ihr Vater.
Um ein Haar hätte Ruby die Tüte mit der Bananenmilch fallen lassen. »Echt? Ihr habt mit ihr gesprochen? Wo ist sie?«
»Sie war nur auf dem AB. Und stell dir vor: Sie ist in Miami, genau wie dein Vater vermutet hatte«, erklärte Sabina voller Stolz.
»Oh, das muss ich mir anhören«, sagte Ruby und wollte in den Flur laufen.
Ihre Mutter biss sich auf die Lippe. »Tut mir leid, Schatz, aber dein Vater hat es schon gelöscht.«
»Sorry, Ruby«, sagte ihr Vater mit einem verlegenen Schulterzucken. »Du weißt ja, wie dumm ich mich immer mit diesen hochtechnischen Anrufbeantwortern anstelle. Irgendwie drücke ich immer auf die falsche Taste.«
Ruby biss sich auf die Zunge, um nichts Unhöfliches zu sagen. »Wisst ihr wenigstens noch, was sie genau gesagt hat?«
»Nur dass sie sich in Miami ein paar schöne Tage macht bei ihrem Cousin Ernie, den sie schon ewig nicht gesehen hat!«, erklärte Sabina fröhlich.
»Ein Cousin Ernie?«, wiederholte Ruby verdutzt, doch da läutete es an der Tür, und ihr Vater ging nachsehen, wer es war.
»Ach herrje!«, rief Sabina und sprang auf. »Das müssen diese Sushi-Leute sein!«
»Die *was*?«, fragte Ruby.

»Wir haben für heute Abend die Leute vom Museumskomitee eingeladen – den Museumsdirektor, Enrico Gonzales, die Humberts und natürlich … das ist das Aufregendste, wie heißt er noch mal, dieser Gustav Soundso aus der Schweiz dürfte inzwischen auch eingetroffen sein.«
»Nein, Schatz«, sagte Brant, der gerade wieder in die Küche kam. »Er hat angerufen und gesagt, dass er es leider nicht geschafft hat.«
»Wie schade!«, sagte Sabina.
»Freddie Humbert kann auch nicht kommen, er hat noch in der Bank zu tun.«
»Doppelt schade!«, sagte Sabina. »Aber es wird sicher trotzdem amüsant werden.«
Ruby verdrehte die Augen. »Was dagegen, wenn ich fernsehe?«
»Nun, die Sache ist die, Schatz: Ich dachte, wir machen einen japanischen Abend und essen auf Kissen an niederen Tischen auf dem Boden, da wir ja ohnehin keine Esszimmermöbel mehr haben. Da fiel mir diese Lösung ein – wird bestimmt niedlich aussehen.«
»Was? Ihr könnt unser Esszimmer doch nicht in Klein-Japan verwandeln!«
»Doch, es wird gerade dekoriert.«
»Wir würden uns freuen, wenn du auch dabei bist, Ruby-Schatz. Wie wär's, wenn du Clancy einlädst?«
Clancy – auweia, prompt regte sich Rubys schlechtes Ge-

wissen wieder. »Wisst ihr was? Ich glaube, ich mache für mich allein einen japanischen Abend – in meinem Zimmer, wenn es euch recht ist. Hab noch massenhaft Hausaufgaben zu machen.«

»Aber, Schatz, du wirst doch wenigstens zu allen ›Hallo‹ sagen! Sie freuen sich schon darauf, dich zu sehen!«

Nachdem Ruby zwei volle Stunden lang zu allen »Hallo« gesagt hatte, konnte sie sich endlich in ihr Zimmer verziehen. Dort schlug sie ihr Notizbuch auf und listete alles auf, was sie über Lopez wusste.

Blacker mochte sie,
die anderen vom Spektrum-Team auch fast alle, und folglich ist anzunehmen, dass sie ihr Team ebenfalls mochte.

Hat Groete sie auch tödlich genervt?
Das ist mehr als wahrscheinlich.

Sie war abenteuerlustig
und folglich bestimmt kein Mauerblümchen.

Sie kam immer sehr gepflegt zur Arbeit,
außer das eine Mal, als sie nur eine Hand manikürt hatte.

Ich glaube, sie war eine Person, die Geheimnisse hatte – ob jemand davon wusste?

Ruby nahm den Springbrunnen-Kugelschreiber aus ihrer Tasche.

Wo kommt dieser Kuli her?

Wie ist er unter ihren Schreibtisch gekommen?

Wie kam er in ihre Hände?

Nun, das war ein interessanter Gedanke! Was, wenn Lopez es satt hatte, immer nur am Schreibtisch zu sitzen, und auf die Idee gekommen war, selbst mal aktiv zu werden? Was, wenn sie herausgefunden hatte, was mit *Brunnen* gemeint war, nämlich ein Hotel, das offenbar ein Treffpunkt war. Und wenn sie sich selbst dort umgesehen hatte?
Es war zwar nicht sehr wahrscheinlich, aber durchaus möglich.

21. Kapitel

Einmal blinzeln

An diesem Tag war Ruby eindeutig etwas nervös. Sie stand eine halbe Stunde früher auf als sonst, stibitzte ihrer Mutter einen kleinen Taschenspiegel und befestigte ihn an ihrem Fahrradlenker – jetzt musste sie den Kopf nicht mehr drehen, um zu sehen, ob sie verfolgt wurde.

Okay, vielleicht litt sie ja an Verfolgungswahn, aber das war immer noch besser als … na ja, egal.

Im Amster Green Park war so viel los wie immer: Man sah Joggerinnen und Jogger, Leute, die ihren Hund ausführten, zur Arbeit gingen oder auf den Bänken saßen und die Zeitung lasen – weit und breit nichts Verdächtiges, aber sie wollte vorsichtshalber eine neue Route nehmen. Als sie diesmal zur Linkskurve kam, fuhr sie einfach daran vorbei und weiter geradeaus. Sie nahm den längeren Weg, die Strecke, bei der man über eine Holzbrücke fuhr, die nur für Radfahrer und Fußgänger gedacht war.

Alle paar Minuten blickte sie in den Spiegel, es war ziemlich viel Verkehr, doch Ruby blieb auf dem Gehweg und kam ganz flott voran. Und immer wenn sie dachte, ein Auto verfolge sie, hatte es jedoch nur abgebremst, weil es abbiegen wollte, und dann war sie erleichtert. Dieser eine Wagen jetzt aber, ein Taxi, blieb ihr verdächtig lange auf den Fersen. Natürlich waren noch mehr gelbe Taxis auf dieser Straße unterwegs, und jedes hatte eine andere Nummer:

6582
8874
902
5677

usw.

Ruby hatte ein phänomenales Zahlengedächtnis, auch für Zahlen, die sie nur rückwärts in einem kleinen Spiegel sehen konnte, und dieses eine Taxi klebte wie Kaugummi an ihr:

3247

Ruby radelte durch einen der Parks, um zu sehen, ob sie den Wagen abhängen könnte, doch als sie ein paar Blocks weiter vorn wieder auf die Straße kam, war das Taxi erneut da – als hätte der Fahrer ihre Gedanken gelesen. Sie radelte drei Häuserblock weit einen schmalen Fußgängerweg hinunter, und was war? Als sie am anderen Ende ankam, stand das Taxi *wieder* da. Am Steuer musste jemand sitzen, der voraussagen konnte, wohin sie fahren wollte.

Ruby kam allmählich ins Schwitzen.
Das Taxi behielt dasselbe Tempo bei wie sie, es war weder langsamer noch schneller; es folgte ihr einfach. Sie überlegte kurz, ob sie auf die kleine orangefarbene Klingel drücken sollte, aber dann würde Hitch kommen – und diese Blöße wollte sie sich nicht geben. Schließlich erreichte sie die Radlerbrücke, die für Autos zu schmal war – die nächste Brücke für den normalen Verkehr war gute fünfhundert Meter weiter vorn, und somit hätte sie den aufdringlichen Taxifahrer definitiv abgehängt. Doch zu ihrer Überraschung wurde der Motor ausgeschaltet, und Ruby hörte, dass eine Wagentür geöffnet und wieder zugeschlagen wurde. Sie erschrak und wartete gespannt, was als Nächstes passieren würde. Doch niemand folgte ihr auf die Brücke.
Was haben sie vor? Da hörte sie ein Rascheln unten im Schilf. Sie erstarrte: volle sieben Minuten lang stand sie reglos da und wagte nicht einmal zu blinzeln. EINMAL BLINZELN – UND SCHON HAT MAN EINE MENGE VERPASST (REGEL 52).
Und plötzlich sah sie zwischen den hohen Schilfgräsern etwas aufblitzen, nur für den Bruchteil einer Sekunde. Was war das? Etwas aus Glas – eine Kamera, ein Fernglas … eine Brille?
Als Nächstes huschte etwas oder jemand blitzschnell durch das Schilf. Rubys Neugier siegte über ihre Angst, und ohne lange zu überlegen kletterte sie über das Ge-

länder, um zu sehen, wohin das mysteriöse Etwas verschwunden war. Sie hielt sich nur mit einer Hand fest und beugte sich so weit vor wie nur möglich. Sie wollte unter die Holzbrücke schauen, doch plötzlich wurde die Tür des Taxis wieder zugeschlagen, der Motor sprang an, und der Wagen fuhr weg.

»Halt! Wer sind Sie?«, rief Ruby aufgebracht, doch vor lauter Aufregung verlor sie den Halt, ihr Fuß schlitterte an dem Eisenträger entlang, und sie fiel ins Leere. Etwas unsanft landete sie unten auf dem sumpfigen Erdboden. Zum Glück schien sie nichts gebrochen zu haben. Doch wer immer vor ihr hier gewesen war, war nun verschwunden. Aber immerhin hatte er Fußspuren hinterlassen, von zwei eher kleinen Schuhen; Ruby ging in die Hocke und studierte sie eingehend. Die Sohlen hatten ein Zickzackmuster wie die meisten Sneakers, doch das Interessante waren die zwei kleinen Dellen im linken Schuh – etwa so groß wie Reißzwecken.

So, so, dachte sie zufrieden. Kenne ich nicht jemanden, der in letzter Zeit in zwei Reißzwecken getreten ist?

Sie wendete ihr Fahrrad und lenkte es in Richtung der Ambassador Row, wo die Botschaftsgebäude lagen.

Ruby wurde durch das hohe, schmiedeeiserne Tor gewunken, und wer saß auf den Stufen? Clancy wie er leibt und lebt! Seine Oberlippe war ziemlich geschwollen, sein Hund

saß neben ihm, und die beiden schienen sich eine Limo zu teilen.
»Ich weiß nicht, ob Limo gut für Hunde ist, Clance«, sagte Ruby zur Begrüßung.
»Oh, ich wollte nur wissen, ob Dolly durch einen Strohhalm trinken kann.«
»Und?«
»Nein, sie will ihn dauernd auffressen«, erklärte Clancy.
»Pech, dann kannst du sie doch nicht bei *Mein geniales Haustier* anmelden!«
Mein geniales Haustier war eine Fernsehserie, die Ruby und Clancy total gut fanden. Darin wurden Vögel gezeigt, die mit einer Fernbedienung umgehen konnten, Hunde, die so taten, als könnten sie lesen, und Katzen, die ihr eigenes Essen zubereiteten – also eine total lustige Serie.
Clancy grinste. »Stimmt, vermutlich nicht. Dolly hat nicht gerade Weltklasseniveau.«
»Wenn man dich anschaut, könnte man vermuten, dass du neulich in einem dieser gemütlichen Zahnarztstühle gelegen hast, stimmt's?«
»Sieht man das?« Clancy tat übertrieben überrascht und deutete auf seine geschwollene Lippe.
»Schon … oder hattest du früher schon einen Entenschnabel? Kann mich nicht erinnern«, sagte Ruby und zerzauste ihm die Haare.
»Danke, Ruby, du kannst einen so wunderbar trösten. Aber

echt, hättest du Bock, morgens um sieben bei deinem Zahnarzt anzutanzen?«

»Hilfe, was für ein Horror!«, sagte Ruby zustimmend. Sie betrachtete Clancys Füße: Seine Schuhe waren nicht ganz sauber, an den Seiten klebte angetrockneter Matsch, und in der Sohle des linken Schuhs entdeckte sie zwei Reißzwecken.

»Aha, du bist mir also gefolgt, Clance!« Es war keine Frage.

»Wie kommst du *darauf*?«, fragte er und tat empört.

Ruby deutete mit dem Kinn auf seine Schuhe. »Die linke Sohle«, sagte sie. »Beziehungsweise die Reißzwecken.«

»Oh.«

Beide schwiegen für eine Weile, und dann holte Clancy tief Luft. »Willst du mir nicht endlich sagen, was du neuerdings treibst, Ruby?«

»Oje, das ist eine lange Geschichte«, stöhnte Ruby. »Wahnsinnig kompliziert.«

»Ich hab Zeit, genau genommen den ganzen Tag – dank meines Entenschnabels.«

Ruby hob den Kopf. »Du weißt also, wo ich hinfahren wollte?«

»Nicht direkt – du radelst verdammt schnell. Kurz vor East-Twinford hast du mich abgehängt.«

»Da bin ich aber froh.«

»Also, sag schon, Ruby, spuck's lieber freiwillig aus – weißt du noch, wie du vor ein paar Jahren zufällig erfahren hattest, was meine Eltern mir zu Weihnachten schenken würden? Und als du nicht mit der Sprache herausrücken wolltest, hab ich dir so lange zugesetzt, bis du es mir schließlich verraten hast …«

Ruby seufzte. O ja, daran erinnerte sie sich noch gut. »Okay, Clance, ich sag's dir, aber du musst mir schwören, dass du unter *gar* keinen Umständen auch nur ein Sterbenswörtchen verlauten lässt – nicht mal im Schlaf!«

»Ich weiß, Pfadfinderinnenehrenwort und so weiter …«

»Auch nicht unter Folter«, fuhr Ruby ungerührt fort. »Auch nicht unter Folter im Schlaf!«

»Okay, ich lauf in Zukunft mit einem Knebel im Mund herum, wie wäre das?«, sagte Clancy grinsend.

Ruby dagegen blieb todernst. »Es geht nicht um ein nettes kleines Geheimnis, Clancy – es geht um ein Riesending!«

»Du kennst mich doch, Ruby. Ich kann schweigen wie ein Grab«, sagte Clancy, inzwischen ebenfalls sehr ernst.

Es stimmte, Clancy plauderte nie etwas aus – man könnte ihn über einen Teich voller Krokodile hängen, und er würde trotzdem keinen Ton sagen.

Ruby musterte ihren besten Freund – mit ihrem typischen Seitenblick, den sie immer hatte, wenn sie eine Situation abschätzte. Clancy Crew kannte diesen Blick gut, und er hielt ihm ungerührt stand.

»Okay«, sagte sie dann und seufzte. »Hier also die Geschichte.«

Es dauerte ziemlich lange, bis Ruby ihm alles erzählt hatte, und Clancy hörte gespannt zu und sagte nur Sachen wie »Machst du Witze?« und »Unglaublich!« oder »Echt? Eine richtige Spionageagentur direkt unter den Straßen von Twinford City?«

»Es ist wahr«, sagte sie. »Jedes Wort.«

»Und was willst du jetzt machen?«

»Ich fahre jetzt in die Maverick Street, bevor das Stumme E ausrückt und mich sucht.« Sie hob ihr Fahrrad auf. »Ich muss noch viel nachdenken, aber ich halte dich auf dem Laufenden, Clance, versprochen! Und denk daran: Klappe halten, okay?«

22. Kapitel

Kein Wort zu niemandem!

Clancy war überrascht, als er am frühen Mittwochmorgen aus dem Haus trat und Ruby vorfand; sie radelten normalerweise nicht zusammen zur Schule.

»Hey, was machst du hier?«

»Ich dachte, du hast vielleicht Lust auf einen kleinen Ausflug mit mir«, sagte Ruby.

»Klar, jederzeit, aber im Moment muss ich zur Schule – erinnerst du dich: Schule? Dieses große Gebäude, in dem die vielen Kinder herumhängen …«

»Nur keinen Stress – ich hab schon angerufen. Du bist entschuldigt, weil du krank bist – das mit deinem Zahn ist wirklich übel, nicht wahr? Ach übrigens, da fällt mir auf: Du siehst immer noch verquollen aus.«

»Wie bitte? Du hast in der Schule angerufen und erzählt, ich sei krank?« Clancy fuchtelte mit beiden Armen, wie immer, wenn er sich überfahren fühlte.

»Na ja, sagen wir, deine Mutter hat angerufen. Ich hab ihre Stimme echt gut nachgemacht – die Besenhexe hat's jedenfalls geschluckt.«

Ruby brauchte ungefähr sieben Minuten, bis sie Clancy

endlich davon überzeugt hatte, dass niemand etwas merken würde, wenn er nicht zur Schule ging – nur dieses eine Mal!
»Und wo gehen wir hin?«, erkundigte er sich nervös.
»Wir machen nur einen kleinen Ausflug zu Tony's Haarsalon, um zu sehen, ob wir dort irgendwas erfahren.«
»Und was ist mit dir? Werden sie dich bei Spektrum nicht vermissen?«
»Daran hab ich natürlich gedacht«, sagte Ruby. »Ich habe Blacker angerufen und ihm erzählt, ich müsse etwas ausknobeln – und das ginge besser bei mir zu Hause.«

Sie bremsten vor Tony's ab – dem Edelfriseur am Twinford Square.
»Und was machen wir hier?«, fragte Clancy.
»Eine Information einholen. Folge mir einfach, aber sag nichts. Du weißt schon – Klappe halten!«
»Ay ay, Sir«, murmelte Clancy.
»Hallo, Ruby!«, rief Marcia zur Begrüßung. »Was machst du hier? Gehst du nicht mehr zur Schule, oder was?« Rubys Mutter war Stammkundin bei Marcia, und Ruby war oft mitgekommen, als sie noch klein war.
»Ihnen fällt nichts mehr ein, was sie mir noch beibringen könnten, deshalb habe ich heute frei bekommen.«
Marcia zwinkerte ihr zu. »Ah, verstehe – aber keine Angst, Schätzchen, ich bin keine Petze.« Sie musterte Clancy.

»Was ist dir passiert, mein Junge? Kleines Handgemenge mit 'nem Zahnarzt?«
Clancy verdrehte die Augen.
»Und?«, fragte Marcia. »Was kann ich für euch tun?«
»Ich hätte da eine Frage: Kennen Sie zufällig eine Frau namens Carla Lopez?«
»Natürlich, sie ist Stammkundin hier – warum fragst du?«
»Als sie das letzte Mal hier war, war sie da irgendwie komisch?«
»Komisch? Inwiefern?«
»War sie etwas … anders als sonst, nervös oder so?«, fragte Ruby.
»Hm, ehrlich gesagt hatte sie es auf einen Schlag so eilig, dass sie mit ein paar unserer beheizbaren Lockenwickler auf dem Kopf davonrannte, deshalb kann man schon sagen, dass sie irgendwie komisch war. Aber da fragst du besser Sandy – sie hat Carlas Nägel gemacht.« Marcia deutete auf eine große junge Frau, die im Hintergrund die Nägel einer pummeligen Frau mit blaustichigen Haaren feilte. »Hey, Sandy, das Mädchen hier möchte dich etwas fragen.«
Ruby ging in die Ecke, in der sich das Nagelstudio befand, und setzte sich auf den freien Hocker neben Sandy. Sandy feilte weiter.
»Ich wollte nur etwas wissen: Vor einigen Wochen haben Sie eine Freundin von mir bedient – erinnern Sie sich zu-

fällig noch daran? Carla Lopez, lange schwarze Haare, hübsch, Mitte dreißig.«

»O ja«, schnaubte Sandy und feilte noch eifriger weiter. »Sie ist mir noch das Trinkgeld schuldig!«

Die Frau mit den blaustichigen Haaren hustete – es war aber kein richtiges Husten, sondern mehr ein Hüsteln, in dem der Vorwurf mitschwang: *Würden Sie sich vielleicht bitte auf mich hier konzentrieren?*

Ruby ignorierte sie.

»Wie? Sie lief davon, ohne zu bezahlen?«

»Ja, ich war noch mit ihren Nägeln beschäftigt, hatte sie gerade gefeilt und alles, und während ich den roten Nagellack auftrug, habe ich ihr von der prunkvollen Hochzeit meiner Cousine in einem pompösen Hotel erzählt. Und da sprang sie plötzlich wie von der Tarantel gestochen auf und sagte, sie brauche ein Telefonbuch. Ich sagte: ›Aber Lady, ich bin doch noch gar nicht mit dem Nagellack fertig.‹ Ich war noch immer an der linken Hand, aber das war ihr plötzlich völlig egal. Sie lief zu dem Telefon dort drüben, blätterte das Telefonbuch durch, und *schwupp* rannte sie aus der Tür – ich dachte mir noch, huch, jetzt spinnt sie aber.«

»Danke, Sie haben mir sehr geholfen, Sandy«, sagte Ruby, sprang auf und rannte ebenfalls zum Telefon.

»Wenn du sie siehst, sag ihr, dass sie mir noch etwas schuldet!«, rief Sandy ihr nach.

Ruby schlug das Telefonbuch auf, das mit einer Kette an der Wand befestigt war, und blätterte es hastig durch.
»Wonach suchst du?«, fragte Clancy.
»Nach etwas, das mit S beginnt«, erklärte sie ihm.
Ruby überflog eine Seite: *Saverio's Autowerkstatt, Schneiderei Schwarz, Schreibwaren Salomon, Schreinerei Sonnenschein, Springbrunnen-Hotel.*
VOLLTREFFER!
Und wie zum Beweis, dass sie wirklich auf der richtigen Spur war, entdeckte sie noch einen kleinen roten Kleckser Nagellack neben dem Namen.
Ruby holte ihr gelbes Notizheft aus ihrer Tasche und schrieb Adresse und Telefonnummer des Hotels auf die Umschlaginnenseite.
»Könntest du mir vielleicht verraten, was das soll?«, fragte Clancy.
»Wir müssen irgendwohin – außerhalb der Stadt.«
»Wohin genau?«, bohrte Clancy nach.
»Everly«, sagte Ruby.
»Everly? Das ist ja meilenweit weg von hier. Wie sollen wir da bitte schön hinkommen?«
»Ich nehme nicht an, dass euer Chauffeur gerade frei ist, oder?«
»O nein, Ruby, kommt nicht in Frage! Da mach ich nicht mit!«

Zwei Minuten später wurde Clancy Zeuge, wie Ruby eine ziemlich gute Imitation der Sekretärin seines Vaters abzog. »Hallo, Bill? Ja, ich wollte Sie um etwas bitten. Könnten Sie Mr Crews Sohn Clancy nach Everly rüberfahren ... ja, Everly ... warum spielt keine Rolle, er muss etwas für seinen Vater abholen ... es soll aber eine Überraschung werden, deshalb kein Wort zu niemandem, verstanden? Ist das klar? Gut. Ja, Sie können ihn jetzt gleich am Twinford Square abholen. Besten Dank, Bill ... und oh, denken Sie daran: Kein Wort zu niemandem.«

Mit einem zufriedenen Grinsen hängte Ruby ein.

»Au Backe«, sagte Clancy kopfschüttelnd, »wenn mein Dad das erfährt, bin ich tot, Ruby. Ehrlich, tot wie ein Dingo.«

»Dodo«, sagte Ruby.

»Wieso Dodo?«

»Es heißt tot wie ein Dodo, nicht tot wie ein Dingo.«

Clancy seufzte. »Na ja, was immer ich tot sein werde, Dingo oder Dodo – es ändert nichts daran, dass ich tot sein werde, mausetot!«

Sieben Minuten später fuhr die elegante schwarze Limousine vor, und Ruby und Clancy stiegen ein.

»Wesentlich bequemer als der Schulbus«, raunte Ruby Clancy zu und stieß ihm in die Rippen. Clancy verdrehte die Augen.

»Ich glaube, mir wird schlecht. Hoffentlich muss ich nicht –«

»Würde deinem Vater sicher nicht gefallen«, meinte Ruby trocken.
»Könntest du wenigstens mit dem Klicken aufhören? Es geht mir auf die Nerven, und die sind im Moment sowieso etwas angegriffen«, flüsterte Clancy zurück.
Ruby hatte gar nicht gemerkt, dass sie *klickte,* sie hatte viel zu intensiv nachgedacht.
»Was ist es überhaupt? Womit klickst du?«
Ruby zog LBs Schlüsselanhänger aus ihrer Jackentasche. »Ach, nur ein alter Schlüsselring, den ich irgendwo gefunden habe.«
»Sieht ja langweilig aus«, sagte Clancy. »Irgendwie auch cool, aber total altmodisch – wo hast du ihn her?«
»Och, irgendwo gefunden«, sagte Ruby und stopfte ihn wieder in ihre Tasche.

23. Kapitel

Komisch kurios

Vierzig Minuten später hielt die Limousine vor dem Hotel Springbrunnen an, einem schönen alten Gebäude mit einem Vorplatz und einem Springbrunnen, der mühsam Wasser aus einer steinernen Trompete ausspuckte, die ein pummeliges Engelchen aus Stein hielt.

»Und wie geht's jetzt weiter?«, fragte Clancy.

»Komm einfach mit und denk dran, dass du nichts sagen sollst, Klappe –«

»– halten, ich weiß schon«, brummte Clancy.

Bill blieb im Wagen sitzen, griff nach seiner Zeitung und schlug den Sportteil auf.

Clancy und Ruby gingen über den Vorplatz, die Stufen hinauf und durch das Portal. Ein junges Pärchen stand an der Rezeption und checkte gerade ein. Sie brauchten ewig, und Ruby wurde zunehmend ungeduldiger.

»Ja? Womit kann ich dienen?« Der Hotelportier musterte sie streng.

»Ähm, ja, ich wollte fragen, ob eine bestimmte Person vor drei, vier Wochen hier war – eine Dame, mittelgroß, lange schwarze Haare, hübsch …?«

Das Gesicht des Portiers nahm einen gelangweilten Ausdruck an. »Für Kindereien hab ich, ehrlich gesagt, keine Zeit.«
»Es ist kein Scherz«, versicherte ihm Ruby und schaute ihn mit ihrem typischen Ruby-Redfort-Blick an, mit dem sie aussah, als könnte sie kein Wässerchen trüben. »Ich muss nur wirklich ganz dringend wissen, ob diese Dame hier war, denn sie ist meine Tante, wissen Sie, und sie hat gesagt, sie sei hier in Everly in einem ganz bezaubernden Hotel gewesen, und jetzt wollten wir ihr eine Freude machen und ihr ein Zimmer buchen … als *Überraschung* sozusagen! Und wir denken, dass es Ihr Hotel hier sein müsste, weil es schon von außen so wunderschön aussieht.«
Der Portier wurde auf einen Schlag freundlicher. »Oh, verstehe. Dann war sie ganz bestimmt hier bei uns im Hotel Springbrunnen – wann hast du gesagt, war sie hier?«
»Am 25. März gegen sechs Uhr abends«, sagte Ruby.
»In der Woche war ich nicht da – ich werde Felix rufen.«
Ein schlaksiger junger Mann kam aus dem Raum hinter der Rezeption geeilt, und sein Kollege erklärte ihm, worum es ging.
»Ich weiß nicht recht«, sagte Felix nachdenklich. »Das ist eine Beschreibung, die auf viele unserer Gäste passt. Aber da war tatsächlich eine Lady, an die ich mich noch gut erinnere – sie ist mir aufgefallen, weil sie etwas sonderbar aussah; sie sah aus, als käme sie gerade vom Friseur, denn

sie hatte noch ein paar Lockenwickler im Haar. Und oh! Ihre Fingernägel waren nur an der linken Hand lackiert.«

»Das ist sie!«, rief Ruby erfreut.

»Ja, sie benahm sich etwas sonderbar, hat sich hinter den Möbeln versteckt und sich die Speisekarte vors Gesicht gehalten – sonderbar, sehr sonderbar!«, wiederholte er kopfschüttelnd.

»Wie? Als würde sie hinter jemandem herspionieren?«, hakte Ruby nach.

»Ja, als wenn sie dächte, sie spiele in einem Agentenfilm oder so mit. Aber sie war nicht die einzige Spinnerin an diesem Tag – im Speisesaal saß eine altmodisch gekleidete Dame mit einem großen Hut mit Schleier, der ihr ganzes Gesicht verdeckte. Die andere Bekloppte ... ähm, ich meine, deine Tante ... hat sie dauernd angestarrt. Doch das alte Mädchen saß nur da und schrieb etwas auf einen Schreibblock, riss den obersten Zettel dann ab und ging fort. Sie hat nicht mal ihren Eistee ausgetrunken. Und kaum war sie fort, ging deine Tante an ihren Platz und riss das oberste Blatt von dem Schreibblock ab – obwohl gar nichts darauf stand! Ich kann dir sagen: Wir bekommen hier die schrägsten Vögel zu sehen –«

Der andere Portier hüstelte, doch Felix hatte noch mehr zum Thema *schräge Vögel* zu sagen. »Deine Tante hat übrigens nicht viel Ahnung von Spionagespielchen, denn auf einmal kam dieser andere Typ daher, als wollte er sich an den Platz der alten Dame setzen; und er wurde stocksauer, als er sah, dass deine Tante das oberste Blatt des Schreibblocks mitnahm.«

»Aber warum hat sie sich für ein leeres Blatt Papier interessiert?«, fragte Ruby.

»Wer weiß schon, was den Leuten alles durch den Kopf geht?«

Der Portier hatte jetzt genug. Er boxte Felix in die Rippen und sagte: »Das war's, Felix, danke!«

Ruby und Clancy bedankten sich beim Hotelportier, versprachen, sich bald wieder zu melden, und stiegen in die Limousine.

»Würdest du mir *endlich* verraten, was das alles soll?«, zischte Clancy.

»Nicht jetzt«, flüsterte Ruby und hielt sich den Zeigefinger an die Lippen. »Nicht, wenn jemand mithören kann.« Sie warf einen vielsagenden Blick auf den Chauffeur – obwohl der wirklich nicht aussah, als würde es ihn interessieren.

»Dann sag's eben in unserer Geheimsprache«, zischte Clancy.

»Hör mal, komm doch morgen Abend zu uns – meine Eltern wollen mir ihre Urlaubsdias zeigen, du bist mir sowieso einen Gefallen schuldig.«

»Hä? Ich dir? Hey, *du* lässt dich vom Chauffeur *meines* Vaters durch die Gegend kutschieren, oder?«

»Ja, aber wenn du nicht hinter mir hergeschnüffelt hättest,

wäre ich nicht auf die Idee gekommen, dich mit hineinzuziehen – folglich bist du selber schuld!«
Auf der ganzen Rückfahrt nach Twinford stritten sie leise weiter. Im Cedarwood Drive angekommen, bedankte sich Ruby höflich bei Bill und stieg aus.
»Also, Clance, dann bis morgen Abend um sechs! Aber ich muss dich warnen: Es wird eine totale Gähnnummer.«

Als Ruby das Haus betrat, hörte sie die Stimme ihrer Mutter. Sie war am Telefon. Aus reiner Gewohnheit spitzte Ruby die Ohren. Die Gesprächsthemen ihrer Mutter waren selten interessant, aber Ruby war nun mal krankhaft neugierig. Diesmal hörte sie folgendes:

»Heute ist etwas total Schräges passiert, Barbara … ah, komisch kurios … lustig eigentlich nicht, ha ha! Ich bin also gerade über den Clavel Square gegangen … nein, Clavel Square ist der große Platz mit dieser Statue, du denkst an den Clara Square, das ist der mit den vielen Rosen … stimmt, da bist du damals auf dem Hamburger ausgerutscht … ich weiß, es ist schrecklich, dass die Leute ständig ihren Müll wegwerfen, wo immer ihnen gerade danach ist. Du hast ja so recht, es hätte schlimmer ausgehen können, du kannst froh sein, dass sie dich in der Notaufnahme gleich wieder laufen ließen.«

Ruby hörte ihre Mutter schallend lachen.

»Stimmt, Scherz beiseite, Scherz beiseite! Oh, ich weiß, dieser Arzt war total süß … Ich hätte es dir nicht verdenken können …«

Weiteres Gelächter. Barbara brachte ihre Mutter immer zum Lachen, und man wusste nie, wie lange sie für ein einzelnes Thema brauchten, weil sie und Barbara immer vom Hölzchen aufs Stöckchen kamen.

»Ah ja, was wollte ich dir gerade erzählen? Also, da ist etwas total Abgefahrenes passiert … Ich ging also durch den Clavel Square, als mich dieser Mann plötzlich am Arm packte … ja, er hat mich echt gepackt, es war kein Versehen … ja, es tat richtig weh … vielleicht hab ich sogar einen blauen Fleck, ich muss gleich mal nachsehen. Könnte gut sein, Barbara!«

Jetzt spitzte Ruby ernsthaft die Ohren und vergaß sogar, ihren Kaugummi weiterzukauen.

»Jedenfalls fängt er an, mich resolut über den Platz zu zerren … ja, am Arm … nein, es war niemand sonst da … du hast recht, ich weiß, man sollte als Frau am frühen Nachmittag nicht allein dort langgehen … natürlich, ich weiß.«

Komm endlich zur Sache!, dachte Ruby.

»Als er mich also mit Gewalt über den Platz schleift, wer weiß wohin, kommt plötzlich eine Gruppe von italienischen Touristen daher. Da lässt er meinen Arm los und sagt: ›Tut mir leid, ich dachte, Sie seien meine Frau.‹ Und ich sage: ›Mal ehrlich, ich kann mich nur wundern, dass Sie überhaupt eine Frau haben, wenn Sie sie so behandeln!‹ … Ich weiß, manche Leute … mhm, mhmmm … er kann froh sein, dass seine Frau dann ankam, weil ich echt einen Riesenzirkus gemacht hätte … ja, stell dir vor, er hatte wirklich eine Frau … ja, wir sahen uns entfernt ähnlich und alles, ja, ich hatte ein Kopftuch um, weil's recht windig war, aber trotzdem … Nein, sie war rothaarig, während ich ja nun goldbraunes Haar habe … danke, Barbara, das ist sehr lieb von dir, ja, natürlich kriegst du die Telefonnummer meines Stylisten … Stimmt, du könntest recht haben, vielleicht hatte er seine Brille nicht auf, aber man müsste doch annehmen, dass er weiß, wie seine Frau aussieht … du hast recht, in letzter Zeit habe ich wirklich eine kleine Pechsträhne – du hast ja so recht … zuerst geht unser Gepäck verloren, dann will mir jemand die Handtasche klauen, und jetzt wäre Brant um ein Haar auch noch seine Frau abhanden gekommen wegen dieses Verrückten!«

Rubys Mutter wollte sich ausschütten vor Lachen.

»Manche Männer haben echt null Charme, nicht wahr, Barbara? Erinnerst du dich noch an Walt Waverly, der war doch echt der Hammer! So was von ungehobelt …«

Ruby gab das Lauschen auf. Diese Art von Gesprächen zwischen ihrer Mutter und Barbara konnte Stunden dauern, und es war eher unwahrscheinlich, dass sie noch mal auf den Mann im Park zurückkommen würden. Tief in Gedanken versunken, ging sie nach oben in die Küche. Dort nahm sie sich einen Brownie und ging in ihr Zimmer hoch. Sie holte ihr Notizbuch aus seinem Versteck und notierte alles, was sie gerade gehört hatte. Ihre Mutter mochte ja glauben, dass der Fremde sie verwechselt hatte, aber Ruby war sich da nicht so sicher.
In einem Punkt hatte ihre Mutter allerdings recht gehabt: Sie hatte in letzter Zeit wirklich ziemlich viel Pech.

24. Kapitel

Zum Gähnen langweilig

Der Donnerstag kam, und er begann auch ganz gut – sprich: Die Sonne ging auf. Aber ab dann ging es nur noch bergab.

Als Erstes wurde Ruby ziemlich früh von Consuela geweckt.

»Hey, Ruby, aufstehen! Dein neues Bett ist da!«

»Brauche kein Bett, ich liege schon in einem«, brummte Ruby. Sie hatte sich die Decke bis an die Ohren gezogen und trug eine Schlafmaske mit dem Aufdruck: NUR IM NOTFALL WECKEN!

Consuela hob die Schlafmaske an. »Kind, deine Mutter hat dir eine komplett neue Einrichtung gekauft, also mach kein Theater, Señorita!«

Ruby zog sich die Decke über den Kopf. »Sag ihr, ich brauche nichts. Mir gefällt mein Zimmer leer besser. Sehr zenmäßig, verstehst du?«

»Besprich das lieber direkt mit ihr, geht mich nichts an. Aber neue Möbel hin oder her – sie will, dass du aufstehst!«, beharrte Consuela.

»So weit ich weiß«, sagte Ruby patzig, »ist heute der Twinford Blütentag, und das bedeutet, dass wir einen lokalen Feiertag haben und ich im Bett liegenbleiben darf, so lange ich will!«

»Nicht heute, Missy«, sagte Consuela und klopfte mit dem Fuß auf den Boden. »Heute ist das Mittagessen bei den Humberts.«

Langsam nahm Ruby die Decke vom Gesicht. »Ist nicht wahr, oder?«

Consuela stand da, die Hände auf die Hüften gestützt, und nickte. »Tut mir leid, dass ich dir deinen Donnerstag verderbe, aber du solltest dich besser anziehen, Missy – und zwar *rápido*!«

Ruby hatte echt Sehnsucht nach Mrs Digby. Die hätte wenigstens so getan, als hätte sie Mitleid mit Ruby.

Die Sache war die, dass Brant Redfort in Sachen Etikette ziemlich pedantisch war, und allein schon der Gedanke, dass jemand am Benehmen eines Mitglieds der Familie Redfort in irgendeiner Form Anstoß nehmen könnte, ließ ihn frösteln. Sie hatte keine andere Wahl – sie würde hingehen *müssen*.

»Hey, ist meine Jacke schon geflickt?«, fragte Ruby.

»Nein, Hitch hat sie weggebracht«, sagte Consuela.

»Weggebracht? Wohin?«, fragte Ruby.

»In das Geschäft, in dem deine Mutter immer ihre Sachen reinigen lässt – *Rein & Sauber* oder so ähnlich. Die haben auch eine Änderungsschneiderei.«

Verdammt, dachte Ruby, diese Uhr hätte ich gut gebrauchen können an einem so stinklangweiligen Tag wie heute. Hey, vielleicht hätte ich mit ihr sogar vor den Humberts fliehen können ...
Ruby schnappte sich ein T-Shirt vom Boden – mit der Aufschrift: ZUM GÄHNEN LANGWEILIG!
Consuela schnalzte missbilligend mit der Zunge. »Wenn du das anziehst, junges Fräulein, flippt deine Mutter aus.«
»Stimmt, das kann sein«, brummte Ruby und warf es in ihren neuen Schrank.

Als die Redforts in der bombastischen Villa der Humberts einliefen, wurden sie überschwänglich begrüßt. »Wie schön, dass ihr vollzählig kommen konntet«, und »Oh, Rubylein, du siehst entzückend aus in diesem Kleid«, und »Quent kann es kaum erwarten, dir seinen neuen Zaubertrick vorzuführen.«
Die Humberts waren echt nette Leute – aber leider *total* langweilig.
Quent hatte einige seiner Freunde eingeladen, und so kam es, dass Ruby an einen Tisch gesetzt wurde, der charmanterweise *der Kindertisch* hieß. Das war an sich schon schlimm genug, doch die Gespräche, die sie sich hier während des Essens anhören musste, setzten dem Ganzen noch die Krone auf.
»Hey, Ruby, schau – kannst du das auch?« Quent hielt Ruby

seinen Daumen vor die Nase und bewegte ihn vor- und rückwärts, um ihr zu zeigen, dass er das in beide Richtungen konnte. »Ganz schön gelenkig, hm? Cool, oder?«
»Cool!«, wiederholte Ruby so künstlich entzückt, dass jeder außer Quent merkte, dass sie sarkastisch war.
Sie spitzte lieber die Ohren, um zu hören, was nebenan im Esszimmer gesprochen wurde. »Freddie hat eine fürchterlich anstrengende Woche hinter sich, nicht wahr, mein Lieber?«, sagte Marjorie Humbert zu ihrem Gatten.
»Kann ich mir vorstellen«, kommentierte Brant. »Diese Goldlieferung hält sicher die ganze Bank in Atem.«
»Ja, schon, aber die große Neuigkeit wisst ihr noch gar nicht – und ich erzähle es euch nur ganz im Vertrauen«, sagte Freddie Humbert und senkte die Stimme zu einem theatralischen Flüstern. »Die Sicherheit unserer Bank scheint bedroht.«
»Du lieber Himmel!«, entfuhr es Sabina. »Das darf doch nicht wahr sein! Heißt es nicht, die Twinford Bank hätte die sichersten Tresorräume im ganzen Land?«
»Hat sie auch!«, bestätigte Freddie. »Aber trotzdem mussten wir neulich erfahren, dass eine Bande einen raffinierten Coup plant und das Gold noch in derselben Nacht rauben will, in der es aus der Schweiz angeliefert wird.«
Brant schüttelte ungläubig den Kopf. »Ah, jetzt verstehe ich, warum du in letzter Zeit so angespannt bist – und man dich nicht mehr auf dem Golfplatz gesehen hat!«

»O ja, er hat sehr viel um die Ohren«, erklärte Marjorie.
»Aber wie sollten Einbrecher überhaupt in die Tresorräume kommen? Ich dachte, das ganze Untergeschoss sei als Labyrinth gebaut«, sagte Sabina.
»Das ist richtig«, bestätigte Freddie. »Den richtigen Weg zu finden, ist das erste Problem, vor dem die Bankräuber stehen würden – und dann sind sie noch lange nicht am Safe.«
»Ich weiß, was du meinst, Freddie«, sagte Dr. Gonzales, der Museumsdirektor. »Unser Untergeschoss wurde vom selben Architekten entworfen, Jeremiah Stiles, und es ist fast identisch. Eine großartige Idee, nur durch ein Labyrinth zu den Tresorräumen zu gelangen, aber wenn man in einem Museum ganz bestimmte Antiquitäten finden will, kann es auch lästig sein!«
»Trotzdem bieten diese labyrinthartigen Gänge eine gute Barriere gegen Einbrecher«, meinte Freddie Humbert. »Man muss die Gänge wie seine Hosentasche kennen, um sich zurechtzufinden.«
»Einbrecher haben in der Bank sowieso keine Chance«, sagte Marjorie im Brustton der Überzeugung, »bei *dem* Sicherheitsteam, das Freddie auf die Beine gestellt hat.«
»Wir können euch die Spezialkräfte empfehlen, die das Sicherheitssystem unseres Museums auf den neuesten Stand gebracht haben«, sagte Dr. Gonzales voller Eifer. »Wir sind technologisch jetzt auf dem *aller*neuesten Stand.«
»Ja, dass der Buddha sich aus dem Fußboden erheben

wird, ist wirklich eine beeindruckende Idee«, sagte Freddie mit einem anerkennenden Nicken.

»Und das in diesem genialen gläsernen Zylinder«, ergänzte Dr. Gonzales voller Stolz.

»Den finde ich jetzt nicht so umwerfend – Glas ist Glas«, spöttelte Freddie. »Da braucht nur jemand dran zu stoßen, und schon liegt er in Scherben.«

»Aber nein, es ist kein normales Glas, sondern absolut *bruchsicheres* Spezialglas!«, ließ ihn der Museumsdirektor wissen. »Der gläserne Zylinder wird mit einem einzigartigen Verschlusssystem geliefert, und ich allein werde in der fraglichen Nacht Zugriff darauf haben.«

»Wie faszinierend«, sagte Sabina, die vor Aufregung kaum noch stillsitzen konnte.

Sie persönlich fand den Jadebuddha wesentlich aufregender als das langweilige Gold.

»Ach was«, murrte Freddie Humbert, »glaubt mir, das ist nichts im Vergleich zu den Sicherheitsvorkehrungen der City Bank – kein Mensch wird jemals da einbrechen, und wenn doch, dann nur über meine Leiche. Wir haben die sichersten Tresorräume in den USA, daran ist nicht zu rütteln!«

Logisch, dachte Ruby, wenn das ganze Spektrum-Team daran arbeitet, dass das so bleibt!

»Und was ist mit dir, Ruby? Ruby?« Jemand zupfte an ihrem Arm.

»Wie?«, fragte Ruby. Quent zog an ihrem Ärmel, damit sie ihm endlich zuhörte.
»Spielst du mit uns Verstecken? Sardinen-Verstecken.«
O Mann, dachte Ruby genervt. Fünf Augenpaare sahen sie gespannt an. »Klar, natürlich – wüsste nicht, was ich lieber täte.« Puh, wie öde! Einer versteckte sich, alle anderen suchten ihn, und wer ihn fand, gesellte sich zu ihm ins Versteck, bis am Ende nur noch einer oder eine alle anderen suchte.
»Okay!«, rief Quent erfreut. »Willst du dich als Erste verstecken?«
»Nö, schon okay. Versteck du dich, Quent; wir teilen uns dann auf und suchen dich.«
»Wollen wir beide ein Suchteam bilden?«, wurde Ruby von einem der Jungen gefragt.
»Nö, ich suche lieber allein – dann kann ich mich besser konzentrieren, weißt du. Warum bildet ihr Jungs nicht zusammen ein Team und ich suche im Alleingang?« Ruby hatte ihr Notizheft dabei und eine Menge Fragen aufgeschrieben, über die sie dringend nachdenken wollte. Eine davon lautete:

Was hat Lopez im Spiegel gesehen?

Ruby hatte das sichere Gefühl, dass es kein Zufall war, dass die Kollegen so wenig über Lopez wussten; sie hatte es offenbar darauf angelegt. Doch wer keine Indizien hinterlässt, wird selbst zu einem Indiz. Sobald Ruby ein ruhiges Plätzchen gefunden hatte, holte sie ihr Notizheft aus der Tasche und grübelte über ihre Fragen nach.

FRAGE:
Warum hat Lopez die Katzengoldbande persönlich observiert?
ANTWORT:
Weil ihr Leben so langweilig war und sie sich nach Abenteuern sehnte.

. . . .

FRAGE:
Warum hat sie keinem davon erzählt?
ANTWORT:
Weil sie damit gegen die Spektrum-Regeln verstieß.

. . . .

FRAGE:
Hat die Bande gemerkt, dass Lopez sie im Visier hatte?
ANTWORT:
Ist anzunehmen.

. . . .

FRAGE:
Hat die Bande gemerkt, dass Lopez etwas im Schilde führte?
ANTWORT:
Schwer zu sagen.

Ruby war so clever gewesen, das Hundepfeifchen von Spektrum mitzubringen – als hätte sie geahnt, dass sie es eventuell brauchen könnte. Und sie hatte recht. Ab und zu hielt sie es an den Mund, blies hinein und rief: »Wo seid ihr, Jungs?« Deshalb glaubten die anderen, sie würde herumrennen und sie suchen. Ha, wenn die wüssten, dass sie gemütlich in der Wäschekammer der Humberts saß!
Gegen vier verließ Ruby ihr nettes Versteck und stieß auf Quent und seine Freunde, die es irgendwann satt gehabt hatten, noch länger auf sie zu warten, und inzwischen nach *ihr* suchten.
»Donnerwetter!«, sagte sie. »Ihr seid vielleicht clever. Ich konnte euch nirgends finden.«

***

An diesem Abend um fünf vor sechs nahm Clancy Crew seinen Finger nicht mehr von der Türklingel der Redforts, fast so, als ginge es um Leben oder Tod.
Consuela öffnete ihm die Tür. »Hey! Wo brennt's?«, fragte sie verkniffen.

Doch Clancy rief nur »Sorry!« und rannte die Treppe hinauf, immer zwei Stufen auf einmal nehmend.
Ohne anzuklopfen platzte er in Rubys Zimmer und ließ sich auf ihren großen Sitzsack fallen. »Und?«, keuchte er.
»Menschenskind, jetzt hol erst mal Luft, Clancy!«
»Erzähl: Was sollte das gestern in Everly?«, fragte er.
»Na ja, ich hatte so eine dumpfe Ahnung, dass diese Codeknackerin, deren Platz ich eingenommen habe – na ja, deren Job ich mache –, ein Geheimnis hatte.«
»Ein Geheimnis? Was soll das heißen?«
»Ich denke, die gute Agentin Lopez hatte es satt, immer nur am Schreibtisch zu sitzen. Sie wollte wissen, wie es ist, selbst mal im Einsatz zu sein. Und als sie eines Tages bei der Maniküre sitzt, hat sie plötzlich einen Geistesblitz. Und statt einen der ausgebildeten Agenten zu informieren, beschließt sie, auf eigene Faust zu recherchieren.«
Clancy war sichtlich beeindruckt. »Wie bist du *darauf* gekommen?«
»Ein Kugelschreiber hat mich auf diese Spur gebracht.« Ruby warf Clancy den Kuli mit der Aufschrift *Springbrunnen* zu. »Den hab ich hinter Lopez' Schreibtisch gefunden, und da kam mir die Idee, dass sie vermutlich dahintergekommen war, dass der *Brunnen*, von dem in einer der verschlüsselten Anzeigen die Rede war, das Hotel Springbrunnen sein musste.«
»Gute Arbeit, Ruby.«

»Jetzt begreife ich auch, warum ich den fehlenden Code nicht in den Akten gefunden habe.«
»Warum?«, fragte Clancy.
»Weil er gar nicht drin ist. Er steht auf dem kleinen Zettel, den Lopez mitgenommen hat.«
»Aber dieser Felix vom Hotel sagte doch, auf dem Zettel hätte gar nichts gestanden«, gab Clancy zu bedenken.
»Vielleicht nichts, das man *sehen* konnte«, sagte Ruby mit Nachdruck, »aber was ist, wenn es gar nicht darum ging?«
»Wie meinst du das?«, fragte Clancy.
»Okay: Also, die Unbekannte mit dem Hutschleier hat etwas auf einen Block geschrieben, zum Beispiel so ...« Ruby nahm ihren Kuli und schrieb etwas auf ihren Schreibblock. »Dann reißt sie das oberste Blatt ab und geht fort, und auf dem Tisch bleibt nur der leere Block liegen, den ihr Komplize holen will.«
Um es ihm vorzuführen, riss Ruby ebenfalls das oberste Blatt ihres Schreibblocks ab und reichte ihn dann an Clancy weiter. »Wenn mich nicht alles täuscht, musst du jetzt nur mit einem weichen Bleistift über das leere Blatt fahren, und das Geschriebene wird sichtbar.«
Clancy tat, was Ruby vorgeschlagen hatte, und konnte sehen, dass sich die Wörter, die Ruby zuvor geschrieben hatte, deutlich auf dem Blatt abzeichneten.
»Ganz schön clever«, sagte Clancy. »Aber wieso hat Lopez niemandem davon erzählt?«

»Weil sie dann mit Spektrum Ärger bekommen hätte«, sagte Ruby. Sie überlegte kurz. »Und wie du siehst, geht es mir jetzt genauso. Was soll ich tun? Soll ich LB erzählen, dass Lopez nicht das brave Mäuschen war, für die sie sie gehalten hat?«

Clancy war hin- und hergerissen. Er begriff das Problem: Nie einen Freund oder Verbündeten verpetzen – das war seine Devise. Lieber würde er tausend schreckliche Tode sterben, als einen Kumpel verraten.

»Ich sehe da noch ein Problem«, sagte er.

»Und das wäre?«, fragte Ruby.

»Den Ärger bekommst jetzt du, wenn du Spektrum sagst, was du weißt.«

»Wo du recht hast, hast du recht, mein Freund. Und ich brauche zuerst noch einen Beweis, damit sie mir überhaupt glauben.«

»Und wenn du keinen findest?«, fragte Clancy.

»Dann bleibt mir nur die gute alte Redfort-Überzeugungsstrategie: Ich muss sie in Grund und Boden quatschen.«

»Na, dann viel Glück«, sagte Clancy.

Als Clancy und Ruby ins Wohnzimmer kamen, wurden sie von Mrs und Mr Redfort mit einem erfreuten Lächeln begrüßt. Die beiden saßen auf Gartenmöbeln, und Hitch baute gerade einen brandneuen Diaprojektor auf. Hitch warf Ruby einen etwas mitleidigen Blick zu.

»Ich mache noch schnell Popcorn«, erklärte sie und verschwand mit Clancy in der Küche. Während Ruby die Popcornmaschine aufstellte, quasselte Clancy wie ein Buch.

»Hey, ihr zwei!«, rief Rubys Mutter. »Wir sind gleich so weit!«

»Wir *kommen*«, trällerte Ruby, schnitt aber gleich darauf eine genervte Grimasse.

»Hey, Clancy«, ertönte da Brants Stimme. »Komm und erzähl uns ein bisschen, was du in letzter Zeit so gemacht hast. Wir haben dich ja schon ewig nicht mehr gesehen.«

Widerwillig rutschte Clancy von seinem Hocker und trabte ins Wohnzimmer.

Während Ruby wartete, bis das Popcorn aufplatzte, tastete sie in ihrer Tasche herum, zog den Schlüsselring heraus und begann die regenbogenfarbenen Würfelchen zu verdrehen. Vielleicht lässt sich was Cooles daraus machen, dachte sie. Aber nein, es schien leider nur ein doofes altes Puzzle zu sein. Sie hatte nur ein Wort gebildet: **FLY**. Fly wie Fliege.

»Wie aufregend«, sagte sie zu sich selbst.

Von der Küche aus konnte sie hören, wie Clancy mit aller Gewalt versuchte, Begeisterung zu heucheln. »Wow, Mrs Redfort, das ist ja eine tolle Aufnahme von Ihren Schuhen.« Oder: »Hübsche Großaufnahme von Ihrem Daumen«, und: »Cool, Mr Redfort, wenn das kein cooles Foto von coolem Schnee ist!«

»Nicht wahr?«, sagte Brant Redfort mit unüberhörbarem Stolz in der Stimme.
»Und was ist das da, Mr Redfort?«
»Oh, das sind die Fußbodenfliesen im Flughafen.«
Ruby machte sich an die Zubereitung der Drinks und ließ sich dabei richtig viel Zeit. Als sie den Mixer wieder ausschaltete, hörte sie ihre Mutter sagen: »Und hier sind wir beide am Flughafen, kurz bevor der komische kleine Mann mit dem Schnauzbart mir seinen Saft über die Jacke geschüttet hat.«
»Oh, da ist er ja, Schatz!«, rief ihr Mann. »Junge, Junge, der hatte es vielleicht eilig!«
Ruby schaltete den Mixer erneut an. Herrje, wie soll ich Hitch die Sache mit Clancy erklären?, fragte sie sich. Aber ist vielleicht gar nicht nötig. Clancy wird die Klappe halten, und Hitch wird nie etwas erfahren. Ruby goss den Saft in Longdrinkgläser und stellte diese auf ein Tablett. Die Unterhaltung im Wohnzimmer war um keinen Deut spannender geworden.
»Und wer sind diese Leute?«, fragte Clancy, und Ruby hörte förmlich, dass er ein Gähnen unterdrücken musste.
Schwerer Fehler, Clance, alter Kumpel, sagte sich Ruby. Denn jetzt werden sie es dir im Detail erklären.
»Also ...«, begann Sabina, »das Pärchen da sind die Zimmermanns, und daneben ist Mr Rodrigez, und dann kommen ... Moment mal, ich muss kurz überlegen ... ach ja,

das blonde Paar müssen die Summers sind, und die Rothaarige im Hintergrund ... hm, kennen wir sie überhaupt, Schatz?«

»Nein, Darling«, antwortete Brant.

O Mann! Armer Clance. Ich befreie ihn besser aus ihren Fängen, bevor er durchdreht, der arme Kerl.

Mit einem strahlenden Lächeln betrat Ruby das Wohnzimmer. »Möchte jemand frischen Obstcocktail? Hey, wo ist Hitch?« Suchend blickte sie sich um. »Ich dachte, er wollte heute bis acht Uhr bleiben?«

»Er warf einen Blick auf seine Uhr, und da fiel ihm urplötzlich ein, dass er noch etwas im Hof zu reparieren hat«, sagte Clancy mit spitzem Unterton. »Schien fürchterlich dringend zu sein.«

»Kann ich mir vorstellen«, sagte Ruby und blickte auf die Leinwand, wo ihre Mutter und ihr Vater gerade in denselben Apfelstrudel bissen und sich verliebt in die Augen schauten.

25. Kapitel

Verdächtig, verdächtiger, am verdächtigsten

Am nächsten Morgen stand Ruby sehr früh auf und ging ins Bad. Als sie am Spiegel vorbeikam, verzog sie das Gesicht und sagte: »Ruby, altes Haus, du siehst ja richtig mitgenommen aus!«

Vor lauter Grübeln hatte sie gar nicht gut geschlafen.

Sie ging nach unten. Hitch war in der Küche und trank gerade eine Tasse Kaffee. »Hey«, sagte sie, »das haben Sie ja gut hingekriegt gestern Abend, als Sie sang- und klanglos verduftet sind!«

»Oh, das war nicht geplant. Ich habe ein komisches Signal auf meiner Uhr empfangen – aber nur für eine Sekunde. Ergab aber keinerlei Sinn – kam mir eher wie ein Signal aus dem Jenseits vor.«

»Hä?«, fragte Ruby.

»Es war ein Signal von einem nichtexistierenden Agenten«, erklärte Hitch.

Ruby, die gerade zwei Brotscheiben in den Toaster stecken wollte, hielt mitten in der Bewegung inne. »Sie meinen, von einem *nicht* mehr existierenden Agenten?«

»Ja, er ist tot, und *wie* – und es gibt niemanden bei Spektrum, der das nicht bedauert. Natürlich musste ich die Sache trotzdem überprüfen, obwohl es ganz klar eine technische Störung war.«

»Dieser tote Agent … er ist nicht zufällig dieser Bradley Baker, oder?«

Hitch zuckte zusammen, nur ganz leicht, aber das entging Ruby nicht. »Es ist vertraulich«, sagte er lediglich.

Ruby ließ das Thema fallen. Sie dachte an eine andere nicht mehr existierende Agentin – was war mit der armen Lopez passiert?

Doch sie beschränkte sich darauf zu sagen: »Nennen Sie es, wie Sie wollen, aber Sie können mir glauben: Dadurch blieb Ihnen eine Folter erspart, die schlimmer gewesen wäre als die chinesische Wasserfolter.«

»Dann bin ich froh, dass *du* sie überlebt hast, Kleine. Und du weißt, was ich dich fragen muss: Wirst du morgen etwas Neues zu berichten haben?«

»Kann sein«, antwortete Ruby. »Ich muss aber noch einige Fakten überprüfen, um mir ganz sicher zu sein – aber ich bin an etwas dran.«

»Da war Groete anderer Meinung – er sagte, du wärst mit deinem Latein am Ende.«

»Ach ja? Aber Sie kennen ihn ja – Old Kröte spuckt anderen immer gern in die Suppe.«

Rubys Toast sprang heraus, und Hitch legte ihn behutsam auf einen Teller.

»Sieht ganz so aus, als hättest du keine Zeit mehr. LB will dich noch *heute* sehen.«
Ruby schaute auf den Teller, und schlagartig verging ihr der Appetit.

REDFORT, UM 8.00 UHR
BEI SPEKTRUM ANTRETEN!

Als sie in der Zentrale ankamen, erfuhren sie von Summ, dass LB mit dem Spektrum-Team gerade eine Einsatzbesprechung abhielt.
»Sie sind bereits im Vorführraum – und sehen sich die Hauptverdächtigen an, die für den geplanten Überfall auf die City Bank in Frage kommen.«
Hitch ging voraus durch einen schwarzweißen Gang, bis sie zur Rundtür des Vorführraums gelangten.
»Du wartest besser hier, Kleine, die Sache ist streng geheim – ich rufe dich herein, sobald wir fertig sind.« Hitch ging hinein, und die Tür fiel hinter ihm ins Schloss.
Ruby stand da wie bestellt und nicht abgeholt und kickte frustriert an die Wand, als sie plötzlich eilige Schritte näher kommen hörte. Und schon bog Agent Blacker um die Ecke, außer Atem und noch zerknitterter und zerzauster als sonst.
»Was?! Du darfst auch dabei sein?«, schnaufte er.
»Ja«, antwortete Ruby, ohne mit der Wimper zu zucken.

»Aber ich hab leider das Passwort vergessen, zu dumm aber auch!«
»Keine Angst«, sagte Blacker, »wir kommen sicher noch ungesehen rein, wenn wir uns ganz nach hinten setzen. Ich bin sowieso schon im Bilde und hab sicher nicht viel verpasst.«
Er tippte das Passwort ein, und die Tür öffnete sich mit einem leisen Klicken. So verstohlen wie Diebe in der Nacht schlichen sie sich in den abgedunkelten Raum. Ein Projektor surrte leise und warf unscharfe Bilder auf eine Leinwand. An die zwanzig Leute saßen da und hörten zu, was LB, die vorne stand, dazu zu sagen hatte. Ruby entdeckte Hitchs Hinterkopf und duckte sich noch tiefer in ihren Sitz. Agent Blacker dagegen machte es sich gemütlich und legte die Füße auf die Lehne des Stuhls vor ihm. Auf der Leinwand war nun das Bild eines bulligen Schlägertyps in einem Regenmantel zu sehen.
»Oje, dem möchte ich nicht in einer dunklen Gasse begegnen«, flüsterte Ruby.
»Dem möchte ich in *gar* keiner Gasse begegnen«, flüsterte Agent Blacker zurück.
Das nächste Bild erschien: ein merkwürdig komisches Gesicht – hässlich und böse, aber doch irgendwie komisch. Aus den Reihen der Spektrum-Leute kam ersticktes Gelächter.
»Wie ich merke, habt ihr unseren lieben Freund Swinspfot

sofort ins Herz geschlossen«, sagte LB. »Aber leider ist er nicht so komisch wie er aussieht.«

»Ist er so *blöd,* wie er aussieht?«, fragte ein junger Mann in der ersten Reihe.

»Oh, Typen wie ihn sollte man nie unterschätzen. Wenn es um Swinspfot geht, ist es ratsam, an das alte Sprichwort zu denken: ›Man darf einen Bösewicht nie nach seinem Äußeren beurteilen‹ – egal, wie hässlich er auch sein mag. Er hier hat einen sechsten Sinn, wenn es darum geht, vorauszusagen, was andere tun werden, und er ist ein ziemlich helles Köpfchen. Ich würde ihn im vorliegenden Fall nicht ausschließen.«

LB drückte auf die Fernbedienung.

»Wow, der sieht nun wirklich nicht wie ein Fiesling aus«, flüsterte Ruby und betrachtete den sympathisch aussehenden jungen Mann mit den grünen Augen, der nun die Leinwand füllte.

»Ach ja, Babyface Marshall – bei dem wundert sich jeder«, raunte Blacker ihr zu.

»Ist er wirklich gefährlich?«, fragte Ruby ungläubig.

»O ja, ein kaltblütiger Killer«, flüsterte Blacker. »Wenn du Babyface Marshall siehst, ruf gar nicht erst nach Mami – sieh zu, dass du wegkommst!«

Ruby schluckte trocken. Vom Fernsehen her war sie den Anblick von Bösewichten gewöhnt. Dort hatten Mörder immer einen Buckel, einen Haken am Armstumpf oder den

Mund voller Goldzähne – also immer etwas, das sie verriet, doch dieser Mann hier sah aus, als könnte ihm die Kleintierhandlung in der Nachbarschaft gehören. Der Projektor klickte weiter, und das Gesicht einer Frau war zu sehen.

»Valerie Capaldi, auch bekannt als ›die Katze‹«, sagte LB.

»Wow, sieht echt klasse aus«, sagte der junge Mann aus der ersten Reihe mit der großen Klappe.

»Inzwischen etwas weniger«, erklärte LB kühl. »Vor einiger Zeit hat sie auf der Flucht vor einem unserer Agenten ganz schön was abbekommen. Ich vermute, sie hat inzwischen eine ziemlich hässliche Narbe am linken Auge – dürfte nicht zu übersehen sein. Man nennt sie ›die Katze‹, weil sie wie ein Katze offenbar sieben Leben hat und dem Tod schon etliche Male von der Schippe gesprungen ist.«

Die Frau auf der Leinwand sah kein bisschen kriminell aus, wie Ruby fand. Eher wie jemand, der in den Bekanntenkreis ihrer Eltern gepasst hätte.

»Eine Frau, die vor nichts zurückschreckt und immer sehr elegant auftritt«, fuhr LB fort. »Würde mich allerdings wundern, wenn sie sich neuerdings mit Banküberfällen beschäftigt. Juwelendiebstahl und Kunstraub sind eher ihre Sache. In die Lehre ging sie bei *diesem* Gentleman hier …« Klick. »Fenton Oswald – spezialisiert auf Überfälle größeren Stils, äußerst risikofreudig, ist aber eher ein Juwelendieb und lebt hauptsächlich in Europa.«

Er sah wie ein ganz gewöhnlicher Mann aus – das Foto

zeigte ihn beim Verlassen eines Juweliergeschäfts in Berlin. Er trug eine Brille mit getönten Gläsern, einen Tweedanzug und hatte einen zusammengerollten Schirm in der Hand.

Als Nächstes tauchte ein ganz anderes Gesicht auf – ein Gesicht, bei dem man spontan an die guten alten Schwarzweißfilme dachte. Mit den glatten grauen Haaren, die vor Gel glänzten, und den spitz zulaufenden Koteletten sah der Mann wie ein distinguierter älterer Filmstar aus. Die lange, elegant geschwungene Nase verlieh dem Gesicht etwas Aristokratisches, während die ausgeprägten Wangenknochen eher an einen finsteren Bösewicht à la Dracula erinnerten – was von dem langen schwarzen Mantel und den glänzenden spitzen schwarzen Schuhen noch unterstrichen wurde. Das Dia war offenbar schon älter. LB klickte weiter, ohne einen Kommentar abzugeben.

»Wer war *das*?«, flüsterte Ruby ihrem Sitznachbarn zu.

»Ach der?«, flüsterte Blacker zurück. »Das war der Graf.«

»Der Graf von was?«

»Der Graf von Klapperstein. Falls er dich an einen der zweitklassigen alten Hollywoodfilme erinnert, dann deshalb, weil das mal seine Welt war.«

»Was? Er war mal Schauspieler?«, fragte Ruby.

»Nein, kein Schauspieler, sondern Regisseur. Man sagt, dass er sich der Welt der Verbrechen zuwandte, weil seine Filme von der Kritik alle verrissen wurden. Manche sagen, er sei seiner Zeit einfach voraus gewesen – das Kinopublikum sei damals für seine Art von Filmen noch nicht bereit gewesen. Ist es aber noch immer nicht, seine Filme waren zu düster, zu abgefahren, zu bedrohlich. Jedenfalls machte er als Verbrecher eine wesentlich steilere Karriere denn als Filmemacher – von unseren Agenten, die jemals mit ihm in Kontakt kamen, hat gerade mal *einer* überlebt!«

»Wer?«, fragte Ruby.

»Ach, niemand«, antwortete Agent Blacker eine Spur zu schnell. »Niemand, den du kennst.«

Bradley Baker?, fragte sich Ruby.

»Wir haben allerdings schon lange nichts mehr vom Grafen gehört«, fuhr Blacker fort.

»Aber er gehört auch zum Kreis der Verdächtigen?«, fragte Ruby.

»Oh, er ist schon so lange von unserem Schirm verschwunden, dass wir uns schon gefragt haben, ob er die Radieschen inzwischen von unten wachsen sieht … oder eventuell in Pension gegangen ist.«

»Woran würden Sie merken, dass er noch aktiv ist?«, erkundigte sich Ruby.

»Nun, die Verbrechen des Grafen tragen alle eine bestimmte Handschrift. Sie sind immer total schräg und melodramatisch. Wenn jemand zum Beispiel über einem brodelnden Vulkan baumelt, statt einfach hineingeworfen zu werden, kannst du darauf wetten, dass der Graf seine Finger mit im Spiel hat.«

»Klingt beruhigend«, flüsterte Ruby.

»Ich persönlich hatte noch nie das zweifelhafte Vergnügen, ihn zu treffen, aber man sagt, er sei ein ungewöhnlich charmanter Mann – bis zu der Sekunde, in der er beschließt, dass deine Zeit abgelaufen ist.«

Ruby bekam eine Gänsehaut.

Plötzlich ging das Licht im Saal an – das Briefing war zu Ende. Ruby schaffte es, inmitten der anderen ungesehen aus dem Vorführraum zu kommen; im Korridor lehnte sie sich an die Wand und machte ein Gesicht wie jemand, der sich zu Tode langweilte.

Es dauerte nicht lange, bis Hitch seinen Kopf herausstreckte. »Du kannst kommen, Kleine.«

Als Ruby eintrat, verlor LB keine Zeit mit einem Hallo.

»Und, Redfort? Etwas zu berichten?«

Ruby setzte eine zuversichtliche Miene auf, doch mit ihrer Stimme gelang ihr das nicht. *Jetzt geht's um die Wurst.* Sie räusperte sich. »Ähm, nicht direkt, aber bald.«

»Was soll das heißen?«, schnaubte LB.

»Ich glaube, ich bin da auf einer heißen Spur, aber ich bräuchte noch … nun, ich habe mich gefragt, ob ich mir vielleicht … Sie wissen schon …«

»Spuck's endlich aus, Redfort!«

»Ob ich mir Lopez' Sachen ansehen kann.« Diese Worte hingen irgendwie blöd in der Luft. LB blieb stumm, doch ihre finstere Miene verriet Ruby, was sie dachte.

»Was für ›Sachen‹?«
»Die Sachen, die sie bei sich hatte, als sie von der Lawine verschüttet wurde.«
»Und was hättest du bitte schön davon, dir Lopez' Rucksack anzusehen? Was hätte das mit unserem Fall zu tun?«
»Es könnte doch sein, dass sie das fehlende Puzzlestück bei sich hatte«, sagte Ruby.
LB schaute sie an, als hätte sie nicht alle Tassen im Schrank.
»Lopez war ein *Profi*! Ist dir überhaupt klar, was das bedeutet? Sie wäre im Traum nicht auf die Idee gekommen, geheimes Beweismaterial von Spektrum im Urlaub mit sich herumzuschleppen – im *Hochgebirge*!«
Okay, *so* ausgedrückt, klang es ziemlich absurd, doch Ruby ließ sich nicht beirren. »Die Sache ist die … ich habe mir überlegt, dass es doch sein könnte, dass alles ganz anders ist, als es aussieht! Was, wenn Lopez etwas gefunden hat, aber vorläufig niemandem davon erzählen wollte, sondern zuerst überprüfen wollte, ob sie mit ihrem Verdacht auch richtig lag?«
»Du redest Unsinn, Kind. Warum hätte sie uns etwas verschweigen sollen?«
»Vielleicht weil ihr langweilig war?«, sagte Ruby versuchsweise.
»Weil ihr *langweilig* war?« Entgeistert schüttelte LB den Kopf und glaubte, sie hätte sich verhört. »Wir sind hier nicht bei *Emil und die Detektive* oder so. Wir leben in der

realen Welt, und in der realen Welt läuft eine Codeknackerin von Spektrum nicht durch die Gegend und spielt Heldin, nur weil ihr *langweilig* ist.«
»Wissen Sie, ich glaube trotzdem, dass es genau so war, und ich denke auch, dass sie etwas entdeckt hat ... und das hat jemand gemerkt – jemand, dem das gar nicht recht war – und deshalb wurde sie aus dem Weg geräumt.«
»Redfort! Lopez kam bei einem Lawinenunglück ums Leben! Du hast eine äußerst lebhafte Phantasie, ich muss schon sagen! Es war ein *Unfall*! Lopez war eine Schreibtischagentin und keine *Action*heldin!«
»Aber Sie wissen doch«, sagte Ruby stur, »dass der entscheidende Hinweis nirgends in den Akten ist, und folglich muss Lopez ihn mitgenommen haben.«
»Aha, nur weil *du* ihn nicht findest, denkst du, er sei nicht da?«, sagte LB spöttisch.
»Nein, ich *weiß*, dass er nicht da ist, weil ...«
Ruby verstummte jäh. Sie konnte LB unmöglich erzählen, wie sie das herausbekommen hatte. Deshalb konnte sie leider nur wie ein begossener Pudel dastehen und sich auf die Lippen beißen, bis LB sie mit einer ungeduldigen Handbewegung fortwinkte. Als Ruby bereits in der Tür stand, rief LB ihr noch nach: »Ach übrigens, du bist gefeuert – du hast versagt! Mehr ist dazu nicht zu sagen.«

26. Kapitel

Das kleine braune Päckchen

Gefeuert zu werden, war echt frustrierend, aber Ruby dachte nicht im Traum daran, ihre Kündigung tatenlos hinzunehmen. Wenn sie nur endlich einen Beweis hätte – nämlich diesen Zettel aus dem Hotel!

Als Hitch sie zu Hause absetzte, war es bereits früher Abend. Ihre Eltern waren ausgegangen, und Ruby hatte keine Lust, ganz allein zu Abend zu essen. Deshalb beschloss sie, ins Double Donut zu gehen. Dort setzte sie sich auf einen der Barhocker an der Theke und wollte gerade etwas bestellen, als sie plötzlich eine Idee hatte. Sie rutschte vom Barhocker und ging zum Telefonapparat, der neben den Toiletten an der Wand hing.

»Hey, Clance, komm ins Double, möglichst sofort!«

»Ich hab eigentlich keinen Hunger, Ruby«, antwortete Clancy.

»Sei froh, du kriegst nämlich nichts zu essen.« Sie hängte wieder ein.

Keine fünfzehn Minuten später kam Clancy atemlos zur Tür hereingerannt.

»Was ist mit dir los?«, fragte Ruby.

»Moment noch«, keuchte er. »Bin den ganzen Weg gerannt. Also, was soll ich hier bitte schön?«

»Das erzähl ich dir im Taxi«, sagte Ruby.

»Au Mann, nicht schon *wieder*!«

Doch er wusste, dass jeder Widerspruch zwecklos war: Zwei Minuten später saß er neben Ruby im Taxi auf dem Weg nach East-Twinford.

»Also«, sagte Clancy, »was ist genau los?«

»Ich habe LB erzählt, was ich vermute, aber sie wurde gleich stinkig. Ich hab ihr gesagt, dass Lopez vermutlich von der Katzengoldbande um die Ecke gebracht wurde. Ich finde, das klingt plausibel – sie war keine Spionin, die für gefährliche Missionen ausgebildet war, und folglich ist die Bande ihr mit links auf die Schliche gekommen.«

»Meinst du, die Katzengoldbande weiß, für wen Lopez gearbeitet hat?«

»Nö, das wohl nicht. Ich glaube eher, dass sie sie für eine neugierige Wichtigtuerin hielten, und neugierige Leute mögen sie nicht.«

»Logisch«, sagte Clancy und bekam eine Gänsehaut.

»Ich denke, sie haben Lopez beschattet, weil sie wissen wollten, was sie vorhatte. Und als Lopez zum Bergsteigen fuhr, beschlossen sie, sie sicherheitshalber aus dem Weg zu räumen, auch wenn sie vermutlich nur rein zufällig etwas gesehen hatte, das für sie hätte gefährlich werden können. Clever wie diese Leute sind, haben sie eine Lawine ausgelöst, damit das Ganze wie ein bedauerlicher Unfall aussah.«

»Meinst du, diese Katzengoldbande weiß auch schon von *dir*?« Clancy war gar nicht wohl in seiner Haut. Das passierte ihm immer, wenn er Gefahr witterte – sein Magen war unheimlich empfindlich, sobald es um Leben oder Tod ging.

»Ich hoffe *nicht*! Besonders jetzt, wo ich einige der Verdächtigen gesehen habe – einer von ihnen sieht original wie Dracula aus.«

»Was? Du hast die Bande gesehen?!«

»Nein, nicht die Bande, nur ein paar mögliche Verdächtige – und das auch nur in einer Diashow.« Verflixt, warum war ihr das herausgerutscht? Ruby hatte Clancy schon viel zu viel erzählt – und zu viel über eine brutale Killerbande zu wissen, war Clancys Gesundheit gar nicht zuträglich.

»Und wer waren sie?«

»Du, wir sind da. Clance, das erzähle ich dir ein andermal, okay? War nichts Aufregendes – es waren eigentlich nur ein paar Gesichter.«

»Morgen?«, hakte Clancy nach.

Zwei Minuten danach bog das Taxi in die Maverick Street ein. Dort hielt es an, und Ruby und Clancy stiegen aus. Es war kein Wohngebiet, und jetzt, am Freitagabend, wo die Geschäfte und Büros geschlossen waren, war niemand mehr unterwegs.

»Richtig unheimlich hier«, sagte Clancy.
»Na und, wir wollen hier schließlich nicht übernachten. Wir werfen nur schnell einen Blick in das Päckchen und verschwinden wieder.«
»Päckchen? Was für ein Päckchen?«
»Ach, das mit Lopez' Sachen.«
»Was für Sachen?«, fragte Clancy.
»Die Sachen, die sie bei sich hatte, als sie starb.«
Clancy fröstelte – das hier gefiel ihm ganz und gar nicht.
»Ich weiß nicht, Ruby. Wäre es nicht besser, wenn du LB *morgen* noch mal darum bittest?«
»Mensch, Clancy, sag mal, stehst du auf der Leitung? Es gibt kein Morgen. LB hat mich gefeuert, okay?« Verflixt, das hatte sie ihm *auch* nicht verraten wollen.
Clancy war so schockiert, dass es ihm fürs Erste die Sprache verschlug.
»Begreifst du jetzt, warum ich es tun *muss*?«
Clancy nickte; er hatte begriffen, dass Ruby keine andere Wahl hatte.
»Hör mal, Clancy, wir gehen nur schnell da rein, schauen uns kurz um, und hinterher bringe ich dich sofort wieder nach Hause, versprochen!«
»Du willst *einbrechen*?« Clancys Stimme überschlug sich fast.
»Mensch, genau genommen ist es kein Einbruch. Ich weiß den Zugangscode, Blacker hat ihn mir verraten. Das Pro-

blem ist nur, dass wir vermutlich tot sind, wenn Spektrum mitkriegt, dass wir ihn benutzen.«

Clancy bekam keinen Ton mehr heraus, als er zusah, wie Ruby den Zugangscode eintippte und dann die Tür aufstieß. »Komm schon, Kumpel, oder willst du rumstehen, bis jemand kommt und uns auf frischer Tat ertappt?«

Clancy fand das Büro der Geheimdienstzentrale Spektrum alles andere als beeindruckend.

»Die reinste Bruchbude!«, sagte er kopfschüttelnd. »Mal ehrlich, da hat dich jemand hereingelegt. Diese Leute sind nie und nimmer Geheimagenten.«

Doch seine Meinung interessierte Ruby im Moment herzlich wenig. Sie stieg bereits auf die Trittleiter, weil sie das oberste Regalfach hinten an der Rückwand erreichen wollte.

»Was machst du da?«, fragte Clancy.

Ruby zeigte auf das Päckchen. Es war bereits in Packpapier eingewickelt und versandbereit. »Mist, ich komme nicht dran! Komm, ich muss mich auf deine Schultern stellen.«

»Mensch, Ruby, dafür schuldest du mir aber einen Gefallen. Einen großen!«

Es war nicht ganz ungefährlich, aber Ruby schaffte es, auf Clancys Schultern zu klettern, ohne herunterzufallen oder ihrem Freund größere Verletzungen zuzufügen; vorsichtig streckte sie dann den Arm aus und bekam das kleine braune Päckchen zu fassen.

»Du schuldest mir einen Riesengefallen!«, brummte Clancy.
Ruby kletterte wieder auf den Boden, legte das Päckchen auf den Schreibtisch und schälte es behutsam aus dem Packpapier. Dann nahm sie alles heraus, was sich darin befand: eine verchromte Wasserflasche, Sonnencreme, Handschuhe, ein Taschenmesser und eine Puderdose.
»Seltsam«, murmelte Ruby und drehte die Puderdose hin und her.
»Was ist das?«, fragte Clancy, der über ihre Schulter spähte.
»Warum hat Lopez eine Puderdose mit ins Gebirge genommen?«
»Vielleicht war sie sehr eitel?«, schlug Clancy vor.
Ruby warf ihm einen tadelnden Blick zu. »Sie kraxelte an Felswänden herum, Clance! Wozu hätte sie sich da die Nase pudern wollen?«
»Mann, ich dachte, du willst eine Erklärung hören! Vielleicht war die Puderdose für sie eine Art Talisman.«
Ruby verdrehte die Augen.
»Okay, wenn du so clever bist, dann sag du es doch!«
»Ich denke«, sagte Ruby und hielt die Puderdose hoch, »ich denke, dass es einen ganz bestimmten Grund geben muss, warum sie diese Puderdose mit sich herumtrug.« Sie ließ sie aufschnappen. »Vielleicht hat sie darin den Code versteckt!« Doch zu ihrer Enttäuschung entdeckte sie in der

Dose nur ein Schwämmchen und einen Rest von mattem, beigefarbenem Puder.

»Oh«, sagte sie betreten.

Clancy kaute auf seiner Unterlippe. »Lass gut sein, Ruby. Vielleicht hast du ja recht, das ist absolut möglich – ich meine, vielleicht war der Code tatsächlich mal da drin, aber jemand ist dir zuvorgekommen.«

»Ja, und vielleicht hab ich mich auch getäuscht. Kann sein, dass ich total auf dem Holzweg war.«

Mutlos sank sie auf einen Stuhl. »Tja, ich würde vorschlagen, wir packen jetzt alles wieder schön ordentlich ein, wie wir es vorgefunden haben, und machen die Fliege.«

»Lass mich machen, Ruby. Ich bin gut, wenn es darum geht, keine Spuren zu hinterlassen.«

Clancy packte den Karton wieder fein säuberlich in das Packpapier, und Ruby mühte sich gerade damit ab, ihn auf das oberste Regalfach zurückzustellen, als sie plötzlich ein Auto vorfahren hörten. Und tatsächlich – Scheinwerferlicht fiel in das schäbige Bürozimmer. Erschrocken warteten die beiden Einbrecher mit angehaltenem Atem – doch zum Glück fuhr der Wagen dann weiter.

»Können wir endlich abhauen?«, flüsterte Clancy nervös.

Auf der Heimfahrt sagte Ruby kein Wort. Und sie blieb das ganze Wochenende über zu Hause.

27. Kapitel

Eine mörderische Formel

»Sieh mal an, wer da kommt! Die kleine Redfort!«

»Ha ha, sehr lustig, Del«, fauchte Ruby.

»Wie geht's deiner Großmutter?«, fragte Mouse.

Ruby fing Clancys Blick auf. »Oh, bestens. Sie ist wieder quietschfidel.«

»Wie schön«, sagte Red.

»Ja, wäre sie, wenn sie nicht tot wäre«, murmelte Clancy vor sich hin, und Ruby kickte ihn von hinten ans Bein. Sein Schmerzensschrei wurde zum Glück von der Schulglocke übertönt, und die fünf Schüler sahen zu, dass sie in ihre Klassen kamen.

»Hey, Ruby«, sagte Clancy, sobald die anderen außer Hörweite waren, »du hast doch versprochen, mir zu sagen, wen du alles in dieser Diashow gesehen hast. War jemand darunter, der ganz fürchterlich böse aussah?«

»Ach *das* – es war nur eine Art Schönheitswettbewerb der möglichen Verdächtigen.«

»Wie sehen sie aus?«

Ruby hätte Clancy gern alles erzählt, aber je mehr er wusste, desto riskanter wurde die Sache für ihn – und für sie.

Eigentlich sollte man nur dumme Freunde haben, dachte Ruby.

»In der Pause, okay?«, raunte er ihr zu.

Eine Stunde später versuchte Ruby, es ihm auszureden. »Hör mal, Clance, du darfst eins nicht vergessen: Offiziell weißt du von *nichts*. Die würden mir den Kopf abschlagen – schon für ein Millionstel von dem, was ich dir erzählt habe.«

Damit konnte sie Clancy nicht beeindrucken, und er erinnerte sie daran, dass er zweihundertprozentig verschwiegen war. »Du kennst mich, Ruby. Sie könnten meine Zehen einzeln an einen Schwarm Geier verfüttern, und kein Ton würde über meine Lippen kommen.«

»›Schwarm‹ stimmt nicht, Clancy.«

»Hä?«, sagte Clancy.

»›Schwarm‹ – man spricht nicht von einem *Schwarm* Geier. Ich weiß nicht, was es ist, aber ein Schwarm sicher nicht«, erklärte Ruby.

»Schwarm, Horde, Rudel, darum geht's doch gar nicht – ich wollte nur sagen, dass du mir absolut vertrauen kannst. Ich plaudere nichts aus und habe es noch nie getan.«

»Das weiß ich, Clancy, das weiß ich doch, aber du musst begreifen …«

Während Ruby mit ihm sprach, spielte sie geistesabwesend mit einem kleinen Gegenstand in ihrer Tasche herum – ließ ihn immer wieder aufspringen und drückte ihn wieder zu.

Dass sie das tat, merkte sie aber erst, als Clancy sagte: »Was klickt da dauernd? Spielst du wieder mit diesem Schlüsselring herum? Es macht mich verrückt.«

Ruby nahm die Hand etwas zu schnell aus der Tasche, und Lopez' Puderdose fiel scheppernd auf den Asphalt des Schulhofs.

Ruby und Clancy starrten darauf.

»Hä? Du hast sie mitgenommen?«

»Wollte ich nicht«, sagte Ruby. »Ich hab's nicht mal gemerkt – au Mann, da hab ich echt Mist gebaut.« Der kleine Spiegel war zerbrochen, der Puder stieg in einer kleinen Staubwolke auf, und als diese sich lichtete, gab die Puderdose ihr Geheimnis preis. Beim Herunterfallen hatte sich im Deckel ein Fach geöffnet, von dessen Existenz Ruby nichts gewusst hatte: Es war das Fach für die Puderquaste. Doch darin befand sich keine Quaste … sondern ein fein säuberlich zusammengefaltetes Papierchen.

»Was ist das?«, flüsterte Clancy.

Was es war? Nun, der kleine Notizzettel vom Hotel Springbrunnen, den jemand ganz sachte mit einem Bleistift übermalt hatte. Zwischen den Graphitspuren konnte man deutlich Abdrücke erkennen – Striche und in der Ecke oben links ein Wort.

»Der Code, nach dem wir suchen«, flüsterte Ruby ergriffen. »Das muss er sein. Ich hatte also recht, er war nie in den Akten!«

»Sieht für mich nur nach ein paar Linien und Strichen aus«, sagte Clancy. »Striche und dieses komische Gekritzel.« Er zeigte auf die merkwürdigen Buchstaben in der linken Ecke, die tatsächlich verdächtig nach einem Code aussahen.

ə0Ƨ islAAn

Ruby setzte sich auf die Bank und dachte angestrengt nach. Was hatte Lopez noch mal gesagt? »Ich hab's im Spiegel gesehen, und jetzt weiß ich Bescheid.« Was, wenn sie gar nicht den *Twinford Tagesspiegel* gemeint hatte? Sondern einen echten Spiegel? Nachdenklich hob Ruby die Puderdose vom Boden auf und hielt den kleinen Zettel vor den Spiegel. Die Striche und Linien waren jetzt natürlich anders herum, und die Buchstaben lauteten nun:

nAAlsi 206

»Sagt mir immer noch nichts«, seufzte Clancy.
»Mir auch nicht«, sagte Ruby.
Die Glocke verkündete das Ende der Pause, und Ruby musste wohl oder übel zu ihrer nächsten Stunde gehen. Aber die arme Lopez ging ihr nicht aus dem Sinn. Da hatte sie sich eben noch in ihrem kleinen düsteren Büro in der Maverick Street zu Tode gelangweilt – und drei Tage später

war sie *tatsächlich* tot. Was LB gesagt hatte, traf zu: Neugierde kann wirklich tödlich sein.

Ruby öffnete die Tür von Zimmer 14B und setzte sich.

»Wer kann mir sagen, wie die Formel von Schwefelsäure lautet?«, fragte Mr Singh gerade.

»H_2SO_4«, sagte Ruby ohne aufzublicken.

»Korrekte Antwort, Miss Redfort, aber falsches Klassenzimmer. Wenn mich nicht alles täuscht, hast du dienstags bei mir Chemie.«

Ruby blickte sich um. »Oh, verstehe. Falsches Zimmer, falsche Klasse.« Sie schnappte sich ihre Tasche, verließ fluchtartig den Raum und eilte ins Zimmer 14A, das genau ein Stockwerk tiefer lag.

Ruby murmelte eine Entschuldigung für ihr Zuspätkommen und sah zu, dass sie an ihren Platz kam.

»Wie ich gerade sagte«, nahm Mrs Schneiderman ihre Ausführungen wieder auf, »war Khotan bis ins elfte Jahrhundert ein buddhistisches Land, doch dann geriet es unter die Herrschaft von Yusuf Qadr Khan und musste eine neue Religion annehmen. Der weltberühmte Forscher Marco Polo besuchte Khotan im Jahr 1274 – er hatte von dem berühmten Jadebuddha gehört und wollte ihn mit eigenen Augen sehen. Doch leider musste er dann erfahren, dass dieser schon Jahre zuvor aus dem Land geschmuggelt worden war – von wem und wann wusste keiner.«

»Was soll an diesem Buddha so aufregend sein, Mrs Schnei-

derman«, stellte Vapona eine Zwischenfrage. »Er ist doch nur aus Jade, oder? Mein Mutter hat auch Jadeschmuck.«
»Nun, womit soll ich anfangen, Vapona …« Mrs Schneiderman wurde verlegen; Vapona Begwell als schwierige Schülerin zu bezeichnen, war in ihren Augen noch untertrieben.
»Abgesehen von der Schönheit und Bedeutung des Buddhas an sich, muss man bedenken, dass es sich nicht um eine x-beliebige Jadeart handelt, sondern um durchscheinenden Jadeit – eine Jadeart, die viele für die wertvollere halten. Nicht aber die Bürger von Khotan; *sie* schätzten den milchig-weißen Nephritjade, der in ihrer Gegend vorkommt, höher ein; für sie war er wertvoller als Gold. Und das macht den Jadeitbuddha auch so geheimnisvoll: die Frage, wie er überhaupt nach Khotan kam. Jade kommt auf der ganzen Erde vor, aber in China gibt es keinen Jadeit.«
Vapona gähnte unhöflicherweise. Red Monroe mochte es nicht, wenn jemand Mrs Schneidermans Gefühle verletzte, und deshalb tat sie das, was sie am besten konnte: Sie heuchelte Interesse. »Mrs Schneiderman, wo kam das Material für den Buddha dann her?«
»Oh, gute Frage, Red. Man findet Jadeit in weit entfernten Ländern wie Neuseeland, aber auch in Amerika, zum Beispiel in Kalifornien. Außerdem in Alaska, Guatemala … und natürlich in Burma, und deshalb vermutet man, dass der Buddha ursprünglich von dort stammt. Jadeit und Nephrit

unterscheiden sich nicht nur vom Aussehen her, sondern sie haben natürlich auch ganz unterschiedliche chemische Zusammensetzungen.«

Nun hatte Vapona endgültig genug. Sie legte den Kopf auf den Tisch und schloss die Augen.

Mrs Schneiderman war sichtlich enttäuscht.

Ruby Redforts Gehirnwindungen dagegen begannen zu glühen. Mensch, klar doch!, dachte sie.

»Mrs Schneiderman«, fuhr Red eifrig fort, »Sie sagten, Jadeit habe eine andere chemische Zusammensetzung als Nephritjade – worin besteht dieser Unterschied genau?«

»Ähm, Moment … da muss ich kurz nachdenken«, sagte Mrs Schneiderman. »Ich glaube, das eine besteht aus … Natrium, Sauerstoff, Silizium und … ähm, was war's noch gleich … ach ja, Aluminium.«

Während ihrer Ausführungen griff die Lehrerin zu ihrer Kreide und schrieb die Abkürzungen dieser Elemente an die Tafel, aber Ruby wusste sie auf Anhieb:

$NaAlSi_2O_6$

Kein Code, sondern eine chemische Formel!

Rubys Hand schoss hoch. »Mrs Schneiderman, kann ich bitte kurz raus? Mir ist gerade etwas ganz, ganz Wichtiges eingefallen.«

Mrs Schneiderman schüttelte irritiert den Kopf. »Aber

Ruby, wir sind hier in Geschichte, du hast Unterricht ... ich kann dich nicht einfach ohne Entschuldigung gehen lassen.«

»Ah, stimmt«, sagte Ruby, holte ein Blatt mit dem Briefkopf der Redforts aus ihrer Tasche und schrieb etwas darauf. Dann sprang sie auf, rannte damit zu Mrs Schneiderman und reichte es ihr.

»Aber Ruby, das hast du doch gerade erst geschrieben, die Tinte ist ja noch feucht.«

»Ach, sie müssen das Blatt nur ein bisschen hin und her schwenken, dann trocknet es sofort.« Ruby eilte zu ihrem Platz zurück und raffte hektisch ihre Sachen zusammen. Und schon war sie auf dem Weg zur Tür.

»Moment, das hab ich doch gar nicht gemeint, Ruby. Ich wollte sagen, dass es doch gar nicht von deiner Mutter geschrieben wurde.«

»Keine Bange, Mrs Schneiderman, meine Mutter würde Ihnen grünes Licht geben, wenn sie hier wäre – unten steht sogar ihre Unterschrift.«

Mrs Schneiderman studierte das Blatt und sah, dass Ruby recht hatte.

Meine Tochter Ruby darf den Geschichtsunterricht verlassen, wenn sie dringend weg muss.
Mit freundlichen Grüßen
S. Redfort

P.S. Danke, dass Sie meiner Tochter so viel über den Jadebuddha von Khotan beibringen, mir ist es trotz all meiner Bemühungen weiß Gott nicht gelungen!

Bis sich Mrs Schneiderman von ihrer Verblüffung erholt hatte, war Ruby schon verschwunden und flitzte durch den Korridor. Und keine zwei Minuten später rannte sie zum Schultor hinaus.

Sie rannte und rannte, bis sie an einer Straßenecke ein öffentliches Telefon entdeckte. Nach zweimaligen Läuten wurde abgenommen.

»Hey, Hitch, wollen Sie wissen, was ich weiß?«

»Kommt drauf an, was du weißt, Kleine.«

»Darf ich mal kurz wiederholen?«, sagte Ruby. »Sie WOLLEN WISSEN, was ich weiß?«

»Okay, jetzt begreife ich. Also, was weißt du?«

»Ich hab gerade etwas im Spiegel gesehen«, sagte Ruby.

Schweigen.

»Sind Sie noch dran, Hitch?«

»Ich hole dich ab, Kleine.«

»Dann sollte ich Ihnen wohl sagen, wo ich bin, oder?«

»Ich weiß, wo du bist, Kleine, an der Ecke Lime Street und Culver Street.«

»Hey, wie machen Sie das?«, fragte Ruby verblüfft.

»Ich hab eine kleine Vorrichtung, die mir immer verrät, von welchem Telefon aus du anrufst«, erklärte Hitch gelassen.

»Ganz schön abgefahren. Ha, dann darf ich nicht vergessen, dass ich Sie niemals anlügen darf, wenn Sie mich fragen, wo ich bin. Aber beeilen Sie sich! Ich schwänze den Unterricht, und das könnte Konsequenzen haben.«
»Überlass Letzteres *mir*, bin in zehn Minuten da.«
Acht Minuten später fuhr Hitchs Wagen vor.
»Sie sind zu früh«, sagte Ruby.
»Dann muss meine Uhr vorgehen«, erwiderte Hitch. »Also, worum geht's genau?«
»Geben Sie mir eine Limo aus, dann erzähle ich Ihnen alles.«
»Du pokerst ganz schön hoch, Kleine«, meinte Hitch achselzuckend.

Sie fuhren zu Blinky's Corner Café und setzten sich in eine der zitronengelben Nischen ganz hinten, damit sie ihre Ruhe hatten.
»Okay«, sagte Ruby leise, »Sie wissen doch, dass ich vermutet habe, Lopez hätte ihren Code ins Gebirge mitgenommen?«
Hitch runzelte die Stirn.
»Also, jetzt hab ich den Beweis dafür. Aber es gibt da ein Problem: Es wird Ihnen nicht gefallen, wenn ich Ihnen verrate, wie ich an diesen Beweis kam …«
Hitch zog eine Augenbraue hoch.
»Ich weiß, ich weiß, LB wird im Viereck springen, wenn sie

es erfährt, aber Sie können ihr sagen, dass ich den Code geknackt habe. Die Sache von wegen ›im Spiegel gesehen, und jetzt weiß ich Bescheid‹.«

»Willst du behaupten, dass du Lopez' Code geknackt hast?«, fragte Hitch skeptisch.

»Hundert Punkte!« Ruby nickte.

»Und wie hast du das geschafft, Kleine?«

»Okay, ich sag's Ihnen. Aber zuerst müssen Sie mir versprechen, dass Sie nicht ausflippen werden.«

»Klingt irgendwie nicht gut«, sagte Hitch.

»Halten Sie sich fest, es wird noch schlimmer: Die Sache ist die, dass ich weiß, wie Lopez herausbekam, dass mit Brunnen kein Brunnen, sondern das Hotel Springbrunnen gemeint war. Und ich weiß *auch*, dass sie auf eigene Faust dort war, *und* ich weiß, dass sie eine Frau mit Hut und Hutschleier beschattet hat – die, die auch bei der Bank war, glaube ich – und dass sie im Hotel einen Zettel mitgenommen hat, den sie nicht hätte mitnehmen dürfen. Außerdem weiß ich, dass sie dabei gesehen wurde.«

Hitchs Augenbraue kam gar nicht mehr zur Ruhe. »Und woher willst du das alles wissen?«

Ruby zuckte mit den Schultern. »Na ja, sagen wir, ich habe ein bisschen recherchiert. Wissen Sie, die Sache mit der Lawine kam mir gleich merkwürdig vor. Ich habe mich gefragt, ob es wirklich nur ein Zufall war ... oder ob Lopez umgebracht wurde.«

»Ah, so langsam verstehe ich«, sagte Hitch.
»Nun zu dem eigentlichen Problem«, sagte Ruby.
»*Eigentlich?* Ich dachte, die Tatsache, dass du Detektivin gespielt hast, sei schon problematisch genug.«
»Nee, es kommt leider noch schlimmer. Ich habe ganz dringend diesen Zettel gebraucht, und meine innere Stimme sagte mir, dass Lopez ihn bestimmt bei sich hatte, als sie starb. Denn da sie so clever war und alles verschlüsselte, hätte sie diesen Zettel auf keinen Fall in ihrem Hotelzimmer herumliegen lassen, oder? Sie *musste* ihn bei sich gehabt haben!«
»Kleine, mir schwant, wo das alles hinführt. Jetzt sag bloß nicht, du hast in ihren Sachen herumgeschnüffelt!«
»Wie hätte ich es sonst herausfinden sollen?«, sagte Ruby pampig. »Und es ist ja nicht so, dass ich nicht zuerst höflich gefragt hätte!«
Hitch runzelte die Stirn. »Okay, weiter.«
»Nun, unter ihren Sachen war etwas, das mich überrascht hat. Warum hat sie eine Puderdose zum Bergsteigen mitgenommen?«
»Genau? Warum?«, fragte Hitch.
»Weil sie darin etwas versteckt hatte.« Ruby legte den ramponierten Zettel auf den Tisch. »Das hier.« Hitch nahm den Zettel in die Hand und studierte ihn aufmerksam.
»Was ist das? Ich sehe nur eine Menge Striche – ein Labyrinthpuzzle? Eine Art Lageplan vielleicht?«

»Ja, glaub ich auch. Ich wette, es handelt sich um den Lageplan des Untergeschosses der Bank, wo die Tresorräume sind.«

»Na und? Wir wissen doch, dass sie den haben«, meinte Hitch schulterzuckend.

»Aber …« Ruby machte eine theatralische Pause. »Wenn man den Zettel vor einen Spiegel hält, wird es automatisch zum Lageplan des Untergeschosses vom Städtischen Museum – Jeremiah Stiles hat die beiden Gebäude genau spiegelbildlich entworfen.«

Hitch schwieg – er wartete ab, was Ruby noch zu sagen hatte.

»Und dieses Gekritzel da – nAAlsi 206, sehen Sie?«

Hitch nickte. »Ist es die Nummer eines Lagerraums? Die Kennnummer von einer der Antiquitäten?«

»Nicht direkt«, sagte Ruby. »Es ist eine chemische Formel.«

»Eine Formel von was?«

»Eine Formel für etwas, das die Menschen im alten China für wertvoller hielten als Gold!«

»Jade?«, sagte Hitch im Flüsterton.

»Diese Bande ist gar nicht hinter dem Gold her«, erklärte Ruby. »Sie wollen den Jadebuddha von Khotan rauben!«

»Ich glaub, mich tritt ein Pferd!«, entfuhr es Hitch.

»Lopez geriet durcheinander. Sie ging anfangs von den falschen Vermutungen aus. Sie hatte irgendwie recht, aber auch nicht – und dann sah sie es im Spiegel.«

»Puh!«, stöhnte Hitch. »Ich muss sofort LB informieren«, sagte er und legte ein paar Dollarscheine auf den Tisch. Er klopfte ihr auf die Schulter. »Kleine, du bist ein Genie! Bald vielleicht ein totes Genie – aber eindeutig ein *Genie!*«

28. Kapitel

Super, aber nur heimlich

Wegen des Einbruchs ins Büro in der Maverick Street bekam Ruby von LB eine Standpauke zu hören, die sich gewaschen hatte.

»Du hattest kein Recht, in ein Büro von Spektrum einzubrechen!«, fauchte LB.

»Genau genommen war es kein Einbruch«, konterte Ruby. »Ich meine, die Tastenkombination hatte ich ja – ich bin nur allein hineingegangen.« Sie tat viel cooler, als sie sich fühlte.

»Wenn du es schon *ganz genau* nehmen willst, Redfort, darf ich dich daran erinnern, dass du etwas mitgenommen hast, das dir nicht gehört. Und *genau genommen* handelt es dann um Diebstahl.«

Auch über den kleinen Ausflug ins Hotel Springbrunnen war LB alles andere als erfreut. »Was um Himmels willen hast du dir nur dabei gedacht? Du hättest Agent Blacker von deinem Verdacht erzählen und *ihm* die Sache überlassen sollen!« Dafür hatte Ruby natürlich ihre Gründe – Gründe, die damit zu tun hatten, dass sie zum einen Lopez nicht verpetzen und zum anderen selbst mal in Aktion tre-

ten wollte. Aber vermutlich war LB im Moment nicht empfänglich für irgendwelche Erklärungen.
Jedenfalls wurde Ruby ziemlich zusammengestaucht, aber trotz der Strafpredigt glaubte Ruby in LBs Blick etwas zu lesen, das fast nach Respekt aussah. Aber LB sagte abschließend nur: »Gute Arbeit, Redfort.«
Nach diesen Worten drehte sie sich um, griff zum Telefon und begann, eine Million Befehle herunterzurattern.
Ruby nahm an, dass sie damit entlassen war.

Es war komisch für Ruby, gleich am nächsten Tag wieder an die Twinford Junior High zu gehen. Als sie die kurze Strecke bis zur Schule radelte, fühlte sie sich noch ganz gut, doch als sie später in ihrem Klassenzimmer saß, sank ihre Stimmung langsam, aber sicher gegen null. Ihr wurde bewusst, dass die aufregenden Tage vorbei waren. Gestern hatte sie noch vor einer Herausforderung gestanden – nämlich Spektrum davon zu überzeugen, dass sie etwas drauf hatte, aber jetzt? Plötzlich hatte sie nichts mehr zu tun …

»Gute Arbeit? Mehr hat sie nicht gesagt?!«
Clancy war richtig empört, als er und Ruby sich nach der Schule trafen. Ruby Redfort, seine beste Freundin, die klügste Person weit und breit, wurde wie ein Niemand behandelt! Er konnte es nicht fassen.

»Du darfst nicht vergessen, Clance, dass es bei Spektrum nicht wie im richtigen Leben zugeht. LB macht so was jeden Tag – für sie war es sicher keine große Sache.«

»Keine große Sache?«, schnaubte Clancy. »Den Jadebuddha von Khotan zu retten, soll keine große Sache sein?«

»Tja, meine Eltern werden jedenfalls froh sein«, sagte Ruby, »obwohl sie es natürlich nie erfahren werden.«

»Stimmt«, sagte Clancy, »das ist das Problem, wenn man eine Superheldin ist, nicht wahr? Kein Mensch darf je erfahren, *wie* super du bist.«

Als Ruby nach Hause kam, machte sie sich sofort auf die Suche nach Hitch. Er war in seinem Zimmer und packte seine Sachen.

»Was? Sie gehen schon?«

»Nicht gleich, aber bald. Ich warte noch auf die Order.«

Ruby blickte sich um – es gab nicht viel zum Einpacken, doch als seine Sachen nun in seinem großen Koffer verschwanden, kam es ihr so vor, als würde der Raum seine Seele verlieren.

»Und was passiert jetzt bei Spektrum? Es gibt vor dem großen Tag im Museum sicher einiges an Sicherheitsmaßnahmen zu organisieren.«

»Abgesehen von dem lasergesteuerten Zentralverriegelungssystem, das wir ohnehin installieren wollten, haben wir das ganze Sicherheitsteam abgezogen, das ursprünglich für die Bank bestimmt war. Und natürlich werden sich etliche Spektrum-Agenten unter die Gäste mischen – und … ach ja, Botschafter Crew war so freundlich, uns sogar seine persönlichen Sicherheitsbeamten auszuleihen.«

»Clancys Dad leiht seine Sicherheitsleute aus? Wow, dieser Buddha muss ja echt wichtig sein!«

»Nun, Kleine«, sagte Hitch und boxte sie spielerisch an den Arm, »ich weiß nicht, ob du es schon gehört hast, aber es handelt sich ganz zufällig um den *Jadebuddha von Khotan*.«

»Ach je, jetzt, wo Sie es sagen, fällt mir ein, dass meine Eltern das schon mal am Rande erwähnt haben.«

Er zwinkerte ihr zu und nahm dann wieder Hemden von den Kleiderbügeln.

»Kann ich sonst vielleicht noch etwas für Spektrum tun?«, fragte Ruby voller Hoffnung.

»Ich denke, du kannst dich als entlassen betrachten, Kleine. Du hast getan, was es zu tun gab, auf etwas unkonventionelle Art, das muss gesagt werden, aber wir von Spektrum sind dir sehr dankbar. Du kannst jetzt wieder das tun, was du am besten kannst.«

»Aha. Und das wäre?«

»Die arme Mrs Drisco zur Verzweiflung bringen.«

»Klar, dafür lebe ich schließlich.«

Ruby ging nach oben in die Küche, stieß einen kurzen Pfiff aus, und wie erwartet kam Floh schwanzwedelnd angerannt.
»Wie schön, dass ich *dich* noch habe, mein guter, alter Freund. Du wirst mich nie fallenlassen, stimmt's? Nicht, solange wir noch was zu futtern im Kühlschrank haben.«
Floh leckte ihr eifrig das Gesicht.
»Dein Atem könnte etwas frischer sein, Kumpel, aber danke.« Sie kraulte ihn hinter den Ohren.
Ruby und ihr Hund gingen die Hintertreppe hinunter und verließen den Garten durch das Tor. Es war ein herrlicher Abend. Die Sonne würde bald untergehen, und eine warme Brise streifte ihr Gesicht. Aber das bemerkte Ruby nicht. Ihretwegen hätte es donnern und hageln können, denn ihr war zum Heulen zumute. Diese kalte, stechende Enttäuschung, die sie verspürte, war ein Gefühl, das Ruby Redfort bisher nicht gekannt hatte.
Ihr Leben auf der Überholspur war Knall auf Fall in eine Sackgasse geraten.

29. Kapitel

Ein ganz normales Mädchen

Rubys Laune sank noch mehr in den Keller, als sie am nächsten Tag in der Schule erfuhr, dass Clancy krankgemeldet war.
»Zahnschmerzen«, erklärte Red.
»Aber der Zahn wurde ihm doch gezogen, wie kann er da noch Zahnschmerzen haben?«
»Hat sich entzündet«, sagte Mouse. »Hat Mrs Bexenheath zu Mrs Drisco gesagt.«
»Zahnschmerzen gehörten zu den zehn häufigsten Gründen für Fehlzeiten in Schulen«, wusste Del beizusteuern.
»Hä? Bist du neuerdings eine Expertin für Zahnstatistiken, Del?«
Del stemmte die Fäuste auf die Hüften und funkelte Ruby an. »Redfort, hast du ein Problem? Du bist seit längerer Zeit schon so komisch, und welche Laus ist dir *jetzt* über die Leber gelaufen?«
Nachnamen verwendete Del nur, wenn sie sauer war.
Ruby war auch sauer. Sie war sauer auf Del, und sie war sauer auf Clancy. Niemand behauptete, dass es fair war, denn es war nicht fair, aber sie war trotzdem sauer. Ruby

Redfort fand es total unfair, dass *sie* herausbekommen hatte, was acht Undercover-Topagenten nicht geschafft hatten – und was hatte es ihr gebracht? Sie durfte wieder Tag für Tag in der Schule herumhängen, schnarch!

Als der Unterricht zu Ende war und Ruby durch das Schultor trat, sah sie den Wagen ihrer Mutter auf der anderen Straßenseite stehen. Mist, was soll das? Ruby hatte vorgehabt, noch kurz bei Clancy vorbeizuschauen.

»Hey, Mom, was gibt's?«

»Ich möchte mit dir einkaufen gehen. Du willst bei der Museumsfeier doch sicher gut aussehen, oder?«, sagte ihre Mutter. »Und es würde auch nichts schaden, wenn wir dir auch für *unsere* Party heute Abend etwas Hübsches kaufen – weiß der Himmel, was du anzuziehen planst.«

»Wieso sagst du das? Was ist mit meinen Sachen?«, fragte Ruby empört.

Sabina musterte ihre Tochter kurz. »Wo soll ich anfangen?«

»Was soll *das* bitte schön heißen?«

»Ach, Schatz, musst du immer diese T-Shirts tragen? Du könntest wie ein ganz normales Mädchen aussehen, wenn du nur wolltest.« An diesem Tag trug Ruby ihr T-Shirt mit dem Aufdruck: EIN DUMMKOPF SAGT WAS?

Ruby setzte sich auf den Beifahrersitz.

»Was?«, sagte ihre Mutter und starrte auf die Wörter quer über Rubys Brust.

»Richtig!«, sagte Ruby.

»Ich begreife nicht mal, was das heißen soll«, seufzte Sabina, während sie vom Randstein fuhr und sich in den Verkehr einfädelte. »Ich habe die hübscheste Tochter der Stadt, und alles, was sie will, ist ›anders‹ aussehen!«

»Warum sollte ich gleich sein wollen?«, fragte Ruby.

»Ich sage ja nicht *genau* gleich, aber wenigstens ein bisschen.«

»Ein *bisschen* gleich?«

»Na, normaler eben, so wie andere Mädchen«, erklärte Sabina mit Nachdruck.

»Mehr wie die da?«, fragte Ruby und zeigte auf Gemma Melamare, die beste Freundin von Vapona Pupswell, eine topgestylte Blondine mit mehr Make-up im Gesicht, als die Kosmetikabteilung eines Warenhauses im Angebot hatte.

Sabina schauderte. »Bitte nicht!«

Mutter und Tochter schwiegen für etwa fünfzehn Sekunden – als Sabina plötzlich etwas einfiel. »Oh, Ruby, ich muss dir was erzählen! Stell dir vor, es gibt Gerüchte, dass eine Verbrecherbande den Jadebuddha von Khotan stehlen will, kannst du dir das vorstellen?«

»Machst du Witze?«, sagte Ruby.

»Nein, sie haben es gar nicht auf das Gold abgesehen, wie man ursprünglich vermutet hat.«

»Und was geschieht jetzt? Werden die Sicherheitsvorkehrungen verstärkt?«

»Und wie! Sogar das Expertenteam von Botschafter Crew ist involviert, so wichtig ist das Ganze …«

»Mensch, Mom!«, schrie Ruby, als ein brauner Wagen in einem Affenzahn an ihnen vorbeiflitzte und so knapp vor ihnen wieder einscherte, dass Sabina kräftig auf die Bremse treten musste.

»Herrgott nochmal!«, kreischte Sabina. »Wie manche Leute fahren! Was sollte das?« Sie hupte, um ihren Unmut kundzutun. »Ähm, was habe ich gerade gesagt? Also, jedenfalls ist es absolut unmöglich, ins Museum einzubrechen, sobald sie all diese Lasergeräte und das Zentralverriegelungssystem haben. Das ist doch was, oder?«

»Stimmt«, sagte Ruby.

»Ich bin ja so aufgeregt! Dein Vater hat ein Angebot abgegeben, und wer am meisten bietet, darf dem Buddha um Punkt Mitternacht in die Augen blicken. So eine Chance bekommt man höchstens einmal im Leben! Stell dir vor: Wenn er gewinnt, hat er die Möglichkeit, innerhalb einer Sekunde halb so alt und doppelt so weise zu werden. Was sagst du dazu, Ruby?«

»Werden wir es überhaupt merken?«, fragte Ruby trocken.

Sabina schaute in den Rückspiegel – ein schwarzes Auto hinter ihnen bedrängte sie immer mehr, es hing fast schon an ihrer Stoßstange. »Was hat diese dumme Kuh hinter mir vor? Wenn sie uns noch mehr auf die Pelle rückt, haben wir sie in unserem Kofferraum sitzen!«

Das schwarze Auto begann zu hupen.
»Verflixt nochmal!«, rief Sabina. »Es gehört wirklich verboten, wie manche Leute fahren!«
»Das kannst du laut sagen«, kommentierte Ruby.
Plötzlich machte der Wagen ihrer Mutter einen Satz nach vorn, weil sie offensichtlich gerammt worden waren.
»Was soll das, Lady?«, schrie Sabina. »Ich kann nicht schneller.« Das braune Auto vor ihnen hatte sie eingezwängt.
»Mom! Wenn du uns nicht sofort von hier wegbringst, landen wir gleich in dem geparkten Laster da.«
Es stimmte: Sie fuhren direkt auf die offene Ladefläche eines großen grünen Lastwagens zu. Man hätte fast glauben können, er warte er nur darauf, sie zu verschlucken …
Ruby packte das Lenkrad und schrie: »Gib Gas, Mom!«
Ihre Mutter drückte das Gaspedal durch, und sie schossen in letzter Sekunde noch in eine Verkehrslücke – beide drückten die Augen zu und rechneten mit dem Schlimmsten, als der Wagen quer über die Schnellstraße schoss, was quietschende Reifen und wildes Gehupe zur Folge hatte …
Doch wie durch ein Wunder gelangten sie heil bis zur nächsten Ausfahrt.
»Diese verrückte Rothaarige sollte besser ihre viel zu große Sonnenbrille abnehmen, damit sie auch sieht, wohin sie fährt!«, schimpfte Sabina und schnappte nach Luft.
Ruby drehte den Kopf, doch das schwarze Auto war nicht

mehr zu sehen. Allerdings hatte sie das sichere Gefühl, dass der verrückte Fahrstil seiner Fahrerin absolut nichts mit deren Sehvermögen zu tun hatte.

»So, so, und jetzt lassen sie dich fallen?« Clancy hatte sichtlich Mühe, diese Neuigkeit zu verdauen. Er war zu Ruby geeilt, sobald er ihre Nachricht erhalten hatte. »Zuerst sagen sie kaum danke, und jetzt lassen sie dich auch noch fallen?! Ich fass es nicht!«

»Sie ließen mich nicht *fallen*; ich musste nur etwas für sie herausfinden, und das habe ich geschafft. Deshalb war's das.« Ruby tat so, als würde es ihr nichts ausmachen, aber Clancy ließ sich nicht beruhigen.

»Na schön, du bekommst also alles heraus, und sie geben dir einfach, mir nichts dir nichts, den Laufpass, als hätten sie dich im Grunde genommen nie gebraucht!«

»Nein, Clance, es verhält sich genau umgekehrt ...«, wandte Ruby ein, doch Clancy war nicht zu bremsen.

»Ich finde es unerhört, dass sie dich quasi benutzt haben; du hast dir ihretwegen den Kopf zerbrochen, und was ist der Dank?« Er machte eine theatralische Pause, ehe er hinzufügte: »Sie werfen dich *raus*!«

»Clance, ganz so war es nicht.«

»Es muss echt schlimm für dich sein, Ruby! Du kommst dir sicher vor wie ein alter Putzlappen ...!«

»Clance!«

»… der mit dem übrigen Hausmüll in den Abfall geworfen wird!«
»Danke, Clance«, sagte Ruby. »Du baust einen immer so schön auf.«
»Entschuldige, Ruby, ich wollte dich nicht noch mehr runterziehen, aber ich ärgere mich schwarz, wenn ich sehe, wie sie mit dir umspringen!«
»Ich weiß«, sagte Ruby. »Ich hatte ja auch gehofft, sie würden mich behalten und mir weitere Aufgaben geben … wäre schon nett gewesen.« Sie seufzte. »Aber jetzt vergessen wir's und reden über etwas anderes, okay?«
»Okay, sollen wir Pizza essen gehen?«
»Ich dachte, du hast Zahnschmerzen?«
»Nö, das war nur geschwindelt. Ich hatte meine Französischhausaufgaben nicht gemacht, da wollte ich lieber die Schule schwänzen. Mein Dad bringt mich um, wenn ich schon wieder eine schlechte Note nach Hause bringe.«
»Clance! Warum hast du das nicht gleich gesagt? Ich kann dir irgendwann diese Woche mal helfen.«
»Echt?«
»Klar, kein Problem. Mach ich mit links.«
»Danke, Ruby! Komm, wir schauen, ob wir Ray's Pizzawagen irgendwo entdecken. Du bist eingeladen!«
»Abgemacht, mein Freund! Damit machst du ein gutes Geschäft.«

30. Kapitel

Zimmerservice

Clancy Crew und Ruby Redfort saßen auf dem Twinford Square und aßen genüsslich die beiden Peperoni-Sardellen-Blumenkohl-Pizzastücke, die sie gerade bei Ray's mobilem Pizza-Wagen gekauft hatten.

»Leckere Kombination, Clance – etwas abgefahren, aber doch irgendwie lecker«, nuschelte Ruby mit vollem Mund.

»Ja, weißt du, ich dachte, knusprige Blumenkohlröschen würden die salzigen Sardellen perfekt ergänzen, und die Würstchen würden eine Art ... ähm, wurstigen Geschmack dazugeben.«

»Da hast du dich nicht geirrt, mein Freund«, sagte Ruby. Solche hochgestochenen Diskussionen über Pizzas konnten die beiden endlos führen, aber an diesem Tag war Clancy nicht ganz bei der Sache. Während er kaute, fiel ihm eine rothaarige Frau auf, die den Square fotografierte – okay, es war ein schöner, milder Frühlingsabend, und der Platz sah sehr hübsch aus, aber diese Frau machte eine *Menge* Fotos, und nicht nur von den Bäumen und Blumen – mit ihrer Spiegelreflexkamera fotografierte sie ein Gebäude nach dem anderen, fast so, als wollte sie sie dokumentieren.

»Hey, Ruby, sieh mal, die rothaarige Frau da, die wie wild fotografiert. Ich würde wetten, dass ich sie schon mal gesehen habe!«

»Klar, natürlich kannst du sie schon mal gesehen haben. In Twinford leben viele Leute, Clance!«

»Logo, Ruby, aber das ist es nicht. Ich habe sie schon mal gesehen, aber *nicht* in Twinford.«

»Na und? Dann hast du sie eben woanders gesehen.« Ruby versuchte gerade, einen langen Käsefaden in den Mund zu bekommen.

Clancy ließ die Frau nicht aus den Augen. »Die hört ja gar nicht mehr auf zu fotografieren.«

»Ist nicht verboten«, meinte Ruby gleichgültig.

»Ich hab sie schon mal mit einer Kamera gesehen, das weiß ich ganz sicher. Irgendwas an ihr gefällt mir nicht.«

Ruby beäugte ihn von der Seite. »Bist du dir sicher, Clance?«

»Ja, ich habe eine meiner Vorahnungen, Ruby, vertrau mir!«

»Ich vertraue dir, Clance! Eine Clancy-Crew-Vorahnung darf man nie auf die leichte Schulter nehmen, sag ich immer.«

Clancy nickte. »Meinst du, wir sollten sie beschatten?«

»Warum nicht?« Ruby wischte sich die Krümel von den Hosenbeinen.

Sie warteten, bis die Frau etwa die Hälfte des Platzes mit

den vielen Bäumen fotografiert hatte, bevor sie sich an ihre Fersen hefteten. Das war nicht besonders schwierig, weil an diesem sonnigen Spätnachmittag viele Leute ihre Hunde Gassi führten, und das war eine gute Tarnung.
Sie folgten der Frau, bis diese irgendwann durch die Drehtür des Grand Twin Hotels verschwand, und schlichen sich dann hinter einem jungen Ehepaar mit ihren vier zankenden Kindern ins Hotel. Ruby sah, dass der Portier der rothaarigen Frau den Schlüssel von Zimmer 524 gab, die damit zum Aufzug schritt. Kaum war sie außer Sicht, erspähte Ruby einen verlassen im Korridor herumstehenden Trolley vom Etagendienst – er sah aus, als sei er auf dem Weg zu einer Suite, doch weit und breit war kein Angestellter zu sehen. Ohne ein Wort der Erklärung marschierte Ruby darauf zu und schob ihn entschlossen zu einer Aufzugtür, die sich gerade öffnete. Clancy folgte ihr nervös.
»Nicht so zucken, Clance, sonst werden wir ertappt. Selbstsicherheit ist die halbe Miete!« Sie drückte auf den Knopf zum fünften Stockwerk.
»Und was machen wir jetzt?«, fragte Clancy.
»Jetzt ziehst du deinen Sweater aus.«
»Warum das?«, fragte Clancy.
»Weil du darunter ein weißes T-Shirt anhast. Und wenn du dir dieses Tuch um den Bauch bindest, siehst du bestimmt wie ein Hotelboy aus – oder nicht?«
»Mensch, ich bin dreizehn, Ruby, und dürr wie eine Boh-

nenstange. Kein Mensch wird mir den Hotelboy abnehmen!«
»Glaub mir jetzt endlich!«, zischte Ruby.
»Okay, ich glaube dir, Ruby, aber sonst vermutlich keiner.«
Sie rollten den Trolley durch den Flur des fünften Stockwerks bis zum Zimmer 524. Dort angekommen, kroch Ruby in den Trolley und versteckte sich unter dem großen weißen Tischtuch.
»Was jetzt?«, wisperte Clancy.
»Anklopfen!«, zischte Ruby.
»Ich habe befürchtet, dass du das sagen würdest«, sagte Clancy, bevor er so zaghaft klopfte, dass es ein Wunder war, dass ihn jemand hörte.
Die rothaarige Frau öffnete die Tür, ein Telefon am Ohr, da sie offenbar in ein intensives Gespräch verwickelt war.
»Entschuldige, Bobby – da ist jemand an der Tür«, sagte sie in den Hörer, dann musterte sie Clancy streng. »Ja?«
»Zimmerservice«, sagte Clancy schüchtern.
»Hab nichts bestellt«, erklärte die Frau und griff nach ihrer Brille.
Clancy blieb stumm, bis er in die rechte Wade gezwickt wurde.
»Geht auf Kosten des Hauses«, sagte er hastig.
»Okay, stell's dort drüben hin«, sagte die Frau und deutete auf das andere Ende ihres Zimmers. Dann kniff sie die Augen zusammen. »Du bist recht jung für einen Hotelboy, hm?«

»Ich bin älter, als ich aussehe«, versicherte ihr Clancy.
»Ein Glück, weil du nämlich wie neun aussiehst.«
Clancy beschloss, dass er die Frau nicht mochte.
Sie nahm ihr Telefongespräch wieder auf. »Hör mal, ich muss gleich aufhören, Bobby. Ich muss diese rote Pampe auswaschen, bevor meine Haare feuerrot werden.«
Während Clancy so tat, als hätte er eine Ahnung, wie man mit einem Servicetrolley umgeht, verschwand die Frau im Badezimmer. Ruby hörte, dass sie die Tür zumachte und gleich darauf die Dusche anging. Ruby streckte ihr Näschen unter dem Tischtuch hervor.
»Die Luft ist rein«, flüsterte Clancy.
Ruby kroch heraus und blickte sich um. »Und was suchen wir hier?«, fragte Clancy.
»Keine Ahnung. Beweise eben.«
»Für was?«
»Woher soll ich das wissen, Clance? Du bist doch der mit den Vorahnungen, oder? Also hör auf, sinnlose Fragen zu stellen, und sieh dich um.«
Ruby machte sich über die Blätter und Notizhefte her, während Clancy eine der überdimensionalen Sonnenbrillen anprobierte, die auf dem Tisch lagen. Sie waren alle riesig, hatten aber verschiedene Formen und Farben.
»Cool«, sagte Clancy.
Nach etwa fünfeinhalb Minuten stieß Ruby auf dem Schreibtisch auf einen Stapel Fotografien – sie waren eher

langweilig und in einer Art Bar oder Lounge aufgenommen, die offenbar zu einem Flughafen gehörte. Sie sah sie in aller Eile durch, bis sie zu einem Foto kam, auf dem zwei Menschen zu sehen waren, die in der Schlange vor der Bar standen und die Ruby sofort erkannte – obwohl sie von hinten fotografiert waren und man ihre Köpfe nur zum Teil sehen konnte: Es waren unverkennbar ihre *Eltern*!

Man sah ganz deutlich, dass der Fotograf nicht die Redforts hatte fotografieren wollen, sie standen nur zufällig im Weg. Nein, die Zielperson war ein anderer, der etwas weiter weg stand. Ein kleiner Mann mit einem großen grauen Schnauzbart schaute direkt in die Kamera, und als Ruby seine Augen sah, huschte ihr ein kalter Schauer über den Rücken – sie hatte keine Ahnung, wer dieser Mann war, erkannte aber auf Anhieb, dass ihm das nackte Entsetzen ins Gesicht geschrieben stand. Auf den nächsten Fotos sah man, wie sich der Mann umdrehte und durch die Menge drängte, wobei er eine Frau anrempelte – Rubys Mutter? Dann rannte er zur Tür und verschwand von der Bildfläche … aber was war mit den zwei Männern in den dunklen Anzügen? Liefen sie ihm etwa nach?

»Schau dir das an, Clance!« Ruby hielt ihm das Foto mit ihren Eltern vor die Nase. »Kennst du jemanden darauf?«

Clancy starrte das Foto volle dreißig Sekunden lang an, bevor er sagte: »Ja, ich glaube schon. Den Mann im Hintergrund, der mit dem großen Schnauzbart, den hab ich neulich abends gesehen.«

»Was willst du damit sagen?«, sagte Ruby überrascht.

»An dem Abend, als ich bei euch war – und du in der Küche warst, um die Drinks zu machen. Deine Eltern haben doch ihre Dias vorgeführt – Mann o Mann, du hattest ja so recht, sie waren stinklangweilig. Erinnere mich daran, dass ich mir das nicht noch mal antue … Ich meine, vielleicht tue ich deinen Eltern ja unrecht, aber für mich sehen Bilder mit verschneiten Bergen irgendwie alle gleich aus.«

»Clance, könntest du bitte beim Thema bleiben?«

»Okay, also dieser Typ mit dem Schnauzbart war auf einem der Dias zu sehen – er war es, der deiner Mutter den Drink über die Jacke geschüttet hat.«

»Und warum hat diese Frau in der Dusche nebenan Fotos von diesem komischen Kauz hier liegen?«, fragte Ruby.

»Ach ja, das wollte ich dir noch sagen«, sagte Clancy, »diese Frau – sie kam mir ja gleich irgendwie bekannt vor. Sie war auf den Dias deiner Eltern irgendwo im Hintergrund zu sehen.«

Ruby starrte auf das Foto und überlegte angestrengt. »Aha, du willst also sagen, dass der Mann mit dem Schnauzbart, meine Eltern und die rothaarige Frau zusammen am Flughafen waren.«

»Ich habe nicht behauptet, dass sie *zusammen* waren«, sagte Clancy und ging zum Sideboard.

»Klar, weiß ich, dass sie nicht zusammen waren, aber es muss eine Verbindung zwischen ihnen geben. Aber welche?«, überlegte Ruby laut.

»Vielleicht sind sie zusammen nach Twinford geflogen?«

»Könnte natürlich sein, aber das wissen wir nicht mit Sicherheit. Wir wissen nur, dass meine Eltern hierhergeflogen sind. Und wir wissen, dass die Rothaarige jetzt hier ist. Aber was den Mann mit dem Schnauzbart betrifft … der könnte inzwischen in Hongkong sein oder was weiß ich.«

»Hey, Ruby, sieh dir das an!« Clancy hielt einen mit Diamanten verzierten kleinen Revolver hoch.

»Was soll das? Leg ihn sofort wieder weg!«

Clancy wollte die Waffe wieder dorthin legen, wo er sie gefunden hatte, doch sie rutschte ihm aus der Hand und fiel scheppernd auf den Boden.

»Hey, was ist los?«, rief die Frau aus dem Bad.

Ruby ließ vor Schreck die Fotos fallen. »Lass uns verschwinden!«, zischte sie.

»Entschuldigung, Ma'am!«, rief Clancy und legte den Revolver wieder an seinen Platz zurück. »Alles fertig! Ich gehe!«

Er und Ruby rannten zur Tür. Im Korridor gaben sie Fersengeld. Sie nahmen die Hintertreppe, die in eine enge Gasse führte, die in die Derwent Street mündete, und von dort aus rannten sie quer über den Twinford Square. Sie rannten und rannten, bis sie zur Ecke Amster Street kamen, wo sie vor dem Double Donut Diner keuchend zusammenbrachen.

»Junge, Junge … das war … echt knapp«, keuchte Clancy. »Erinnere mich bitte daran … dass ich mich von dir nie mehr … keuch … überreden lasse, bei einer deiner schwachsinnigen Ideen mitzumachen!«

»Sei du bloß ruhig! Es war *deine* Vorahnung, und wenn du nicht so ungeschickt gewesen wärst–« Sie verstummte mitten im Satz.

»Mensch, Clancy, wo hast du diese Brille her?«

Clancy betrachtete sein Spiegelbild im Schaufenster vom Double Donut Diner. »Hupps«, rief er. »Ich hab ganz vergessen, sie zurückzulegen – ich nehme an, sie gehört der Lady im Hotel. Halb so wild, oder? Sie wird denken, ich hätte sie aus Versehen mitgenommen, weil ich dachte, es sei meine Sonnenbrille.«

»Klar, Clance, ganz bestimmt! Diese Brillengläser sind ja auch nur so groß wie dein ganzes Gesicht! Sie denkt bestimmt, dass es nur ein Versehen war. Du bist mir ein toller Spion! Ich würde diese Brille überall wiedererkennen … ü-b-e-r-a-l-l …« Wieder verstummte Ruby abrupt, und ihre Miene hellte sich auf. »Ich nehme alles zurück! Du bist ein Genie, Clance, altes Haus, ein Genie!«

»Wie? Was hab ich jetzt gemacht?«, stammelte Clancy.

»Mir ist nur gerade eingefallen, wo ich diese Brille schon mal gesehen habe! Bei der Frau heute, die meine Mom von der Straße abdrängen wollte. *Sie* hat diese Brille getragen!«

»Aber warum wollte sie deine Mutter von der Straße abdrängen?«, fragte Clancy.

»Genau *das* will ich herausfinden«, erklärte Ruby. »Du, ich muss los. Muss in Ruhe nachdenken – ich fürchte, ich hab da einiges übersehen, Clancy. EINIGES!«

31. Kapitel

Raus ist raus!

Als Ruby durch das hintere Gartentor und über den Kiesweg auf ihr Haus zurannte, sah sie, dass die Hintertür offen stand. Sie flitzte hinein und die Küchentreppe hinauf.

»Wo ist Hitch?«

Consuela blickte auf und schüttelte den Kopf. »Warum haben es heute alle so eilig?«

Ruby hatte keine Zeit für lange Erklärungen. »Hitch … wo?«, wiederholte sie ungeduldig.

»Er bringt seine Sachen ins Auto«, sagte Consuela pampig.

»Was?!«

»Er reist ab – goodbye – adiós!«

Ruby machte auf dem Absatz kehrt, rannte wieder die Treppe hinunter und zur Garage. Hitch war gerade dabei, seinen großen Koffer in dem silbernen Cabrio zu verstauen.

»Wohin gehen Sie?«

»Das ist streng vertraulich, Kleine.«

»Was? Da wühle ich mich durch jede einzelne von Lopez' Akten, versuche mich in ihren Kopf hineinzuversetzen … und jetzt ist plötzlich alles streng *vertraulich*?«

»Richtig, Kleine. Entweder du bist dabei, dann bist du dabei. Oder du bist raus, und raus ist raus.«
»Okay, aber vielleicht ändern Sie Ihre Meinung, wenn Sie hören, was ich zu sagen habe«, sagte Ruby.
»Worum geht es? Ich muss in meinem Flieger sitzen in …«
Hitch warf einen Blick auf seine Uhr. »… genau siebzehn Minuten.«
»Okay«, sagte Ruby. »Angefangen hat es heute Nachmittag, als ich mit Clancy Pizza essen war.«
Hitch verdrehte die Augen und schlüpfte in seine Jacke. »Schön für dich, Kleine, nette Geschichte, aber die kannst du mir auch erzählen, wenn ich zurück bin.«
»Nette Geschichte? Soll das ein Witz sein? Das hier ist keine Märchenstunde, Mann!«
»Kleine, auf mich wartet Arbeit!«
»Verflixt, würden Sie mir vielleicht mal für fünfundsiebzig Sekunden zuhören!« Etwas in Rubys Stimme ließ Hitch hellhörig werden.
»Okay, ich hör dir zu, aber du musst schnell reden. Ich hab wirklich keine Zeit, und wenn ich schnell sage, *meine* ich schnell.«
»Okay«, machte Ruby einen neuen Anlauf. »Wie ich schon sagte, war ich also mit Clancy Pizza essen. Aber eigentlich fing es schon damit an, dass das Gepäck meiner Eltern verlorenging. Unmittelbar danach war dieser Einbruch bei uns, bei dem alles mitgenommen wurde, und dann war da

diese Verrückte mit der Riesensonnenbrille, die uns auf der Schnellstraße von hinten gerammt hat.«
Hitch starrte Ruby an, als hätte sie nicht alle Tassen im Schrank. »Was?«, sagte er.
»Diese rothaarige Frau«, erklärte Ruby. »Die plötzlich andauernd überall auftaucht …«
»Sag mal, was erzählst du da, Kleine? Es klingt ja völlig abstrus. Ich begreife kein Wort.«
»Na ja, heute Abend ist diese Rothaarige jedenfalls wieder aufgetaucht, und Clancy ist stutzig geworden, weil sie sich so verdächtig benommen hat, und er dachte, er hätte sie früher schon mal gesehen. Zuerst fiel ihm nicht ein, wo das gewesen war, und da sagte ich, auf, komm, wir beschatten sie mal, und dann sind wir ihr gefolgt. Sie ging ins Grand Twin Hotel, und Clancy hat sich als Hotelboy verkleidet, und wir sind in ihr Zimmer und haben uns die Sache genauer angesehen.«
»Ihr habt euch die Sache genauer angesehen?«, wiederholte Hitch fassungslos.
»Es war nur eine Vorahnung. Clancy hat diese Vorahnungen, und ich habe gelernt, dass es meistens ratsam ist, ihnen nachzugehen.«
»Okay, Kleine, ihr geht also ins Hotelzimmer einer wildfremden Person, und weiter? Ich bin ganz Ohr.«
»Sobald sie unter der Dusche stand, haben wir ihre Sachen durchsucht.«

»Ihr habt ihre *Sachen* durchsucht?« Hitch bekam den Mund nicht mehr zu.

»Na ja, Clancy eigentlich nicht. Er stand nur da und hat ihre Sonnenbrillen anprobiert. Mann, damit sah er vielleicht bescheuert aus!«

»Ihr seid in das Hotelzimmer einer Frau eingedrungen, und Clancy probiert ihre *Sonnenbrillen* an?«

»Mann, ist hier irgendwo ein Echo? Hören Sie, wir sind nicht *eingedrungen*, okay? Wir haben uns nur unter einem Vorwand Zutritt zu ihrem Zimmer verschafft.«

»Aha, so klingt es natürlich schon *viel* besser. Hab ich wirklich richtig verstanden? Clancy hat also eine Vorahnung, ihr zwei habt euch unter einem Vorwand Zutritt zum Hotelzimmer einer unschuldigen Frau verschafft; sie geht duschen, und ihr durchwühlt die Bude.«

»Worauf ich hinauswollte ist, dass sie gar nicht *so* unschuldig ist. Ich glaube, sie ist irgendwie in die Sache verwickelt.«

»In welche Sache?«, fragte Hitch, dessen Geduldsfaden kurz vor dem Reißen war.

»Keine Ahnung, aber in irgendwas ist sie verwickelt«, sagte Ruby.

»›*In irgendwas verwickelt*‹. Was soll das bedeuten?« Doch ausgerechnet in dem Moment piepste Hitchs Uhr. Er blickte auf das blinkende Zifferblatt, drückte auf den Sprechknopf und zog die Antenne heraus. »Ja, bin auf dem Weg. Ende.«

»Was!? Sie dürfen nicht gehen. Clancy und ich glauben, dass alles mit dem Jadebuddha zu tun hat. Begreifen Sie nicht?«

Hitch drehte sich um und starrte Ruby streng an. »Ich begreife nur eins: Ich sehe ein Schulmädchen, das sich etwas in den Kopf gesetzt hat, dem es bei weitem nicht gewachsen ist. Wir sind hier nicht bei *Crazy Cops*! Du bist keine Agentin, das Ganze ist kein Spiel, und wie zum Teufel bist du auf die schwachsinnige Idee gekommen, mit deinem Kumpel Clancy über einen Spektrum-Fall zu reden? Dir wurde ausdrücklich gesagt, dass du die Klappe zu halten hast!«

So wütend hatte Ruby Hitch noch nie erlebt. Das mit Clancy hätte sie ihm nicht sagen sollen. Mist, das war ein Fehler gewesen.

Doch Hitch saß bereits im Auto und drehte den Zündschlüssel um.

»Was ist mit heute Abend? Meine Eltern rechnen fest damit, dass Sie bei ihrer Party die Getränke servieren! Es ist wichtig für sie, sie werden bestimmt stinksauer sein – Sie können nicht einfach abhauen!« Rubys Stimme wurde immer schriller, während sie verzweifelt nach einem Grund suchte, um Hitch zum Bleiben zu überreden.

»Wir schicken einen Ersatz«, sagte er wütend.

»Und was ist mit der Rothaarigen?«, rief Ruby ihm nach. Doch ihre Stimme ging im Aufheulen des Motors unter.

Während der Fahrt dachte Hitch über Ruby nach. Er platzte fast vor Wut.

Was zum Kuckuck ist nur in die Kleine gefahren?

Sie mochte zwar genial sein, aber sie nahm sich Sachen heraus, die einfach unerhört waren! Wahrscheinlich lebte sie damit ihre Geheimagentinnen- oder Spioninnenphantasien aus.

Doch obwohl er sie am liebsten erwürgt hätte, sollte er dringend jemanden beauftragen, sie im Auge zu behalten, solange er selbst weg war. Das mit dem Erwürgen konnte warten, bis er zurück war.

Er drückte auf einen Knopf am Armaturenbrett und wurde sofort zur Chefin durchgestellt.

»LB, hören Sie, es kann eventuell ganz harmlos sein, aber Ruby hat es sich in den Kopf gesetzt, dass sie eine Agentin in geheimer Mission ist. Ich fürchte, es könnte ein böses Ende nehmen, wenn nicht jemand auf sie aufpasst.«

»Wollen Sie mir nicht sagen, was passiert ist?«

»Nun ja, heute ist sie mit ihrem Schulfreund Clancy ins Hotelzimmer einer fremden Frau eingedrungen.«

LB seufzte. »Herrje, ich hätte das Kind außen vor lassen sollen. Ich müsste es doch inzwischen wissen.«

»Sie müssen sie im Auge behalten, damit sie nicht noch mehr Unsinn macht.«

»Okay, ich werde Groete damit beauftragen.«

»Groete?«, rief Hitch erschrocken. »Nein, das ist keine gute

Idee. Die Kleine und Groete können nicht miteinander – können Sie nicht jemand anderen damit beauftragen?«
»Wir *haben* nur Groete, all unsere anderen Agenten sind mit größeren Aufgaben beschäftigt.«
»Ich weiß nicht, ob er damit klarkommt.«
»Seien Sie unbesorgt. Ich werde ihm sagen, dass er sich benehmen muss.«

Hitch hatte tatsächlich für einen Ersatz gesorgt – um sieben Uhr stand eine junge Frau in einem eleganten Cocktailkleid vor der Tür des Redfort'schen Anwesens.
»Mein Name ist Christie – Hitch schickt mich. Ich bin heute Abend für die Zubereitung und das Servieren der Cocktails zuständig. Wenn ich richtig informiert bin, erwarten Sie ungefähr sechzig Gäste?«
Brant Redfort lächelte. »Freut mich, Sie kennenzulernen, Christie. Ich bin Brant, aber wo ist …?«
»Hitch? Oh, der hatte einen persönlichen Notfall. Ich springe für ihn ein. Wo soll die Bar aufgebaut werden?«
Mürrisch deutete Consuela zum Wohnzimmer.
Als Sabina nach einer Weile nach oben kam, hatte sich Christie bereits eingearbeitet.
Das Telefon im Flur läutete. Ruby nahm ab und sagte unwirsch: »Hausgemeinschaft Redfort, geschüttelt und möglichst noch gerührt.«
»Erzähl, was hat er gesagt? Wusste er, wer die Rothaarige

ist und warum sie hinter einem Mann mit Schnauzbart her ist?« Es war Clancy, der sich nicht mit langen Vorreden aufhielt.
»Hatte leider keine Chance, es zu erfahren – er hatte es tierisch eilig«, erklärte Ruby.
»Was? Dann musst du dich an Spektrum wenden, Ruby! Es könnte wichtig sein – und hängt vielleicht sogar mit dem Jadebuddha zusammen.«
»Meinst du, das weiß ich nicht?«, maulte Ruby. »Aber was kann ich tun, wenn mich keiner ausreden lässt?«
»Zwing sie dazu«, sagte Clancy mit Bestimmtheit. »Geh hin und zwing sie, sich anzuhören, was du herausgefunden hast. Es geht vielleicht um Menschenleben. Du weißt ja, wie es Lopez ergangen ist.«
Er hat recht, dachte Ruby. Clancy konnte dickköpfig und eine große Nervensäge sein, aber er irrte sich höchst selten.
Unbemerkt verließ Ruby die Party, schlüpfte zur Tür hinaus und ging nach oben in ihr Zimmer. Sie zog eine Jeans unter ihr Kleid an und tauschte ihre Schuhe gegen Sneakers aus. Dann kletterte sie aus dem Fenster und seitlich an der Hauswand hinunter. Unten im Hof angekommen, pfiff sie nach Floh, der sofort schwanzwedelnd angerannt kam. Sie sprang auf ihr Rad und radelte durch die Stadt, die Mountain Road hinauf bis zur früheren Tankstelle Lucky Eight. Floh hielt fast mühelos mit ihr Schritt.

Der Kanaldeckel war noch da, doch Ruby konnte ziehen und zerren, so lange sie wollte, der Deckel ließ sich keinen Millimeter bewegen.
Was nun?
Sie radelte runter zur Twinford Bridge, kletterte über das Geländer und stellte sich auf die obersten Eisenstützen. Behutsam kletterte sie dann tiefer, bis auf halbe Höhe der Brücke, doch die verrostete Tür war nicht mehr da, und man konnte auch nicht sehen, wo sie gewesen war. Ruby radelte in die Stadt zurück, bis zur Maverick Street, sprang vom Rad und ging auf die schäbige braune Tür neben dem Münzwaschsalon zu. Der Türsummer war noch da, doch das kleine Tastenfeld war verschwunden, und Ruby konnte drücken und klopfen, so lange sie wollte – niemand öffnete ihr, und es sah ganz so aus, als sei keiner da.
Tja, Ruby hatte alles versucht. Na schön, dann gehen wir eben wieder zur Party, Floh.

Als sie gerade das vordere Tor zum Anwesen der Redforts öffnen wollte, hörte sie plötzlich eine Männerstimme sagen: »Wo kommst *du* her, Kleine?«
Ruby wirbelte herum und sah Groete vor sich.
»Was geht Sie das an, Mann?«
»Muss leider wieder den Babysitter spielen. Spektrum will, dass ich auf dich aufpasse, damit du nicht noch mehr Ärger machst.« Dazu grinste er blasiert.

»Was?! Das hat mir gerade noch gefehlt! Ein Hirni, der mir an den Fersen klebt!«

»Glaub mir: Ich bin bestimmt nicht *freiwillig* hier – keine Ahnung, womit ich das verdient habe …«

»Vielleicht liegt's an Ihrem Anzug?« Ruby grinste ihn frech an.

Groete biss die Zähne zusammen. »Ich behalte das hintere Gartentor von nun an im Auge, Kleine – das nächste Mal kommst du nicht so leicht aus dem Haus. Oh, und komm ja nicht auf die Idee, noch mal mit deinem kleinen Freund in fremde Hotelzimmer einzubrechen, du Möchtegern-Schnüffler-Zwergin!« Sichtlich zufrieden über seine Wortschöpfung grinste er sein freudloses Grinsen.

Als alle Partygäste gegangen waren und wieder Ruhe im Haus herrschte, tapste Ruby auf den Zehenspitzen in die Küche und setzte sich vor den Toaster. Nach einer Weile steckte sie eine Brotscheibe hinein, doch als sie wieder heraussprang, stand keine Geheimbotschaft darauf – es war nur eine langweilige Toastbrotscheibe.

Oben in ihrem Zimmer hörte sie ihren Privat-AB ab, in der vagen Hoffnung, dass Hitch vielleicht angerufen hatte, doch die einzige Nachricht war von Red, die gestand, sie hätte einen »kleinen Unfall« mit Rubys Geige gehabt, aber das sei »absolut reparierbar, obwohl man vielleicht einiges an Klebstoff braucht«.

Ruby ließ sich auf den Sitzsack plumpsen. Klar, ihr Zimmer war wieder möbliert, aber nicht mit *ihren* Sachen, und das fühlte sich nicht okay an. Im Moment fühlte sich für Ruby gar nichts okay an. Das Leben ohne Mrs Digby fühlte sich auch nicht okay an, und Ruby hatte das grässliche Gefühl, dass es der Anfang vom Ende war. Aber vorläufig würde Ruby Redfort tun, was Hitch ihr aufgetragen hatte, und geduldig abwarten – was blieb ihr schon anderes übrig?

Der nächste Tag verging, ohne dass der Butler der Redforts sich blicken oder von sich hören ließ.
Als Ruby ihre Eltern fragte, ob *sie* etwas von ihm wüssten, antworteten sie nur: »Er hat uns ein Telegramm geschickt. Er hat geschrieben, er hätte noch ein paar persönliche Angelegenheiten zu regeln, sei aber rechtzeitig zur Museumsparty zurück und würde erst danach seine neue Stelle antreten.«
»Das war alles?«, fragte Ruby.
»Ach, Ruby, wir vermissen ihn doch auch«, sagte ihr Vater.
»Er hat ein beachtliches Organisationstalent.«
»Stimmt«, pflichtete ihm Sabina bei. »Er vergisst nie etwas!«
»Bananenmilch«, sagte Ruby.
»Was?«, fragte ich Vater irritiert.
»Bananenmilch! Er hat vergessen, neue Bananenmilch zu bestellen.«

»Na ja, dann hoffen wir, dass der nächste Butler *doppelt* so gut ist, hm, Schatz?«
»Ich wäre schon froh, wenn er nur *halb* so gut aussieht«, sagte Rubys Mutter mit einem albernen Lachen.
Aber Ruby hörte nicht mehr zu. Ihr wäre es viel lieber gewesen, jemand anderer käme endlich zurück.
Mrs Digby würde *nie* die Bananenmilch vergessen!
Mrs Digby, wo stecken Sie nur?

Mrs Digby war sich ganz sicher,
dass sie etwas gehört hatte,
ein Scharren auf der anderen Seite der
Zwischenwand ...

Ratten, dachte sie entsetzt.
Mrs Digby mochte keine Ratten.
Und mit Ratten *allein* zu sein, mochte sie noch weniger!
Die Räuber, wer immer sie auch waren, hatten sie in dem Lagerhaus allein gelassen, aber immerhin hatten sie ihr den Fernseher nicht weggenommen und sie nicht mehr gefesselt. »Wo soll sie schon hingehen?«, hatte der Brutalo gesagt.
Okay, sie konnte vielleicht nicht fliehen, aber *Ratten* duldete Mrs Digby nicht!
Kann ja sein, dass sie ebenfalls Geschöpfe Gottes sind, aber ich will verdammt sein, wenn ich mein Essen mit ihnen teile! Sie sagte diesen Satz immer wieder gern, wenn sie eine Ratte sah, egal, ob in echt oder auch im Fernsehen.
Sie spitzte die Ohren und griff nach einer orientalischen Lampe. Wag dich hierher, du miese Ratte, und ich mach Hackfleisch aus dir, glaub mir!
Das Kratzen und Scharren hatte aufgehört.
Mrs Digby stand stocksteif da.
Hatte das Mistvieh sie gehört?
Reiß dich zusammen, altes Frauchen!, sagte sie sich.

32. Kapitel

Sechs zu fünf in Führung

Am Tag vor der Museumsfeier kam Rubys Mutter ins Wohnzimmer, ließ ihre Schlüssel auf den Couchtisch fallen und stöhnte: »Meine Güte, was bin ich kaputt! Es war ein fürchterlich langer, anstrengender Tag in der Galerie! Und ich musste früher von der Mittagspause zurück sein, weil meine Assistentin sich krankgemeldet hat.«

Rubys Mitleid hielt sich in Grenzen, denn sie wusste, dass die Mittagspause ihrer Mutter normalerweise zwei volle Stunden dauerte.

»Oh, schau, ich hab dir diese *himmlischen* Schuhe gekauft!« Sabina holte einen Schuhkarton aus einer ihrer Tüten und nahm ein Paar rote Clogs heraus. »Du kannst sie zur Museumsfeier anziehen! Sind sie nicht entzückend?«

Ruby betrachtete die Schuhe. Sie war sich nicht so sicher.

»Ja, schon«, sagte sie schließlich.

»Auf, probier sie an!«

Ruby wusste, dass ihre Mutter keine Ruhe geben würde, bis sie es tat, deshalb schlüpfte sie lustlos hinein. Doch die Clogs waren erstaunlich bequem und irgendwie auch cool … auf uncoole Art.

»Die Sohlen sind aus echtem Holz«, erklärte ihre Mutter voller Stolz. »Entzückend! Gefallen sie dir auch?«
»Ja, total«, sagte Ruby, die nur endlich wieder in Ruhe fernsehen wollte.
Doch ihre Mutter war noch nicht fertig. »Weißt du, warum ich heute so spät heimkomme? Ich wollte die Galerie gerade abschließen, als diese Frau hereinkam, ungeheuer attraktiv – groß, elegant, gut gekleidet – und sie wollte unbedingt mehr über die neuen Bilder wissen, die wir gerade ausstellen. Sie findet sie auch ganz toll.«
»Echt?«, sagte Ruby gelangweilt.
»Ja! Ich denke, sie wird bestimmt eines kaufen, wenn nicht sogar zwei!«, sagte Sabina mit einem zufriedenen Seufzer.
»Oh, schön«, kommentierte Ruby. Warum wollte ihre Mutter immer mit ihr reden, wenn eine ihrer Lieblingssendungen lief? Diesmal war es eine neue Staffel von *Crazy Cops* – auf die Ruby sich schon seit Wochen gefreut hatte.
Mist aber auch!
»Wir haben uns wunderbar verstanden, sie ist eine sehr charmante Frau. Sie hat mein Kostüm bewundert und gesagt: ›Sie sollten es in Taubenblau kaufen, diese Farbe würde gut zu Ihrem Typ passen.‹ Und da habe ich gesagt: ›Lustig, dass Sie das sagen, denn ich habe zufällig einen wunderschönen taubenblauen Oscar-Birdet-Hosenanzug‹, und sie sagte: ›Tatsächlich? Wissen Sie, er ist einer meiner Lieblingsdesigner.‹«

»Interessant«, sagte Ruby und gähnte.
»Da hat sie mich gefragt, ob ich ihn auch im Geschäft trage, sie würde ihn gern mal sehen, und ich sagte: ‚Ja, ich trage ihn manchmal auch hier in der Galerie, aber neulich, als ich aus dem Urlaub kam, ist mir ein kleines Missgeschick passiert, und deshalb ist die Jacke gerade in der Reinigung.«
»Wow! Klingt wirklich nach einer höchst prickelnden Unterhaltung.« Ruby schielte auf den Fernseher und versuchte zu ergründen, was Detektiv Despo wohl gerade entdeckt hatte – er machte ein sehr nachdenkliches Gesicht, und immer wenn Detektiv Despo so dreinschaute, witterte er normalerweise eine Spur.
Verflixt!
»O ja, das war es auch! Und dann hat sie mich gefragt, in welche Reinigung ich immer gehe, weil sie nämlich auch gerade eine gute Reinigung sucht – eine gute Reinigung zu finden, ist heutzutage ja echt ein Problem. Da versprach ich ihr nachzuschauen, und sie sagte: ›Gut, sobald Sie es wissen, sagen Sie mir doch bitte Bescheid, denn ich bin wirklich sehr interessiert.‹«
Detektiv Despo stieg in seinen Wagen und bat per Funk um Verstärkung, doch leider wusste Ruby nicht, aus welchem Grund. »Mom, könntest du dich bitte ein Stück mehr nach rechts stellen? Du versperrst mir die Sicht.« Hoffentlich würde ihre Mutter diesen Wink mit dem Zaunpfahl verste-

hen! Ihre Mutter ging tatsächlich einen Schritt zur Seite, aber sie redete weiter wie ein Wasserfall.
»Da hab ich zu ihr gesagt, sie müsse sich unbedingt auch eine taubenblaue Oscar-Birdet-Jacke kaufen; Taubenblau steht Rothaarigen wirklich gut.«
Auf einen Schlag wurde Ruby hellhörig: Okay, es gab auf der Welt sicher viele große hübsche elegante rothaarige Frauen, aber ihre Mutter stolperte in letzter Zeit wirklich über *erstaunlich* viele!
»Ach, übrigens«, fuhr ihre Mutter fort. »Schön, dass du zur Abwechslung mal wieder deine Kontaktlinsen trägst. Ich verstehe nicht, warum Brillen plötzlich wieder so in Mode sind! Diese Frau, von der ich dir gerade erzählt habe, trug übrigens auch eine – eine Brille mit den größten getönten Gläsern, die ich je gesehen habe! Ein Jammer, denn dadurch konnte man ihr Gesicht kaum sehen.«
Bingo! Es konnte nur *sie* sein, die Frau aus dem Hotel, vom Square, aus dem Auto und natürlich vom Flughafen – okay, es gab Zufälle und es gab Pech, aber bei ihrer Mutter häufte sich in letzter Zeit beides. Ihre Mutter redete weiter und weiter, aber Ruby hörte längst nicht mehr zu – sie dachte nur noch an den kleinen Mann mit dem riesigen Schnauzbart. Was hatte *er* mit der ganzen Sache zu tun?
Und dann ging ihr plötzlich ein Licht auf.
»Du, Mom, erinnerst du dich noch an den Mann im Flughafen, den mit dem auffälligen Schnurrbart?«

»Klar, wie könnte ich *den* vergessen?! Meine Jacke wird sicher nie mehr wie früher aussehen!«, seufzte Sabina.
»Er hat dir nicht zufällig etwas gegeben, oder?«
»Was willst du damit sagen, Ruby? Warum hätte er mir etwas geben sollen?«
»Oh, ich weiß nicht ... aber könnte er dir etwas in die Tasche gesteckt haben, ohne dass du es bemerkt hast?«
»Warum hätte er mir etwas in die Tasche stecken sollen? Hätte er mir etwas geben wollen, hätte er es mir doch wie ein normaler, höflicher Mensch in die Hand geben können!«
Ruby holte tief Luft. »Weißt du, so was passiert ständig in *Crazy Cops*, wenn jemand verfolgt wird – egal, ob von der Polizei oder von Verbrechern. Der Betreffende rempelt eine wildfremde Person an und steckt ihr heimlich etwas zu – einen Geheimcode, Rauschgift oder sonst etwas Wertvolles. Vielleicht etwas, das er gestohlen hat.«
»Aber Ruby! Ich kann dir versichern, dass ich es gemerkt hätte. Dieser Hosenanzug ist total enganliegend, die Taschen sind nicht dafür gedacht, etwas hineinzustecken! Dann wäre die ganze Silhouette im Eimer!«, sagte ihre Mutter mit großer Bestimmtheit.
»Mal angenommen ...«, sagte Ruby nachdenklich, »es war etwas sehr, sehr Kleines, zum Beispiel ein Zettel oder ein kleiner, aber sehr wertvoller Gegenstand, zum Beispiel ein Ring oder ein Schlüssel?«

»Bei einem Ring oder einem Schlüssel würden die Metalldetektoren Alarm geben – und ich musste durch die Kontrolle, bevor wir in den Flieger stiegen. Und wenn etwas in der Tasche gewesen wäre, hätte mich die Reinigung längst angerufen und Bescheid gesagt – das tun sie immer. Ach übrigens, in *deiner* Jacke haben sie eine Uhr gefunden!«
»Ach, ja?«, sagte Ruby. »Ich habe sie schon vermisst ... aber in *deiner* Tasche wurde nichts gefunden?«
Sabina betrachtete ihre Tochter verwundert und sagte: »Sag mal, worauf willst du eigentlich hinaus, Ruby?«
Als Ruby den Blick ihrer Mutter sah, wurde ihr klar, dass es absolut sinnlos gewesen wäre, ihr zu erklären, dass ein kleiner schnauzbärtiger Mann ihr höchstwahrscheinlich und aus noch unbekanntem Grund heimlich etwas zugesteckt hatte. Etwas, hinter dem andere Leute – genau genommen skrupellose Verbrecher – verzweifelt her waren. Es war kein Zufall, dass das Gepäck ihrer Eltern verschwunden war und dass gleich am nächsten Tag ihr ganzes Haus ausgeraubt wurde. Mrs Digby war nicht verreist, weil sie beleidigt war, sondern sie war höchstwahrscheinlich zusammen mit dem ganzen Hausrat gestohlen worden. Und ihre Mutter konnte von Glück sagen, dass sie nicht auch entführt worden war – es hatte schließlich mehrere Versuche gegeben. Aber ihre Mutter würde ihr das bestenfalls nicht glauben und schlimmstenfalls in Panik geraten.

Ruby holte tief Luft und sagte: »Ach, nichts, wahrscheinlich sehe ich einfach zu viel fern.«
»Das kannst du laut sagen«, sagte Sabina und tätschelte ihrer Tochter den Kopf. »Sagt dein Vater auch.«
Endlich verließ sie das Wohnzimmer, und Ruby ließ sich noch einmal durch den Kopf gehen, was sie soeben erfahren hatte. Stimmt, ein Ring, ein Schüssel oder etwas Ähnliches hätten die Metalldetektoren nicht unbemerkt passieren können, aber es *musste* einen Grund geben, warum alle hinter der Jacke ihrer Mutter her waren – *so* ein toller Designer war Oscar Birdet nun auch nicht …
Ruby schlug ihr Notizheft auf und listete alles auf, was sie wusste, und natürlich auch, was sie *nicht* wusste, denn das war genauso wichtig.

Was sie wusste:
1. Ein Mann mit Schnurrbart hatte am Genfer Flughafen mit großer Wahrscheinlichkeit ihrer Mutter etwas in die Jackentasche geschmuggelt.

....

2. Eine elegant gekleidete Dame mit einer großen Sonnenbrille und roten Haaren war offenbar zu allem bereit, um diesen mysteriösen Gegenstand in die Finger zu bekommen: Diebstahl, Entführung oder vielleicht

sogar Mord ... schließlich besaß sie eine Waffe.

....

3. Dieser kleine Gegenstand, was immer es war, befand sich vermutlich noch immer in der Jackentasche.

....

4. Ihre Mutter schwebte eventuell in Lebensgefahr.

....

5. Sie, Ruby, sollte im Moment wahrlich nicht tatenlos hier herumsitzen!

....

Was sie nicht wusste:

1. Wer war der Mann mit dem Schnurrbart – war er gut oder böse?

....

2. Was hatte er ihrer Mutter in die Tasche geschmuggelt?

....

3. Warum war die Rothaarige so scharf darauf?

....

4. Warum noch andere?

....

5. In welcher Reinigung war die Jacke?

. . . .

6. Wie hing das alles zusammen?

. . . .

»Moment mal«, sagte Ruby laut – *einen* dieser Punkte konnte sie vielleicht doch klären. War es nicht Hitch gewesen, der die Jacke in die Reinigung gebracht hatte? Dann hatte er den Abgabeschein aufbewahrt, und es war mehr als wahrscheinlich, dass er ihn an den Kühlschrank gehängt hatte – das machte Hitch bei allen wichtigen Dingen. Ruby eilte in die Küche. Sie überflog die vielen Zettel, die mit Magneten an der Kühlschranktür befestigt waren – die Tür war *immer* übersät mit Rezepten und Listen, Postkarten und Coupons.

Ah, da war der Abholschein:

SAUBER & ADRETT

Ihre Spezialreinigung für hohe Ansprüche

Tel.: Klondike 5-1212

AUF WUNSCH AUCH UNGESTÄRKT

Ruby strich Punkt 5 auf ihrer Liste der Fragen durch – jetzt lag sie mit 6:5 in Führung.

33. Kapitel

SAU'ER & ADRETT

Ruby war sich ziemlich sicher, dass sie wusste, wo »SAUBER & ADRETT« lag – sie hatte das Firmenschild schon gesehen: Neonbuchstaben neben einer Neonwaschpulverpackung, aus der Neonblasen aufstiegen. Die Reinigung lag irgendwo im Osten der Stadt. In dieser Gegend war Ruby nur selten, aber sie war schon ein- oder zweimal daran vorbeigefahren, und das auffällig bunte Firmenschild war ihr im Gedächtnis geblieben. Das »B« von sauber war nämlich kaputt, so dass es nur noch SAU'ER und ADRETT hieß.
Ruby ahnte, dass sie nicht viel Zeit verlieren durfte, wenn ihr Verdacht über die mysteriöse Frau zutraf, die an diesem Tag bei ihrer Mutter in der Galerie gewesen war – und darauf hätte sie gewettet! Sie schnappte sich ihre Schultasche und rief: »Hey, Mom, ich geh mal schnell zu Clancy. Ich soll ihm bei Französisch helfen.«
Das war nicht direkt gelogen, denn sie würde wirklich noch zu Clancy gehen. Sie hatte es ihm versprochen, und Ruby Redfort pflegte ihre Versprechen zu halten.
»Okay, Schatz! Dein Vater und ich gehen zum allerletzten und endgültigen Museumstreffen vor dem großen Ereig-

nis – ich kann es kaum erwarten. Ist es nicht total spannend? Sag mal, hmmm … ich überlege gerade … was meinst du? Soll ich das gelbe Kleid anziehen oder das silberne? Ich sehe phantastisch aus in Gelb, aber andererseits ist Silber ein echtes Statement, meinst du nicht auch? Ach, herrje, da fällt mir etwas ein! Ich sollte etwas Jadegrünes anziehen, das wäre perfekt! Nur habe ich leider nichts Jadegrünes …«

Solche Monologe ihrer Mutter konnten endlos weitergehen, und Ruby schlich sich leise aus dem Haus.

Ruby konnte Groete sehen: Er stand neben seinem Wagen auf der gegenüberliegenden Straßenseite und beobachtete das Haus. *Hätte* er zumindest tun sollen, doch stattdessen war er mit Consuela am Flirten.

Er stützte sich mit einer Hand auf die Motorhaube und gab sich betont lässig. Was für ein Hohlkopf, dachte Ruby. Unbemerkt stieg sie auf ihr Rad und fuhr davon, in Richtung Osten. Augenblicklich bereute sie es, dass sie ihre neuen roten Glitzerclogs nicht gegen ein Paar praktische Sneakers ausgetauscht hatte – wegen der dicken Holzsohlen war es ziemlich schwierig, in die Pedale zu treten.

Nach einigen Meilen fand sie sich im Industriegebiet wieder, und nachdem sie etliche falsche Straßen hinauf- und hinuntergefahren war, fand sie endlich die, nach der sie suchte. Das Schaufenster von »SAU'ER & ADRETT« war noch beleuchtet, doch der Ladenraum selbst lag im Dun-

keln, und nach mehrmaligem Klopfen begriff Ruby, dass vermutlich niemand mehr da war.
Mist!
Ruby stellte ihr Rad in der Gasse seitlich des Gebäudes ab und überlegte, wie sie trotzdem hineinkommen könnte. Ungefähr in drei Meter Höhe entdeckte sie ein kleines Fenster. Es war echt klein, aber Ruby auch; und wenn sie es schaffte hinaufzukommen, konnte sie sich sicher irgendwie durchzwängen.
Sie sah sich um und entdeckte, ganz hinten rechts, etliche alte Kisten und Kartons – die sie kurz entschlossen unter das Fenster trug. Im Handumdrehen hatte sie eine Art Kartonagenturm errichtet, doch die Frage war, ob der ihr Gewicht auch aushielt.
Ein Glück, dass ich das Abendessen ausfallen ließ.
Ruby holte tief Luft. Die Kisten-Karton-Konstruktion erwies sich als etwas wacklig, aber doch stabil genug zum Hinaufklettern; und gerade als Ruby sich durch die Fensteröffnung zwängte, gab die Behelfstreppe nach und zerfiel in ihre Einzelteile.
Darüber mach ich mir im Moment keinen Kopf, dachte Ruby, als sie auf der anderen Seite auf einen harten Linoleumboden sprang. Sie war in einem Raum voller Nähmaschinen und Garnspulen gelandet, mit Stapeln von Kleidungsstücken, die vermutlich geflickt oder geändert werden mussten. Die gereinigten Sachen wurden wahrscheinlich unten

in der Nähe des Kundenraums aufbewahrt, wie Ruby annahm. Viel sehen konnte sie nicht, denn die Lichter waren gelöscht, und sie wagte nicht, sie einzuschalten, um ja kein Risiko einzugehen. Ein Glück, dass sie ihre Minitaschenlampe bei sich hatte – das musste reichen. Und sie musste sehr vorsichtig sein – damit draußen niemand auf sie aufmerksam wurde.

Ruby durchforstete die Stangen, an denen die gereinigten Sachen hingen – darunter auch einige taubenblaue Damenjacken. Muss gerade in sein, die Farbe. Ruby musste die Etiketten überprüfen, damit sie die Jacke ihrer Mutter fand: Oscar Birdet.

Wegen dieser Jacke so ein Wirbel?

Sie nahm die Jacke vom Kleiderbügel und schaute in die enganliegenden Taschen. Leer? Aber da musste doch etwas sein, verflixt, sie konnte sich nicht so massiv täuschen!

Sie tastete in der linken Tasche herum – nichts! – und dann in der rechten.

Da war was!

Ein kleiner kühler flacher Gegenstand.

Sie holte ihn heraus.

Er war fast unsichtbar.

Und er war so leicht, dass sie ihn in der Hand kaum spürte.

Aha, hinter diesem winzigen Ding sind sie also her – kein Wunder, dass sie es nicht gefunden haben! Es sah aus wie der Buchstabe K, ein K, in das Löcher gestanzt waren. Was war es? Und was machte sie nun damit? Instinktiv war ihr klar, dass sie es nicht mit sich herumtragen sollte – jedenfalls nicht in ihrer Tasche. Und auch nicht in ihrer Jeans: Es sah sehr zerbrechlich aus, denn es bestand aus Glas.

Ruby musste nicht lange überlegen. Dann zog sie ihre Spange aus den Haaren, steckte das gläserne K darauf und schob die Spange wieder an ihren Platz zurück. In ihren dicken, dunklen Haaren war sie sicher kaum zu sehen. Ruby war schon immer der Meinung gewesen, dass es am sichersten war, wenn man eine Sache *nicht* versteckte. REGEL 18: OFT ÜBERSIEHT MAN, WAS MAN DIREKT VOR DER NASE HAT.

Anschließend packte sie die Jacke ihrer Mutter ein. Wenn ich schon mal hier bin, kann ich meiner Mom auch diesen Gefallen tun. So, aber jetzt nichts wie weg von hier!

Sie schaute zur Hintertür – dieser Weg war wesentlich einfacher als wieder durch das winzige Fenster oben zu klettern. Sie ging schon darauf zu, als ihr plötzlich die Uhr einfiel. Sie konnte die Uhr doch gleich mitnehmen, wenn sie schon mal hier war!

Jetzt aber schnell. Das Nähzimmer war oben im ersten Stock – und Ruby huschte die Treppe hinauf und ließ den Schein ihrer kleinen Taschenlampe durch den Raum wandern. Schwer zu sagen, wo sie zuerst suchen sollte. Sie dachte kurz nach. Reinigungsfirmen hatten bestimmt eine Schublade für Fundgegenstände.

Was war das?
Ruby erstarrte.
Hatte da eben ein Wagen auf der Rückseite des Gebäudes angehalten? Nein, da war nichts. Junge, Junge, Ruby, sieh zu, dass du von hier wegkommst, bevor du noch einen Herzanfall kriegst! Schnapp dir die Uhr, und zieh Leine!
In einer Ecke entdeckte sie einen Schreibtisch – dort vielleicht? Auf Zehenspitzen tapste sie darauf zu und zog vorsichtig eine Schublade nach der anderen auf. Ah, da war etwas: ein brauner Umschlag, auf dem REDFORT stand. Sie öffnete ihn und holte die Uhr heraus.
Ha, hab ich dich!, wisperte sie und band sich die Uhr ums Handgelenk. Und plötzlich ertönte ein Klirren, das verdächtig nach zersplitterndem Glas klang. Stocksteif stand sie da – und hörte, wie sich ein Schlüssel in einem Türschloss drehte. Jemand kam herein, und es war höchste Zeit, dass sie von hier verschwand!
Sie warf sich ihre Tasche über die Schulter, eilte zu dem kleinen Fenster und zwängte sich hindurch. Mit dem Kopf voraus landete sie in dem Kartonstapel. Ein Glück, dass sie alle Episoden von *Crazy Cops* gesehen hatte – dadurch hatte sie gelernt, wie man richtig landet. Adrenalin pumpte durch ihren Körper – beim Fallen hatte sie die linke Kontaktlinse verloren, und ihr rechtes Auge begann zu tränen. Im ersten Moment fühlte sie sich praktisch blind. Warum hatte sie nicht ihre Brille auf? Doch irgendwie schaffte

sie es, zu ihrem Fahrrad zu taumeln, aufzusteigen und in Richtung Stadtzentrum zu fahren. Sie fuhr, so schnell sie konnte, und wagte es nicht, sich umzublicken, um das Schicksal nicht herauszufordern.

Fahr zu, Ruby, los!

Während sie mit aller Kraft in die Pedale trat, wurde ihr rechtes Auge wieder klarer, und Ruby konnte sehen, dass sie nicht mehr weit weg von zu Hause war. Sie musste lachen, und es klang leicht hysterisch – wie das Lachen von jemandem, der noch nicht so recht glauben kann, dass er noch lebt. Niemand hatte sie gesehen, sie war heil davongekommen, frei wie ein Vogel – sie hatte echt Glück gehabt.

Ruby hatte viele Verstecke, und sie waren allesamt gut gewählt. Und sobald sie zu Hause war, würde sie das beste davon aussuchen …

Doch da fiel ihr siedendheiß etwas ein: Clancy! Sie hatte versprochen, ihm bei Französisch zu helfen.

Mist! Okay, Clance, alter Freund, ich komme. Sie bog bei Rose nach links ab und fuhr nach Birchwood hoch.

Sie freute sich darauf, Clancy zu sehen – obwohl sie im Moment wahrlich keinen Bock auf Französisch hatte. Und gegen ein großes kühles Glas Limonade hätte sie auch nichts einzuwenden. Sie wollte gerade in die Ambassador Row einbiegen, als sie von einem Wagen in dunklem Silber überholt wurde, der an dem Haus der Crews ab-

bremste und vor dem Nachbarhaus stehen blieb … mit laufendem Motor. Sie war sich nicht sicher, aber war das nicht …?
Hitch? Sie grinste vor sich hin. Er kam ja wie gerufen!
Fröhlich radelte sie die Straße hinauf und auf den Wagen zu – Mann, Hitch würde sich jetzt bestimmt ziemlich blöd vorkommen, weil er sie nicht für voll genommen hatte. Vielleicht würde sie ihm auch beichten, dass Clancy in alles eingeweiht war – dass ihr gar nichts anderes übriggeblieben war, als ihm alles von Spektrum zu erzählen. Tja, Hitch würde so beeindruckt von ihrer genialen Detektivarbeit sein, dass er ihr vermutlich alles verzeihen würde. Blitzschnell hatte sie sich zurechtlegt, was sie sagen würde, und sobald der Butler die Wagentür öffnete, würde sie ihr Sprüchlein aufsagen.
Ruby sprang von ihrem Rad, lehnte es an die Mauer und lief aufgeregt auf seinen Wagen zu. Sie hatte ihre Hand schon an der Wagentür und wollte sie gerade aufreißen, als ihr etwas auffiel. Der Wagen, der im Mondschein silbrig ausgesehen hatte, war nicht wirklich silbrig, er war grau.
Und es war auch kein Cabrio.
Der Mann, der das Seitenfenster herunterkurbelte, war nicht Hitch!
Ruby erstarrte, als sie in die freundlichen grünen Augen von Babyface Marshall blickte.

Agent Blackers Worte fielen ihr wieder ein.
»Wenn du Babyface Marshall siehst, ruf gar nicht erst nach Mami – sieh zu, dass du wegkommst!«

Was Clancy sah …

Clancy, der zufällig gerade aus dem Fenster schaute, sah Ruby auf einen silbrigen Wagen zuradeln, der vor der luxuriösen Villa der Smithsons angehalten hatte. Sie sprang vom Rad und lehnte es an die Mauer.
Was machst du da, Ruby?
Er sah sie zu dem Auto laufen, als jemand das Fenster herunterkurbelte. *Hitch natürlich*, dachte Clancy. Dann sah er, wie Ruby mit steifen Bewegungen einstieg; der Fahrer gab Gas, und der Wagen verschwand in der Dunkelheit.
Verdammt, Ruby, du hast es mir doch versprochen!, dachte Clancy wütend und knallte sein Fenster zu. Jetzt steh ich blöd da!
Er sank auf seinen Schreibtischstuhl und starrte auf das leere Blatt Papier, das vor ihm lag. Madame Loup würde ihm garantiert ein Ungenügend aufs Auge drücken!

34. Kapitel

Schweigen wie ein Grab

Am nächsten Morgen betrat Hitch die Küche.
»Oh, hallo, Fremdling«, begrüßte ihn Sabina erfreut.
»Schön, Sie wieder mit an Bord zu haben«, sagte Brant. »Ohne Sie war es einfach nicht dasselbe.«
»Freut mich zu hören«, antwortete Hitch. »Aber wo ist die Kleine? Kommt sie neuerdings gar nicht mehr aus den Federn?«
»Oh, Sie wissen ja, wie sie ist«, erklärte Sabina und verdrehte die Augen. »Ruby an einem Samstagmorgen früh aus dem Bett zu bekommen, ist so gut wie unmöglich.«
»Ich werde es mit Pfannkuchen versuchen«, sagte Hitch. »Ich wette, damit kann ich sie herunterlocken, noch bevor ich das Wort ›Ahornsirup‹ ganz ausgesprochen habe.«
Hitch klopfte an Rubys Tür und war nicht weiter überrascht, als zuerst keine Reaktion kam.
Er klopfte erneut, etwas lauter diesmal, doch als sich noch immer nichts tat, schob er die Tür einen Spaltbreit auf und ließ Floh ins Zimmer und auf Rubys Bett hüpfen.
»Hey, Kleine, aus den Federn, es ist ein toller Tag zum –« Er verstummte abrupt.

Wer Ruby auch nur annähernd kannte, sah auf den ersten Blick, dass sie nicht in ihrem Bett geschlafen hatte – es war perfekt gemacht, und Bettenmachen gehörte nicht zu Rubys Hobbys. Komisch, dachte er. Er griff nach Rubys Donut-Telefon und wählte die Nummer der Crews. Das Hausmädchen nahm ab und stellte ihn zu Clancy durch, der sich gerade die Zähne putzte.

»Clancy, hier Hitch – ich nehme nicht an, dass Ruby bei *dir* ist, oder?«

»Nein«, erwiderte Clancy, »und die Drückebergerin kann ihr Rad gefälligst selbst hier abholen – ihretwegen fliege ich in Französisch durch.«

»Ihr Rad?«, wiederholte Hitch fragend. »Sie hat ihr Rad gestern Abend nicht mit nach Hause genommen?«

»Das wissen *Sie* doch besser als ich! Sie hat es an die Mauer vom Nachbarhaus gelehnt, und dort steht es immer noch! Hat es nicht mal abgeschlossen.«

»Warum sollte *ich* das wissen?«

»Weil Sie sie mit dem Wagen abgeholt haben! Schon vergessen?«

»Ich sie abgeholt? Nie im Leben!«

»Ach was, ich hab's mit eigenen Augen gesehen.«

»Das war nicht *ich*, Kleiner.«

»Hören Sie«, sagte Clancy Crew pampig, »wenn ich eines über Ruby weiß, dann das, dass sie auf gar keinen Fall zu einem Fremden ins Auto gestiegen wäre. Und wenn ich eines über *mich* weiß, dann ist es, dass ich verdammt gute Augen habe.« Von Hitch kam keine Reaktion, denn er hatte schon aufgelegt. Er drückte auf den kleinen Knopf an seinem Uhrenfunkgerät und wurde sofort mit LB verbunden.

»Wir haben einen Notfall.«

LB holte tief Luft. »Welcher Art?«

»Ich fürchte, Ruby ist in falsche Hände gefallen.«

»Falsche Hände? Was soll das heißen?«, fragte LB.

»Sie wurde entführt.«

»Aber warum? Wie hätte die Bande auf sie aufmerksam werden können? Kein Mensch weiß, dass sie für uns gearbeitet hat – dafür habe ich gesorgt.«

»Ich denke, es könnte etwas mit der rothaarigen Frau zu tun haben, die Ruby erwähnt hat. Wir wussten, dass die Kleine clever ist, aber ich fürchte, sie hat eine bessere Spürnase, als wir ihr zugetraut haben – ich denke, sie hat etwas herausgefunden und wurde dabei beobachtet«, erklärte Hitch.

»Wo war Groete, als es passiert ist? Ich habe ihm eingeschärft, Ruby keine Sekunde aus den Augen zu lassen!«

»Da bin ich überfragt. Aber wo immer er auch war, er hat mit Sicherheit nicht auf die Kleine aufgepasst.« Hitch bekam Gewissensbisse – so schlimme, dass ihm fast übel wurde. Warum hatte er Ruby nicht besser zugehört? Warum hatte er zugelassen, dass LB einen Schwachkopf wie Groete auf sie aufpassen ließ?

»Schnappen Sie ihn sich und sagen Sie ihm, er solle seinen verdammten Hintern hierherschleppen, bevor ich auf die Idee komme, ihn den Haien zum Fraß vorzuwerfen.«

»Ich glaube, dieses Schicksal habe *ich* verdient«, sagte Hitch kleinlaut. »*Ich* hätte auf sie aufpassen sollen!«

»Seien Sie nicht so streng zu sich – es war Groetes Job. Ich hatte ihm aufgetragen, sie im Auge zu behalten.«

Doch Hitch war anderer Ansicht.

»Hoffentlich können Sie mir wenigstens sagen, dass Klaus Gustav gesund und munter in Twinford angekommen ist«, fuhr LB fort.

»Ist er. Blacker hat ihn gestern hierhergeflogen. Wie ich höre, ist er nicht gerade ein Ausbund an Nettigkeit – kein Wunder, dass er wie ein Einsiedler lebt. Im Moment sitzt er heil und gut bewacht im Grand Twin.«

»Und Sie?«

»Ich hab das Sicherheitsteam eingewiesen, und wir dürften alles im Griff haben«, erwiderte Hitch.

»Das ist schon mal etwas«, sagte LB. »Also, dieser Junge – wie hieß er noch gleich? – Clancy. Halten Sie es wirklich für möglich, dass Ruby ihm alles erzählt hat?«

»Ja, davon gehe ich inzwischen aus«, sagte Hitch. »Ruby kann zwar ein Geheimnis für sich behalten, daran besteht kein Zweifel. Aber Clancy ist ihr bester Freund: Wenn sie es jemandem erzählt hat, dann ihm!«

»Dann finden Sie heraus, was er weiß.« Sie legte auf.

Hitch stieg in seinen Wagen und fuhr die kurze Strecke zur eleganten Villa von Botschafter Crew.
Er lenkte den Wagen durch das Haupttor, parkte und stieg aus. Als er die geschwungene Treppe hinaufging, roch er die vielen Blumen und spürte die warme Sonne im Rücken. Kaum vorstellbar, dass an einem so lieblichen Morgen jemand in Gefahr sein könnte. Die Haushälterin öffnete ihm die Haustür und bat ihn, in der Eingangshalle Platz zu nehmen, während sie Clancy holen ging.
Hitch setzte sich auf einen zierlichen Stuhl und betrachtete die imposanten Porträts von Botschaftern und anderen Würdenträgern – die vorwurfsvoll auf ihn herabblickten. Er fühlte sich alles andere als wohl in seiner Haut. Okay, es war nicht seine Schuld, dass Groete ein unfähiger Trottel war, der Ruby entwischen ließ, aber er, Hitch, hätte sie gar nicht erst in Groetes Obhut zurücklassen dürfen.
Ich hätte ihr zuhören sollen. Das Sicherheitsteam hätte auch ein anderer einweisen können. Und obwohl er mit dieser Altersgruppe keine Erfahrung hatte, musste er zugeben, dass Ruby für eine Dreizehnjährige gar nicht übel war … Sie war echt cool, und Humor hatte sie auch. Aber jetzt war sie verschwunden, und er gab sich die Schuld daran!
Kleine, wenn du noch irgendwo da draußen bist, werde ich dich finden. Verlass dich darauf!
Erst als Clancy auftauchte, mit einem *sehr* abweisenden

Gesicht, wurde Hitch aus seinem Gedankenkarussell gerissen.
Er erhob sich. »Können wir rausgehen?«
Die beiden setzten sich auf die warmen Steinstufen und blickten auf das kunstvoll geschmiedete Eisengitter, hinter dem Rubys Fahrrad zu sehen war.
Hitch musterte Clancy. »Also, was weißt du?«
»Ich weiß nur, dass Ruby gestern Abend noch zu mir kommen wollte. Sie radelte zwar hierher, aber dann ist sie in *Ihren* Wagen gestiegen! Woher soll ich wissen, wo Sie sie hingebracht haben?«
»Glaubst du mir nicht, wenn ich sage, dass ich nicht hier war?«
»Warum sollte ich Ihnen glauben? Seit Sie in Rubys Leben auftauchten, sind eine Menge komischer Dinge passiert.«
Hitch zuckte mit den Schultern. »Und was weißt du vom HQ?«
»Ich weiß, dass HQ die Abkürzung von Hauptquartier ist«, antwortete Clancy, ohne eine Miene zu verziehen.
»Okay, probieren wir's damit: Was ist mit Spektrum? Hast du diesen Namen schon mal gehört?«
»Nun ja, ich kenne die Spektralfarben: Rot, Orange, Gelb, Grün …«
»Clever, sehr clever – und was ist mit dem Jadebuddha?«
»Ähm …«, sagte Clancy. »Ich weiß, dass das Museum einen großen Empfang macht, weil der Jadebuddha von Khotan

nach Twinford kommt. Die Leute reden ja über nichts anderes mehr.«
»Mein Junge, hör auf, dich dumm zu stellen, und erzähl mir einfach, was du weißt.«
»Tut mir leid«, sagte Clancy achselzuckend, »aber ich habe keine Ahnung, worauf Sie hinauswollen.«
»Worauf ich hinauswill? Ich will wissen, was du über den Fall weißt, über Rubys Undercovertätigkeit!«
»Ich glaube, wir reden aneinander vorbei. Ich habe keinen blassen Schimmer, was Sie von mir hören wollen. Und von einer Undercovertätigkeit habe ich auch noch nie gehört.«
Der Junge musste ein guter Schauspieler sein; es war kaum vorstellbar, dass er mehr wusste, als er zugab. »Sag mal, hast du ein Problem mit mir?«, fragte Hitch.
Clancy schwieg verbissen.
Hitch schaute ihm in die Augen. »Dein Vater hat Überwachungskameras, die alles aufzeichnen, was rund um euer Haus geschicht. Wie wär's, wenn wir uns das Videoband von gestern Abend mal ansehen? Dann sehen wir ja, ob es wirklich mein Wagen war.«
Clancy Crew stand langsam auf und ging voraus in das kleine Büro, in dem sich der Monitor befand. Er spielte das Band bis zum Vorabend gegen acht Uhr zurück. Die Bilder waren etwas unscharf, aber man konnte erkennen, dass es eindeutig Ruby war, die mit dem Rad angefahren kam, es abstellte und strahlend auf einen Wagen zulief. Sie sahen,

dass das Fenster auf der Fahrerseite heruntergekurbelt wurde und eine Hand auftauchte. Man konnte den Fahrer nicht sehen, genauso wenig wie Rubys Gesichtsausdruck, aber … wich sie da nicht instinktiv einen kleinen Schritt zurück?

Clancy hielt das Band an und betrachtete den Wagen ganz genau.

»Sieht das wirklich wie mein Wagen aus?«, fragte Hitch.

Clancy ging bis ganz dicht vor den Monitor; der Wagen stand leider so, dass man das Kennzeichen nicht sehen konnte, aber er entdeckte einige Details, die nicht nach Hitch aussahen.

»Glaubst du im Ernst, ich würde ein Auto mit so bescheuerten Radkappen fahren?«, fragte Hitch. Es stimmte, die Radkappen waren etwas protzig, und als Clancy noch genauer hinsah, sah er auch, dass es kein Cabrio war.

Plötzlich lief es ihm kalt über den Rücken.

Hitch wandte sich zum Gehen. »Wenn du bereit bist, zu reden, ruf diese Nummer an.« Er legte eine kleine Karte auf den Tisch und ging davon. Das Einzige, was Hitch bei seinem Besuch erfahren hatte, war, dass Ruby die Wahrheit gesagt hatte, was Clancy Crew betraf: Der Junge konnte schweigen wie ein Grab.

35. Kapitel

Sieben Leben

Sobald er hörte, dass Hitchs Wagen weggefahren war, schnappte sich Clancy ein Sweatshirt und Hitchs Kärtchen und rannte zur Haustür. Unter der Tür blieb er noch einmal kurz stehen und rief: »Ich geh nur schnell zu Ruby, okay?«

»Aber sieh zu, dass du zum Museumsempfang rechtzeitig zurück bist!«, rief seine Mutter. Doch da war Clancy schon weg. Er sprang auf Rubys Fahrrad und flitzte in Richtung von Amster Green davon.

In Everglade bog er nach rechts ab und radelte dann immer geradeaus, bis er zu dem kleinen Park gegenüber des Double Donut Diner kam. Er lehnte das Rad an den Zaun und marschierte dann zielgerichtet auf die große Eiche zu. Clancy war seit einiger Zeit nicht mehr dort gewesen, aber an diesem Tag hatte er das Gefühl – oder besser gesagt, eine Vorahnung –, dass es sich lohnen würde.

Er blickte sich um – niemand beobachtete ihn. Deshalb schwang er sich auf den ersten Ast und kletterte dann höher und höher. Ohne zu zögern, griff er in ein ganz bestimmtes Astloch, tastete herum – und fand etwas. Als er die Hand wieder herauszog, hatte er einen Papierkranich in den Fingern. Der Kranich war ein Symbol für Loyalität, und als er ihn auseinanderfaltete, las er auf dem Zettel:

Falls mir etwas zustößt,
rede mit dem Butler.

Es war schwer zu sagen, ob Ruby es aus Spaß geschrieben hatte oder ob sie wirklich gespürt hatte, dass sie in Gefahr war.

Aber Clancy wusste nun, was zu tun war.

Er rannte zur nächsten Telefonzelle, wählte die Nummer auf der Visitenkarte, und schon nach einmaligem Läuten nahm jemand ab.

»Sie hat mir erzählt, dass sie für Spektrum gearbeitet hat, nicht freiwillig, aber ich habe ihr keine Ruhe gelassen, bis ich sie weichgeklopft hatte.«

»Das ist inzwischen egal«, sagte Hitch. »Sag mir einfach, was du weißt – Ruby hat mir etwas von einer Rothaarigen erzählt, die dir aufgefallen ist, richtig?«

»Ja«, sagte Clancy, »stimmt. Aber eigentlich uns beiden.«

»Kannst du in die Maverick Street Nummer 101 kommen?«, sagte Hitch. »Weißt du, wo das ist?«

»Ja, ich denke, das finde ich«, sagte Clancy.

Genau fünfundzwanzig Minuten später traf Clancy im Büro von Spektrum ein. Er war völlig außer Atem und hatte einen Mordsdurst, doch als Hitch ihm die Tür öffnete, hatte Clancy es auf einen Schlag vergessen.

»Ich bin zuerst auf die Frau aufmerksam geworden«, sagte Clancy.

»Redest du von der Rothaarigen?«, hakte Hitch nach.

Clancy nickte. »Als ich sie auf dem Twinford Square sah, wusste ich sofort, dass ich sie schon mal woanders gesehen hatte, aber mir ist nicht eingefallen, *wo*.«

»Also seid ihr ihr gefolgt?«

»Ja, sie ging ins Grand Twin Hotel, und wir konnten uns in ihr Zimmer schmuggeln.«

»Was habt ihr dort gemacht?«

»Na ja, Ruby hat sich die Fotos angesehen, die auf dem Schreibtisch lagen …«

»Und du?«

»Mir fiel auf, dass diese Frau unheimlich viele Brillen hatte, mit riesigen getönten Gläsern, aber es waren gar keine Sonnenbrillen, weil man sie auch im Haus tragen kann.«

»Und weiter?«

»Ruby zeigte mir ein Foto aus dem Stapel«, fuhr Clancy fort, »und plötzlich fiel mir wieder ein, wo ich die Frau schon mal gesehen hatte – nämlich auf einem Urlaubsdia der Redforts. Da war sie im Hintergrund zu sehen.«

»Und kannten die Redforts sie?«

»Nein. Aber als wir hinterher vor dem Double Donut saßen, hat Ruby mich plötzlich angestarrt, weil … wissen Sie,

ich hatte ganz vergessen, die Brille der Lady wieder abzusetzen.«
»Und Ruby hat sie wiedererkannt?«, sagte Hitch versuchsweise.
»Ja«, antwortete Clancy, »aber sie hat mir nicht verraten, woher.«
Hitch griff in das Regal mit den vielen Akten, das plötzlich wie von Zauberhand zur Seite glitt, und eine Tür kam zum Vorschein. »Komm mit, Kleiner.«
»Hey, wie kitschig!«, sagte Clancy.
»Kann ja sein, aber Ruby hat es nie entdeckt«, entgegnete Hitch ungerührt.
Er führte Clancy nach unten in den Vorführraum. Dort schaltete er den Projektor ein und klickte sich durch die Dias, bis er zu dem Bild von Valerie Capaldi kam.
»Ich weiß, es ist nur ein Schwarzweißbild, aber könnte es diese Frau gewesen sein?«
Clancy betrachtete die Aufnahme eingehend: Die Frau darauf wirkte ebenso elegant und eiskalt wie die Frau vom Hotel. Allerdings trug sie keine ihrer riesigen Brillen, so dass man ihre schönen Augen mit den langen Wimpern sehen konnte.
»Ja, sieht ihr schon irgendwie ähnlich«, sagte Clancy etwas unsicher. »Aber die Frau im Hotel hatte eine ziemlich auffällige lange Narbe am linken Auge – die hab ich zwar nur zwei Sekunden lang gesehen, aber sie war da.«

Hitch spürte, wie ihm das Blut in den Adern stockte: Jetzt hatte er Gewissheit. Es war Katze Capaldi, die Ruby entführt hatte, und er wusste, dass in diesem Fall keine große Chance bestand, Ruby lebend wiederzufinden.
»Was ist?«, fragte Clancy, der Hitchs Bestürzung bemerkte.
»Es ist Valerie Capaldi – wir nennen sie die Katze, weil sie offenbar sieben Leben hat. Als sie das letzte Mal meinen Weg kreuzte, ging es ziemlich wüst zu – ich hatte hinterher ein zerfetztes Bein, sie eine hässliche Schnittwunde am linken Auge. In den letzten Jahren hab ich nichts mehr von ihr gehört«, fügte Hitch noch hinzu, während er wie gebannt auf die Leinwand starrte. »Aber wenn die Katze ihre Finger im Spiel hat, sitzt Ruby noch tiefer in der Tinte, als ich bisher dachte.«

Sabina hörte, dass jemand zur Haustür hereinkam, und gleich darauf schwere Schritte. Es war Hitch, der die Treppe zum Wohnzimmer hinaufkam.
»Und wo ist Ruby?«, rief sie und zupfte an ihrem Kleid herum.
»Oh, machen Sie sich um Ruby keine Sorgen. Ich kümmere mich darum, dass sie rechtzeitig da ist.«
Da kam auch Brant fröhlich ins Zimmer gestapft. »Ist meine Tochter in der Nähe? Hoffentlich kommt sie heute nicht zu spät nach Hause. Pünktlichkeit war noch nie ihre Stärke!«
»Sie wird es schaffen, das verspreche ich Ihnen«, sagte

Hitch mit größerer Zuversicht, als er verspürte. »Alles wird gut, verlassen Sie sich auf mich.«
Sabina musterte ihn erstaunt. »Mein lieber Hitch, warum so dramatisch?«, sagte sie lachend. »Sie machen mir fast Angst. Sie wird doch hoffentlich keines ihrer grässlichen T-Shirts anhaben, oder? Ich kann nicht sagen, dass es mir nichts ausmachen würde, denn Sie wissen, dass es mir sehr *viel* ausmachen würde – aber im Grunde genommen kann mir nichts diesen Abend verderben, rein gar nichts!«

36. Kapitel

Eine Kolonie von Geiern

Ruby saß alles andere als bequem auf einem großen, vergammelten Stuhl. Ein Stuhl, der aussah, als würde er Dracula persönlich gehören – mit den geschnitzten Drachenklauen und dem blutroten Bezug. Sie war an den Händen und Knöcheln gefesselt, ihr Mund war zugeklebt, und sie hatte eine Binde über den Augen – aber sie konnte immerhin hören. Sie hörte Geräusche, leise Stimmen und ein Scharren, als würde jemand schwere Gegenstände über einen Steinfußboden schieben. Eine oder mehrere Personen waren bei ihr im Raum, auch wenn sie sie nicht sehen konnte. Sie hatte das Gefühl, von Geiern umgeben zu sein ... einer *Kolonie von Geiern!* Richtig, so nannte man sie, wenn sie in einer Gruppe auftraten – ein toller Zeitpunkt, um sich daran zu erinnern.

Dann wurde es plötzlich hell.

Jemand nahm ihr den Seidenschal von den Augen, und Ruby blickte erneut in die hübschen Augen von Babyface Marshall. Er sah aus, als könnte er kein Wässerchen trüben. Wenn man diesen sympathischen jungen Mann mit den regelmäßigen Gesichtszügen und den weißen Zähnen ansah, konnte man kaum glauben, was Agent Blacker über ihn gesagt hatte.

»Haste was zu sagen, Zuckerpüppchen?«

Babyface riss ihr das Klebeband vom Mund. Tränen schossen ihr in die Augen.

»Aber, aber, wer wird denn gleich weinen? Sag mir einfach, was ich wissen muss, dann darfst du zu Mami und Daddy zurück.«

»Hören Sie: Erstens heule ich nicht – bestimmt nicht, weil mich irgendein Trottel mit einem Gesicht wie ein Babypopo nervt, und zweitens, weil ich gar nichts weiß, wie ich Ihren Kumpanen vorhin schon erklären wollte, bevor sie mir den Mund zugeklebt haben.«

Das mit dem Babypopo gefiel Babyface gar nicht, wie Ruby schnell merkte – seine Stimme wurde um einiges barscher.

»Was hattest du in der Reinigung zu suchen?« Er beugte sich zu ihr herunter, und sie spürte seinen warmen Atem an ihrer Wange.

»Ich habe was zum Anziehen für heute Abend abgeholt, für dieses Museumsevent, Sie wissen schon, die Leute reden über nichts anderes mehr, weil der alte Buddha gezeigt wird. Wissen Sie, ich hatte total verschwitzt, das Kleid abzuholen, und meine Mutter würde zu einer wilden Bärin werden, wenn ich es heute Abend nicht anziehe. Und Sie wissen ja, wie wild Bärenmütter sein können, oder?«

»Ja, hab schon gehört, dass sie einem den Kopf abbeißen können.«
Ruby bereute, dass sie Bären erwähnt hatte – sie sollte ihn besser nicht auf dumme Gedanken bringen. Wenn Ruby Redfort eines über Bären wusste, dann war das REGEL 79: WAS TUN, WENN DU EINEM BÄREN BEGEGNEST? DIR WÜNSCHEN, DU WÄRST IHM NICHT BEGEGNET!
Babyface schnappte sich Rubys Rucksack und holte die taubenblaue Jacke heraus. »Die soll dir gehören?« Er durchsuchte die Taschen.
»Nein, ich fass es nicht! Was zum …! Verflixt, ich muss die Jacke meiner Mutter mitgenommen haben statt meines Kleids! Wie kann man nur so dumm sein?«
»Frag ich mich auch!«, knurrte Babyface.
»Hören Sie, Mister, was genau wollen Sie von mir? Sie können die Jacke haben, wenn sie Ihnen so am Herzen liegt – meine Mom bringt mich dann zwar um, aber das nehme ich gern in Kauf, wenn Ihr Glück davon abhängt!«
»Oh, mein Glück bestimmt nicht, Miss Redfort, aber ich kenne jemanden, bei dem es sich eventuell anders verhält.«
Er wandte sich zur Tür.
»Hey, kommen Sie, Meister. Sehen Sie mich doch an! Ich bin doch nur eine kleine Schülerin.«
»Das kannste meinem Boss erklären«, zischte Babyface und zog die Tür hinter sich zu.

Hitch fuhr mit der Limousine direkt vor dem Museum vor, und Mr und Mrs Redfort stiegen aus. LB hatte ihm eingeschärft, dass er lediglich für die Sicherheit von Brant und Sabina Redfort zuständig war. Als er widersprechen wollte, hatte sie ihm erklärt, er hänge »emotional zu sehr in der Sache drin, Hitch – es ist besser, wenn andere nach dem Kind suchen. Sie fühlen sich schuldig, und Schuldgefühle haben noch nie etwas genützt. Sie bleiben besser vor Ort. Wir müssen die Sache ganz nüchtern angehen.«

Bunte Lampions waren an Bändern über den Stufen aufgespannt, vom großen Platz drang Musik herüber. Kirschbäume hatten ihre Blüten über dem Weg verstreut, und alles in allem war es eine sehr schöne, romantische Szenerie. Eine leichte Brise, ein milder Abend – der perfekte Abend für ein großes Event. Einfach märchenhaft ... Doch Hitch war blind für all diese Schönheit. Er hatte nur Augen für die Sicherheitsleute, die Kameras und seine Agentenkollegen. Er schaltete seinen Armbandtransmitter ein und flüsterte hinein: »Was Neues von der Kleinen?«

»Leider nichts, Hitch, wir haben ganz Twinford durchkämmt und auch die nähere Umgebung, aber sie ist wie vom Erdboden verschluckt.«

Hitch stieß einen tiefen Seufzer aus und nahm dann den eingehenden Anruf von Agent Blacker entgegen. »Willst du zuerst die gute oder die schlechte Nachricht hören?«, fragte Blacker.

Hitch stöhnte nur.

»Okay, die schlechte Nachricht lautet, dass Mr Klaus Gustav noch immer in seinem Hotelzimmer sitzt und wir noch keine Gelegenheit hatten, ihn über all unsere Sicherheitsvorkehrungen zu unterrichten. Dr. Gonzales fragt sich allmählich, ob er sich überhaupt jemals heraustraut.«

»Und die gute Nachricht?«, fragte Hitch.

»Ich ruf wieder an, sobald ich eine weiß.«

Ruby spitzte die Ohren.

Sie hörte das resolute Klicken von teuren Ledersohlen, die resolut über einen Steinfußboden gingen. Die Schritte waren anfangs noch weit weg, kamen aber eindeutig näher. Allein schon ihr Klang – so regelmäßig, dass Ruby an das Ticken einer Uhr denken musste – schien nichts Gutes zu verheißen. Und als die Schritte vor der Tür angekommen waren, hinter der Ruby saß, klopfte ihr Herz so ungestüm, dass ihr ganzer Körper vibrierte.

Als sich die Tür langsam und knarrend öffnete, liefen Ruby Schweißtropfen über das Gesicht, obwohl es eiskalt war hier im Turm. Die Gestalt in der Tür warf einen langen gespenstischen Schatten – der fast wirkte, als sei er unabhängig von dem Mann, dem er gehörte. Mehr als diesen Schatten konnte Ruby fürs Erste nicht erkennen, aber andererseits sah Ruby mit nur einer Kontaktlinse sowieso kaum etwas.

Doch sie musste weder gut sehen noch etwas erkennen können: Ihr sechster Sinn sagte ihr, dass dieser Mann kein guter Mann war.
Er ist die Art Mann, dachte Ruby, der jemanden ohne mit der Wimper zu zucken über einem brodelnden Vulkan baumeln lassen würde, nur weil … na ja, warum nicht?

37. Kapitel

Das Rad der Zeit hält niemand auf

Ich hätte Gelb tragen sollen, dachte Sabina. Gelb steht mir einfach umwerfend gut.

Sabina Redfort hatte sich noch nicht ganz von ihrer Enttäuschung erholt, dass sie nicht als einzige Frau die grandiose Idee gehabt hatte, ein jadegrünes Kleid zu tragen; die meisten anwesenden Damen waren in unterschiedliche Grüntöne gekleidet. Trotzdem – die geeisten Kanapees waren göttlich und die grünen Martinis einfach ein Traum. Alles in allem war der Empfang im Museum ein glänzender Erfolg.

Die Stimme von Freddie Humbert riss sie aus ihren selbstzufriedenen Gedanken.

»Und wo steckt dein schlaues Töchterlein, Sabina?«

»Sie mag ja schlau sein, Freddie, aber die Uhr kennt sie offenbar noch nicht. Brant und ich haben alles versucht, um sie zu Pünktlichkeit zu erziehen, aber ich fürchte, es ist aussichtslos bei Ruby.«

»Ah, sie ist trotzdem ein tolles Kind«, sagte Brant und seufzte. »Zwar etwas zerstreut, aber ich lasse nichts auf sie kommen.«

»Zerstreut?«, wiederholte Sabina und zog die Stirn kraus. »Die Uhr wird Mitternacht schlagen, bevor sie sich blicken lässt, und dann ist alles vorbei.«
»Wie wahr«, sagte Freddie Humbert, »die heutigen Kinder sind einfach nicht fähig, selbst einfachste Vorschriften zu befolgen.«
»Hier, Dad«, sagte Quent, der gerade mit einem Tablett mit Getränken ankam. »Zwei Martinis, einer mit extra viel Oliven, einer ohne Oliven, ein Mineralwasser, Eis und einen Limonenmix und dann noch einen Jadesaft ohne Früchte.«
»Das muss an diesem Teufelswerk, dem Fernsehen liegen«, bestätigte Marjorie Humbert. »Quent klebt immer förmlich vor dem Apparat.«
»Da ist kein normales Gespräch mehr möglich«, sagte Freddie.
»Vielleicht weiß Hitch, wo Ruby stecken könnte«, sagte Sabina in einem Anflug von Besorgnis.
Hitch blickte schon seit geraumer Zeit angestrengt durch den Raum. Wo zum Teufel bist du, Katze, und für wen von der Unterwelt arbeitest du dieses Mal? Wer konnte so verrückt sein zu glauben, er könne mit seiner Bande eine Organisation wie Spektrum überlisten, an einem perfekt geschulten Sicherheitsteam vorbeikommen und einen Gegenstand stehlen, der als ›wertvoller als Gold‹ galt?

Der Schattenmann näherte sich dem Stuhl und beäugte Ruby von Kopf bis Fuß.
»So, so, Sie *sind* also Miss Redfort … Miss Ruby Redfort.« Der Mann sprach ihren Namen aus wie in einem Filmvorspann, wenn noch nichts zu sehen war. »Ich bedauere die Unannehmlichkeiten – hat Mr Marshall die Fesseln zu straff gebunden? Er ist manchmal etwas grob.«
Der Mann hatte eine irritierend sanfte Stimme – ruhig und besänftigend, stellenweise kaum hörbar.
»Eine Schande, wie kalt es hier ist. Offenbar ist es immer eisigkalt in diesem Turm, dabei haben wir so einen schönen milden Frühlingsabend.«
Ruby versuchte, Blickkontakt mit ihm aufzunehmen, doch sie sah nur Schwarz: keine Pupillen, keine Iris. Haifischaugen, dachte sie unwillkürlich – unergründlich. Der Mann trat an den Tisch, griff nach dem Krug und schenkte sich ein Glas Wasser ein.
»Hat Mr Marshall Ihnen überhaupt etwas zu trinken angeboten? Eher nicht, wie ich ihn kenne, dabei verraten Manieren alles über einen Menschen, nicht wahr? Und was wären wir ohne Manieren? Monster?«
Ruby dachte an ihren Vater. Wie oft hatte sie ihn nicht schon sagen hören: Manieren zeichnen den Gentleman aus. In diesem Punkt täuschte er sich offenbar gewaltig.
»Mit etwas Rücksicht kommt man im Leben weiter, nicht wahr, meine liebe Miss Redfort?«

Ruby fragte sich, wann die Folter beginnen würde.

Der Mann hob das Glas, als wollte er einen Toast aussprechen. »Kann ich Sie wirklich nicht in Versuchung führen?«

Ruby räusperte sich und versuchte, den Kloß der Angst, der in ihrem Hals festsaß, hinunterzuschlucken. »Wer sind Sie?«, krächzte sie schließlich.

Warum sie das gefragt hatte, wusste sie selbst nicht; sie kannte die Antwort längst und hatte eigentlich keine Lust, es laut ausgesprochen zu hören.

»Oh, Verzeihung, da stehe ich hier und rede von Manieren, dabei habe ich meine eigenen offenbar ganz vergessen. Aber andererseits ging ich davon aus, dass ein helles Köpfchen wie Sie es längst erraten hat.« Der Mann lächelte und entblößte dabei zwei blendend weiße Zahnreihen. »Man nennt mich den Grafen«, sagte er gelassen, geradezu beruhigend.

Doch Ruby war das Blut bereits in den Adern gefroren, ihr Körper fühlte sich plötzlich bleischwer an. Denn vor ihr stand der schlimmste aller Bösewichte auf Erden. Wenn es stimmte, dass es bisher *nur* Bradley Baker gelungen war, den Angst einflößenden Fängen des Grafen zu entkommen – welche Chancen hatte dann eine dreizehnjährige Schülerin aus Twinford?

Trotz ihrer gefesselten Hände schaffte sie es, den Schlüsselring zu ertasten, der immer noch an der Kette in der

Potasche ihrer Jeans war – wie beruhigend, ihn zu spüren! Nervös fummelte sie an den kleinen Würfelchen herum, und ohne es zu merken, bildete sie ein Wort:

HILFE

Hitch warf einen Blick auf seine Uhr, und der kleine Lichtpunkt leuchtete wieder auf, diesmal rot.

Das Ganze wurde allmählich unheimlich – Bradley Baker war schon lange tot, doch es war, als würde der *junge* Bradley mit ihm Kontakt aufzunehmen versuchen, über Raum und Zeit hinweg. Die große Uhr an der Wand des Museums tickte vor sich hin, und ihre riesigen Zeiger bewegten sich langsam, aber sicher auf Mitternacht zu. Und noch immer gab es keine Spur, die ihn zu Ruby oder zu ihren Entführern gebracht hätte.

* * *

»Wollen wir uns ein bisschen über Spektrum unterhalten?«, sagte der Graf.

Ruby zuckte nicht mit der Wimper.

»Früher oder später werden Sie sowieso alles ausplaudern, Miss Redfort. Ich persönlich wäre für früher – Warten kann so qualvoll sein, nicht wahr?« Er lächelte.

Ruby schwieg weiterhin.

Der Graf lachte abfällig. »Ein bisschen spät für Geheimniskrämerei, nicht wahr? Sie hätten besser neulich etwas we-

niger mitteilsam sein sollen, dann wären Sie jetzt nicht in dieser …« Er machte eine wegwerfende Handbewegung. »… misslichen Lage.«
Ruby versuchte sich zu erinnern. Wann hatte sie über Spektrum geredet?
Der Graf schüttelte den Kopf. »Ich muss schon sagen, alles in allem sind Sie recht verschwiegen – wir hätten nie mitbekommen, dass Sie an der Sache beteiligt sind, wäre da nicht dieser kurze Anruf bei Ihrem Freund, Master Crew, gewesen.«
Das Telefonat mit Clancy! Ein dummer Anruf war schuld daran, dass sie jetzt gefesselt war und gleich sterben würde! Verflixt, warum hatte sie ihre Klappe nicht gehalten? Es war doch nur *eine* klitzekleine Regel! Warum hatte sie ausgerechnet am Telefon darüber reden müssen?
»Sie haben die Telefone verwanzt?«, wisperte Ruby.
Sie hatte sich eingebildet, sie sei unsichtbar, nur weil sie noch ein Kind war, aber als Agentin musste man ständig damit rechnen, dass man beobachtet wurde und dass jemand durch ein Schlüsselloch schaute oder an der Tür lauschte – egal, wie alt oder jung man war. REGEL 9: MAN WEISS NIE, OB MAN NICHT IRGENDWO VON IRGENDJEMANDEM BEOBACHTET WIRD.
»Ah, *Sie* haben unser Haus ausgeräumt? *Sie* haben alles mitgenommen und nur die Telefone dagelassen?« So allmählich dämmerte es Ruby: Die Anrufe neulich, als sich

niemand meldete … das waren die Gangster gewesen, die checken wollten, ob die Luft rein war.
Der Graf nickte. »Nicht ich persönlich natürlich, ich bin schließlich kein Möbelpacker.« Er lachte über seinen kleinen Scherz, doch Ruby war das Lachen vergangen.
»Sie haben auch das Gepäck meiner Eltern gestohlen … und versucht, meine Mom zu entführen?«
»Nun ja, meine Liebe, ich muss gestehen, dass ich mich in deiner Mutter getäuscht habe. Wir haben sie die letzten Wochen beschattet, weil wir dachten, sie sei für die Sicherheitsvorkehrungen des Museums verantwortlich und hätte das Treffen mit dem schnurrbärtigen Typen in der Schweiz geschickt organisiert, um uns einen Strich durch die Rechnung zu machen. Dabei wollten wir ursprünglich klammheimlich mitten in der Nacht ins Museum einbrechen und uns den Buddha von Khotan holen.« Er musterte sie. »Aber verraten Sie mir eins: Wie kommt ein cleveres Mädchen wie Sie zu so … hm, wie soll ich sagen? … zu so dummen Eltern?«

Das rote Pünktchen blinkte und blinkte. Hitch stellte die Uhr in den Radarmodus und erhielt prompt die Koordinaten: Das Signal kam aus dem Ostflügel des Museums, dem Turm, genauer gesagt. Sollte er die Sache überprüfen? Das ging nicht, nicht jetzt.
Lass dich nicht ablenken, konzentrier dich auf das Wichtigste! Und das Wichtigste war nun mal dieser Empfang.

Der Graf von Klapperstein schritt den kreisförmigen Raum ab; er schien sich bestens zu amüsieren. »Na schön, dann verraten Sie mir wenigstens, wieso Spektrum schon wieder auf die dumme Idee kam, so blutjunge Agenten einzusetzen?«

Ruby wunderte sich. Wovon redete der Kerl? Blutjunge Agenten?

»Nun, Sie werden Ihnen doch wohl von dem Wunderknaben erzählt haben – dem *Ex*wunderknaben besser gesagt?«

Ruby starrte in seine schwarzen Augen. Sagte er die Wahrheit?

»Ah, in Ihren Augen kann ich lesen, dass sie es versäumten, Sie darüber aufzuklären, was für ein erstaunliches Talent der kleine Bradley Baker *war.*«

»Bradley Baker? Er ist ein Kind?«, sagte Ruby verdutzt.

»*War!* Doch das ist Lichtjahre her. Er war erst sieben, als er rekrutiert und von Spektrum zu einem Topagenten ausgebildet wurde. Ich glaube, als *ich* ihn das erste Mal traf, war er etwa in Ihrem Alter. Und was für ein Talent …! Der einzige Agent, der mir je einen Gegenbesuch abstattete. War das leichtsinnig von mir? Oder clever von ihm? Wer kann das schon sagen? Aber letztendlich hat Spektrum ihn doch verloren.«

»Sie haben ihn getötet?«, wisperte Ruby.

»Oh, Himmel, nein, haben Sie es nicht erfahren? Bradley

Baker starb bei einem Flugzeugunglück im Gebirge – ich hab's mit eigenen Augen gesehen. Der Flieger ist zu Asche verbrannt und der hübsche junge Mann gleich mit. Die arme LB, wie hat sie um ihn getrauert!«

»LB und Baker standen sich also nahe?« Für einen kurzen Moment gewann Rubys Neugierde die Oberhand über ihre Angst.

»Oh, mehr als das, sie waren verlobt – bis über beide Ohren verliebt.« In der Stimme des Grafen schwang Abscheu mit. »Es war höchst bedauerlich, mit ansehen zu müssen, wie der talentierteste Codeknacker und viel versprechende junge Geheimagent von Spektrum in Flammen aufging!«

»Ah, deshalb durfte Lopez nie an Einsätzen teilnehmen!«

»Lopez? Ach ja, Miss Lopez, wir wussten nicht genau, wie sie in das Bild passte, sie hat ihre Spuren meisterhaft verwischt – wir sahen keinerlei Zusammenhang mit Spektrum, bis wir *Sie,* Miss Redfort, über sie reden hörten. Aber das machte keinen Unterschied mehr, denn sie war ja bereits tot.«

Ruby zuckte zusammen.

»So, so, Spektrum fesselt seine Codeknacker neuerdings also an den Schreibtisch! Wie töricht! Kein Mensch ist je wirklich sicher. Es ist besser, auf Gefahren vorbereitet zu sein, als die Augen vor möglichen Gefahren zu verschließen.«

In diesem Punkt musste Ruby ihm recht geben. Sie selbst war der lebende Beweis dafür.

»Meine gute Bekannte, Madame Ehrling«, fuhr er fort, »wurde im Hotel Springbrunnen auf Miss Lopez aufmerksam.«

Madame Ehrling – die Frau mit dem Schleierhut, dachte Ruby.

»Natürlich hatten wir nicht die leiseste Ahnung, dass Lopez für eine renommierte Geheimdienstzentrale wie Spektrum arbeitete. Wir hielten sie für eine naseweise Amateurin. Wenn Spektrum die gute Miss Lopez besser ausgebildet hätte«, fuhr er mit einer schwungvollen Handbewegung fort, »würde *sie* vermutlich hier sitzen …« Der Graf lachte. »… an Ihrer Stelle!«

Ruby bekam eine Gänsehaut.

»Aber Lawinen sind nun mal so unvorhersehbar. Schon ein Knall und eine leichte Erschütterung – zum Beispiel durch Dynamit – kann eine Lawine auslösen. Ein Jammer! So eine intelligente junge Frau: Ich glaube, ihr Intelligenzquotient reichte fast an meinen heran, und ich gelte als *Genie*.«

Ruby drehte die Augen. »Ein tolles Genie! Sie haben vergessen, ihr den Code abzunehmen, und aus diesem Grund sind wir auf Sie gekommen«, sagte sie spöttisch. »Sie müssen lernen, besser hinzuschauen – Augen auf und *hin*schauen!«

Der Graf kniff die Augen zusammen. »Da fällt mir ein … kommen wir endlich auf den Punkt!«
Ruby schluckte.
»Sagen Sie mir, wo er ist, dann lassen wir Sie laufen.«
»Wo *wer* ist?«
»Miss Redfort, wir haben keine Zeit für Spielchen, weder Sie noch ich, über dieses Stadium sind wir hinaus.«
»Schauen Sie mich an! Was könnte *ich* schon haben, was für Sie interessant wäre?« Doch Ruby fühlte sich längst nicht so mutig, wie sie tat. `REGEL 28: MIT EINEM SPASS-VOGEL IST NICHT ZU SPASSEN!`, dachte sie sich.
Seine kalten schwarzen Augen musterten sie.
»Okay«, sagte sie auf gut Glück. »Wenn ich Ihnen den Schlüssel gebe, lassen Sie mich dann gehen?«
Der Graf schüttelte bedauernd den Kopf. »Ich fürchte, so funktioniert das nicht. Ihnen ist sicher klar, dass Sie in keiner guten Verhandlungsposition sind, oder?«
Ruby schluckte – ihr Mund war total trocken, Schweißtropfen liefen ihr über die Stirn.
»Ich höre, Miss Redfort.«
Doch Ruby schwieg.
Da stampfte er mit dem Fuß auf. Ruby zuckte vor Schreck zusammen, und eine dicke Haarsträhne fiel ihr über das rechte Auge. Und ihre Haarspange – auweia, die rutschte langsam, aber sicher an ihrer Nase vorbei. Ruby hielt die Luft an.

Wird er es sehen? Bestimmt wird er es sehen!

Und tatsächlich! Wortlos streckte der Graf seine Hand mit den langen, eleganten Fingern aus, zog die Haarspange aus Rubys Haaren – und mit dieser einfachen Geste war das gläserne K in seinen Händen.

»Gut, dann verzichten wir heute mal auf Folter – sehen Sie, man kann sich auch friedlich einigen«, sagte er. »Arme kleine Dorothy, sieht ganz so aus, als würdest du es doch nicht ins Innere der Smaragdenstadt schaffen.« Er betrachtete Rubys Clogs. »Jetzt können dir nicht mal mehr deine roten Schuhe helfen.«

»Egal, ich bin sowieso nicht passend gekleidet für den Empfang«, sagte Ruby mit einem schiefen Lächeln.

Der Graf studierte Rubys T-Shirt mit der Aufschrift: SITZE GANZ SCHÖN IN DER KLEMME.

»Trifft zu, mein Kind. Der Spruch passt perfekt«, sagte der Graf mit einem fiesen Grinsen. Ruby merkte, dass er zum Du übergegangen war.

»Und weiter?« Ihre Stimme war fast nur ein Krächzen.

»Richtig, genug geplaudert, reden wir endlich Klartext!«, sagte der Graf. »Ich habe mir etwas ganz Großartiges für dich ausgedacht – eine Szene wie aus dem *Zauberer von Oz*. Ah, das hätte ein wunderbarer Film werden *können*, wenn der Regisseur nur ein Fünkchen *Phantasie* gehabt hätte. Meine Lieblingsszene ist die, wenn die Hexe das Stundenglas umdreht – und wenn das letzte Sandkorn durchgerieselt ist, würde Dorothy sterben. Es ist jammerschade, hab ich mir immer gedacht, dass man die kleine Dorothy nicht *in* das Stundenglas gesetzt hat! Es wäre so viel dramatischer gewesen, um einiges narrensicherer ... Also betrachte das nun Folgende als Neuverfilmung, als eine Version, die Hollywood niemals zulassen würde!«

Rubys Augen wurden tellergroß, und sie hätte nicht mehr sagen können, ob ihr Herz überhaupt noch schlug.

»Nun, mein hübsches Kind«, sagte der Graf und äffte den Tonfall der Bösen Hexe des Westens nach. »Um genau eine halbe Stunde vor Mitternacht wird der Turm, in dem du dich befindest, anfangen, sich wie ein riesiges Stundenglas mit jadegrünem Sand zu füllen.«

Ruby zuckte zusammen – Sand in den Haaren hatte sie schon immer gehasst, aber in Sand begraben zu werden, war grauenhafter als alles, was in sämtlichen Thrillern vorkam, die sie zusammen mit Mrs Digby angeschaut hatte!

»Töten Sie mich, wenn Sie wollen«, sagte Ruby, die größte Mühe hatte, ihre Stimme unter Kontrolle zu halten, »aber das hilft Ihnen nicht weiter. Wie wollen Sie an den vielen Sicherheitsleuten, Alarmanlagen und Wächtern vorbeikommen? Sie haben nicht die geringste Chance, auch nur in die *Nähe* des Jadebuddhas von Khotan zu kommen!«

»Es ist ja süß, dass du dir meinen Kopf zerbrichst, aber ich habe mir eine ausgezeichnete Choreographie ausgedacht, um die guten Leute von Twinford abzulenken: ein kleiner Stromausfall und gleichzeitig eine Explosion. Es wird sehr aufregend werden. Ein totaler Stromausfall, wie dramatisch! Und im gleichen Moment sprengen wir die Bank in die Luft und sehen zu, wie die hübschen grünen Dollarscheine zum Himmel fliegen. Und sobald der Strom ausfällt, können sie ihre raffinierten kleinen Laser vergessen – es wird zwar so aussehen, als wären sie noch aktiviert, aber das werden sie natürlich nicht sein, glaub mir!«

Der Graf von Klapperstein blickte auf seine Uhr – eine altmodische Taschenuhr, die mit einer goldenen Kette in seiner Jackentasche befestigt war. »Herrje, wie doch die Zeit vergeht! Das Rad der Zeit hält niemand auf. Leider muss ich dich jetzt verlassen. Ich freue mich, deine Bekanntschaft gemacht zu haben, und bedauere zutiefst, dass ich dieses Vergnügen kein zweites Mal haben werde.«

Und nach diesen Worten machte er den Abgang.

Ruby war sich nicht ganz sicher, aber als die Tür zufiel, glaubte sie einen Moment lang, eine Frauenstimme zu hören, die ihr irgendwie bekannt vorkam. Doch bevor ihr einfiel, wem sie gehören könnte, hörte sie eine zweite Stimme.

Singt da jemand?

Ruby blickte auf. Auf der Fensterbank stand ein Tonbandgerät, das eine Melodie abspielte, die sie bestens kannte. *Mister Sandman* – ein Lied, das ihr Vater ihr früher manchmal vorgepfiffen hatte, wenn er sie zu Bett brachte. Sie fröstelte. Würde sie diesen Song heute zum letzten Mal hören?

Wenn du so denkst, Ruby, kannst du dich gleich begraben lassen.

38. Kapitel

Leise rieselt der Sand …

Hitch sah einen hochgewachsenen Mann in einem etwas altmodischen Anzug die imposante Eingangshalle des Museums betreten. Ihm folgte Agent Blacker, der sichtlich erleichtert wirkte.

Die Uhr schlug halb zwölf. Höchste Eisenbahn, dachte Hitch. Herr Gustav hätte schon vor drei Stunden eintreffen sollen.

Er funkte die Suchtruppe an. »Die Kleine?«

»Nichts«, lautete die Antwort.

Auf der anderen Seite der großen Halle hatte Clancy seine Eltern erspäht – sie unterhielten sich mit Mr und Mrs Redfort und einem elegant gekleideten Mann, den Clancy nicht kannte.

»Ich weiß nicht, was sich unsere Tochter wieder mal denkt – ich hatte mich so darauf gefreut, sie Ihnen vorzustellen«, sagte Brant und schüttelte die Hand des Mannes.

Dieser lächelte beschwichtigend. »Ich bin mir sicher, dass sie nicht weit weg ist … wahrscheinlich bis über beide Ohren in etwas vergraben. Ich weiß noch gut, dass es für mich

als Kind nichts Schöneres gab«, fuhr der Mann fort, »als mich irgendwo einzuschließen und in Ruhe Musik zu hören.«
»Klingt ganz nach unserem Mädchen«, sagte Brant.
»Und wenn sie dann endlich kommt, ist sie sicher wieder völlig unpassend gekleidet«, sagte Sabina und zupfte ein langes rotes Haar vom Jackett des Fremden. »Entschuldigung«, sagte sie dann mit einem verlegenen Lachen. »Die Macht der Gewohnheit …«
Der Mann lächelte erneut. »Ihre Tochter scheint doch ein intelligentes Kind zu sein, Mrs Redfort. Da wird sie sicher etwas tragen, das zum heutigen Anlass passt.« Er drehte den Kopf. »Und wen haben wir hier?« Er musterte Clancy, der inzwischen zu der kleinen Gruppe getreten war.
»Oh, Verzeihung, Herr Gustav«, sagte Botschafter Crew. »Darf ich vorstellen? Mein Sohn Clancy.«
Clancy schüttelte die Hand des Mannes. »Sehr erfreut, Herr Gustav!«, sagte er artig, und dann: »Komisch – ich hatte Sie mir viel kleiner vorgestellt.«
Herr Gustav lachte. »Bedauere, Sie enttäuschen zu müssen, junger Mann.«

In der Zwischenzeit saß eine Schülerin irgendwo in einem Turm und musste ohnmächtig mit ansehen, wie unzählige Sandkörner auf sie herabrieselten.
Au Mann, dachte Ruby, wie konnte mir das nur passieren?

Sie befand sich in einer Art überdimensionaler Eieruhr, und ihr war klar, dass innerhalb der nächsten dreieinhalb Minuten niemand kommen und sie retten würde. Wie spät war es überhaupt?, fragte sie sich. Hatte der Empfang schon angefangen? Und plötzlich fiel ihr etwas Wichtiges ein – etwas sehr Wichtiges.

Die Fluchtuhr! Ihre Hände waren zwar zusammengebunden, doch die Finger konnte sie bewegen, und so tastete sie sehr geduldig und konzentriert an den vielen winzigen Knöpfen und Hebeln herum. An diesem Ding musste doch etwas zum Schneiden sein – einen Laserstrahl brauchte doch jeder Geheimagent, oder? In den Hollywood-Actionthrillern war es nur eine Sache von Sekunden, bis der Held sein Lasergerät einsetzen musste.

Verdammt, als ich das Ding stibitzt habe, hätte ich als Erstes überprüfen müssen, wo der verflixte Laser ist!

Sie hätte sich in den Hintern treten können – und es vermutlich auch getan, wenn ihre Knöchel nicht ebenfalls zusammengebunden gewesen wären. Sie drückte und drehte an sämtlichen Knöpfen der Uhr herum, doch nichts geschah – rein gar nichts! Der Sand rieselte weiter, und obwohl ihr Stuhl auf einer Art Plattform stand, steckte sie schon bis zu den Knöcheln im Sand.

Und plötzlich spürte sie etwas Warmes an ihrem Handgelenk – nein, nicht warm, richtig *heiß*!

»Autsch!«, schrie Ruby. Sie hatte den Laser gefunden!

Unter weiterem Gestöhne und Fluchen und Schimpfen schaffte Ruby es schließlich, den Laserstrahl auf den Strick zu richten, mit dem ihre Handgelenke gefesselt waren. Kaum waren ihre Arme frei, befreite sie auch ihre Füße. Ihre Glieder waren steif und schmerzten, aber darauf konnte Ruby im Moment keinen Gedanken verschwenden. Ihre Selbstbefreiungsaktion hatte ja gerade erst angefangen.

»Ich kann es kaum erwarten zu sehen, wie sich der Buddha aus dem Fußboden erhebt – wie ich hörte, soll das blitzschnell gehen. Stimmt das?« Sabina war wirklich sehr aufgeregt.
»Ganz recht«, bestätigte Herr Gustav. »Um Punkt Mitternacht, beim ersten Glockenschlag, gehen alle Lichter aus, und eine Sekunde später steht er da.«
»Und genau in diesem Moment hat eine Person das unglaubliche Glück, dem Jadebuddha von Khotan in die Augen blicken zu dürfen! Ist das nicht schrecklich aufregend?«, sagte Sabina.
»*Sehr* aufregend«, bestätigte Klaus Gustav.
»Und Sie sind der Einzige, der das bewerkstelligen kann, da der Schlüssel in *Ihren* Händen ist.«
»Richtig.« Klaus Gustav nickte. »Ich besitze den Schlüssel des Jadebuddhas von Khotan.«
»Werden Sie den gläsernen Schaukasten persönlich auf-

schließen, Herr Gustav?«, wollte Margorie Humbert wissen.
»Darauf können Sie sich verlassen«, sagte er und klopfte auf seine Brusttasche.
»Stimmt es, dass Sie Schweizer sind?«, fragte Clancy.
»Richtig«, sagte der Mann.
»Dann ist das ein Schweizer Akzent, den Sie haben?«, fragte Clancy weiter.
Der Mann nickte.
»Weil … Sie klingen irgendwie nicht wie ein Schweizer, sondern eher …«
»Clancy! Wie unhöflich! So etwas sagt man nicht!«, tadelte Mrs Crew ihren Sohn. Sein Benehmen schickte sich nicht für den Sohn eines Botschafters. »Entschuldigen Sie, Herr Gustav, aber unser Sohn weiß manchmal nicht, wann er aufhören soll.«
»Ich wollte doch nur etwas fragen«, sagte Clancy.
»Tu's nicht, mein Sohn!«, sagte sein Vater streng.

Ruby stellte sich auf den Stuhl, konzentrierte sich darauf, dass ihr Handgelenk nicht zitterte, und richtete die Uhr auf einen Metallhaken direkt oberhalb des Fensters. Dann drückte sie auf den Auslöseknopf.
Das Titankabel schoss heraus. Die Greifkralle schnellte durch die Luft, verpasste den Haken aber um einige Millimeter und glitt an der Wand nach unten.

Ruby zog das Kabel schnell wieder ein und versuchte es erneut. Los, triff schon, ich hab nicht ewig Zeit. Wie wahr: Der Sand hatte inzwischen schon die Sitzfläche des Stuhls erreicht. Ruby zielte erneut und – Bingo! – diesmal fiel die Greifkralle über den Haken. Ruby schloss die Augen, drückte auf den Retraktor und wappnete sich dafür, gleich blitzartig durch die Luft gerissen zu werden … doch nichts geschah.

Nein, nein, nein! Du bist eine Fluchtuhr und musst mir jetzt bei der Flucht helfen, verstanden?

Der Sand bedeckte nun schon ihre Füße, und der Turm füllte sich erschreckend schnell. Sei lieb! Agentenspezialgeräte dürfen nicht versagen! Sie drückte noch einmal – wieder vergebens.

Okay, du darfst versagen, aber nicht jetzt! Sie drückte noch fester auf den Knopf – wieder passierte zuerst nichts, doch dann …

… wurde Ruby urplötzlich vom Stuhl gerissen und flog durch die Luft auf die Fensterbank zu.

Wurde auch Zeit!

Sie ließ den Knopf los und dachte über die neue Situation nach. Das Fenster war von außen mit Holzbrettern vernagelt, und sie hatte nicht genug Spielraum, um feste dagegenzutreten. Sie blickte sich um. Genau in der Mitte des Raums hing ein schmiedeeiserner Kronleuchter von der Decke. Wenn sie den zu fassen bekam, konnte sie daran auf das vernagelte Fenster zuschwingen und die Holzbretter zertrümmern – wie sie dann aber außen von dem hohen Fenster auf den sicheren Erdboden hinunterkam, war ein ganz anderes Problem. Sie drückte mehrmals auf das Knöpfchen, das das Kabel einfuhr, doch vergebens – die Vorrichtung hatte offenbar den Geist aufgegeben.

Okay, Ruby, du hast noch Zeit, nur keine Panik. Sie blickte auf das Tonbandgerät, dessen große Spulen sich drehten und drehten – und da hatte sie eine Idee. Bedauere, aber du gehst mir allmählich auf die Nerven.

Ruby nahm eine der Spulen und zog die vielen Meter Magnetband herunter, dann holte sie den Schlüsselring aus ihrer Hosentasche und band ihn zur Beschwerung an ein Ende des langen Bands. Nun konnte sie es als Lasso benutzen, den Kronleuchter damit »einfangen« und so weit herunterziehen, bis sie ihn zu fassen bekam. Sie hängte sich wie eine Trapezartistin daran und schwang vorwärts und rückwärts, bis sie genügend Schwung hatte und hoch genug war, um mit einem gekonnten Fußtritt die Holzbretter vor dem Fenster zu zertrümmern.

Allerdings hatte sie etwas *zu* viel Schwung geholt: Krachend durchbrach sie die Holzverschalung und flog in hohem Bogen hinaus an den nächtlichen Himmel.

Klaus Gustav stand im Mittelpunkt des Interesses der Reichen und Schönen von Twinford.

»Einen absolut bruchsicheren Schaukasten aus Glas zu bauen, ist eine beachtliche Leistung, Herr Gustav. Können Sie uns verraten, wie Sie das genau geschafft haben?«, fragte seine Exzellenz, Botschafter Crew.

»Oh, das war leicht«, erwiderte Klaus Gustav. »Am kniffligsten war die Sache mit dem Schlüssel.«

»Dürfen wir ihn mal sehen, Mr Gustav? Ich wollte schon immer wissen, wie er aussieht«, bat Sabina.

Doch Klaus Gustav tippte sich an die Nase. »Geheim, alles streng geheim.«

Clancy ließ Herrn Gustav nicht aus den Augen, den Schweizer mit einem Akzent, der ihn eher an ... verflixt, wen noch mal erinnerte?

»Nun, wir sind jedenfalls mächtig stolz darauf, Sie hier in Twinford und in unserem Städtischen Museum begrüßen zu dürfen«, sagte Botschafter Crew.

Herr Gustav lächelte, und seine schwarzen Augen blitzten.

Dracula!, dachte Clancy erschrocken.

Das Krabbeln und Scharren
war lauter geworden –
und es kam mit absoluter Sicherheit
von irgendwo hinter dem Bücherregal …

Mrs Digby schnappte sich eine Stehlampe. So, jetzt kannst du kommen! Wir Digbys fürchten weder Tod noch Teufel (von Ratten mal abgesehen!).
»Mischt aber au!«, ertönte da eine Stimme. »Jötzad bin i uff mini Brilla dappet!«
Mrs Digby staunte nicht schlecht, dass eine Ratte plötzlich sprechen konnte und noch dazu in einer fremden Sprache.
»Was für eine Sprache soll das sein?«, rief sie.
»Oh, isch do jemand?«, rief dieselbe Stimme, diesmal fast akzentfrei. »Wer sind Sie?«
»Jemand mit einer schweren Lampe in der Hand, der ohne mit der Wimper zu zucken zuschlägt! Und wer sind *Sie*, bitte schön?«
»Ich bin hier eingesperrt worden. Können Sie mir nicht helfen?«
»Woher soll ich wissen, dass Sie nicht auch zu der Bande gehören?«
»Wenn dem so wäre, wäre ich wohl kaum hier eingesperrt, oder?«
Mrs Digby musste kurz überlegen – der Mann (es war definitiv *keine* Ratte!) klang nicht besonders gefährlich, und da sie offenbar in derselben misslichen Lage waren, konnte es vermutlich nichts schaden, mit ihm Kontakt aufzunehmen. Sie begann, sämtliche Bücher aus dem Regal zu nehmen, damit es sich leichter verschieben ließ.
»Okay, jetzt müssten Sie sich durch die Lücke zwängen kön-

nen, es sei denn, Sie wären sehr dick, was ich aber nicht annehme, wenn Sie hier genauso winzige Portionen bekommen wie ich.«

Zuerst tauchte ein Arm, dann ein Bein und schließlich der Rest eines kleinen alten Mannes auf.

Ein kleiner alter Mann mit einem imposanten Schnurrbart.

»Klaus Gustav«, sagte er mit einer eleganten Verbeugung und reichte ihr die Hand.

39. Kapitel

Doppeltes Glück

Clancy versuchte verzweifelt, Hitchs Aufmerksamkeit zu erlangen, doch der Butler stand am anderen Ende des Saals und ließ die Gäste keine Sekunde aus den Augen, so dass er Clancys diskrete Handzeichen nicht bemerkte.
Mensch, schau doch mal kurz her!
Clancy wusste nicht, was tun – er wollte diesen Dracula nicht aus den Augen lassen, damit er nicht unbemerkt verschwinden konnte, aber ohne Hitch konnte er nichts unternehmen. Clancy begann zu winken, und irgendwann winkte Hitch zurück, so verlegen wie Leute, die nicht wissen, warum sie winken.
Clancy winkte weiter, um einiges hektischer, wie jemand, der am Ertrinken ist.
»Was soll das?«, zischte seine Mutter.
»Ich winke«, murmelte Clancy.
»Hör bitte sofort damit auf«, raunte sie ihm zu. »Du blamierst deinen Vater.«
Aber Clancy dachte nicht daran – er musste Hitch begreiflich machen, dass hier etwas faul war – oberfaul sogar. Dieser Mann war *nicht* Klaus Gustav.

Ruby konnte von Glück sagen, dass sie nicht die ganzen vierzig Meter (geschätzt!) auf den Boden krachte, sondern im Geäst eines ziemlich morschen Baums hängen blieb und nur noch schlappe dreiundzwanzig Meter (ebenfalls geschätzt!) über der Erde hing.

Was nun?

Das war Rubys letzter Gedanke, bevor ein gewaltiges Donnern das Gebäude erschütterte. Es kam aus der Twinford City Bank und war ein ohrenbetäubender Knall, eine richtige Explosion.

Im benachbarten Museum hielten alle Gäste für den Bruchteil einer halben Sekunde die Luft an – nur das Orchester spielte weiter.

Und dann brach Chaos aus.

Martini-Gläser fielen herunter und zerschmetterten auf den Marmorfliesen, alle schrien durcheinander, manche kreischten, Angst breitete sich aus wie die Funken elektrischen Stroms. Dann rannten alle gleichzeitig zu den Türen. Eine Alarmanlage ging los, Sirenen kreischten – überall herrschte Panik und Chaos.

Nur Clancy Crew versuchte verzweifelt, gegen den Menschenstrom anzukämpfen – alle anderen drängelten und schoben, um nach draußen zu kommen. Er wurde ständig unsanft rückwärts gedrängt und plötzlich von einer festen Hand gepackt.

»Wo willst du hin, Clancy Crew?« Es war Hitch.

Clancy hatte vor Panik und Aufregung einen knallroten Kopf. »Dieser Mann, Klaus Gustav – ich glaube, er lügt. Soweit ich weiß, ist der echte Klaus Gustav ein kleiner Mann mit einem auffällig großen Schnurrbart – der Typ hier ist der, der sich Ruby gekrallt hat.«
»Weißt du was, mein Junge?«, erwiderte Hitch. »Ich fürchte, du hast recht.«
»Und jetzt? Der Mann ist verschwunden. Und wie sollen wir Ruby ohne ihn finden?«
Hitch musterte Clancy. Er hatte nur wenig Hoffnung, aber es war seine einzige Chance. »Deine Freundin Ruby, weißt du zufällig, ob sie etwas von Spektrum mitgenommen hat? Ein kleines Gerät?«
»Nicht dass ich wüsste«, sagte Clancy.
»Du hast sie nicht zufällig mit einem Schlüsselring gesehen? Dessen Anhänger aus kleinen farbigen Scrabble-Würfeln besteht, die sich bewegen lassen?«
»Ach den? Ja, sie hat einen, aber der ist nicht von Spektrum. Es ist nur ein doofer, alter Schlüsselanhänger, den sie irgendwo gefunden hat, wie sie sagte.«
Hitch schmunzelte. »Das ist kein doofer Schlüsselanhänger, mein Junge, sondern ein ganz höchst raffiniertes, technisches Spektrum-Wunderwerk«, erklärte er und zog Clancy aus dem Gedränge und auf die Hintertreppe zu.
»Was soll das heißen?«, schrie Clancy.
»Es ist ein Minilocator, ein Positionsanzeiger«, rief Hitch

zurück. »Hat früher einem der genialsten Agenten aller Zeiten gehört. Wenn man die Würfel so verschiebt, dass sie ein Wort bilden, empfange ich ein Signal.« Er tippte auf seine Armbanduhr. »Ich hab das sichere Gefühl, dass ich weiß, wo wir deine Freundin Ruby finden.«

Clancy sah den roten Lichtpunkt auf dem Zifferblatt in regelmäßigen Abständen aufblitzen. Aber dann wurde es plötzlich stockdunkel um sie herum.

Außerhalb des Museums hing Ruby noch immer gut dreiundzwanzig Meter über dem Erdboden und merkte, dass ihre Kräfte allmählich erlahmten.

Ach du Schande, dachte sie. Das ist gar nicht gut.

Sie wusste nicht, wie lange ihre Finger noch durchhalten würden, doch es war der Ast, der als Erster aufgab, indem er zwischen ihren Händen zerbröckelte.

Und wieder stürzte Ruby ins Leere!

Inzwischen wimmelte es in der Bank vor Sicherheitsleuten. Alle, die vorhin noch im Museum waren, standen nun vor der Bank und sperrten Mund und Augen auf. Überall standen Polizeiwagen, man hörte kreischende Sirenen und Alarmanlagen, die weitere Alarmanlagen auslösten.

Doch Hitch hörte es kaum. Alles, was er hörte, war das Hämmern seines Herzens, als er durch die Gänge mit Betonwänden lief und steile Treppen hinaufhastete, um so

schnell wie möglich zum Turm zu kommen. Er rannte wie ein Besessener, als hinge sein Leben davon ab.
Bis Clancy keuchend vor der schweren Eichentür ankam, hatte Hitch sie schon aufgestemmt. Clancy Crew fielen fast die Augen aus dem Kopf, als er sah, wie sich Unmengen grüner Sandkörner in den Korridor ergossen. Und wie Hitch erschüttert zu Boden sank. Er begrub den Kopf zwischen den Händen.
»Ruby?«, wisperte Clancy und sackte in sich zusammen.
»Tut mir leid, mein Junge«, war alles, was Hitch über die Lippen brachte.

Doch Ruby Redfort hatte Glück im Unglück; genau genommen sogar doppeltes Glück.
Zum einen, weil sie auf die Stromleitungen fiel, die ihren Fall abgefangen hatten, zum zweiten, weil diese wegen der Explosion in der Bank nicht unter Strom standen.
Nachdem sie sich vergewissert hatte, dass sie noch lebte, hangelte sich Ruby an den Leitungen entlang, bis sie über einem großen, belaubten Busch hing. Dann ließ sie los – es war nicht direkt eine sanfte Landung, aber immerhin war sie noch heil, leider fehlte ihr ein Schuh.
Gratuliere, Ruby! Der ideale Zeitpunkt, um einen Schuh zu verlieren!
Es war stockdunkel – wie hätte sie da einen kleinen Schuh der Größe 35 irgendwo im Dickicht finden sollen?

Nachdem sie sich einigermaßen orientiert hatte, richtete sie sich auf und rannte auf das Gebäude zu. Na ja, rennen konnte man das nicht direkt nennen – mit nur einem Schuh humpelte sie eher. Das Museum war menschenleer, und als sie zur Treppe rannte, die ins Untergeschoss führte, hörte sie den Tumult draußen. Alle, wirklich alle starrten auf die Bank, um zu sehen, was als Nächstes passieren würde.

Ruby war nicht sonderlich überrascht, als sie feststellte, dass die Tür nicht abgeschlossen war. Es war genau wie der Graf gesagt hatte: Die Laserstrahlen, die den Eingang sichern sollten, sahen zwar aus, als seien sie noch aktiviert, doch die Schließanlage war ausgefallen, und Ruby war sich sicher, dass schon jemand dort unten war. Sachte schob sie die Tür auf und betrat einen nur schwach beleuchteten Gang.

Rumms!

Eine weitere Explosion. Weitere Alarmanlagen gingen los. Weitere Sirenen heulten.

Und dann fiel auch noch die Notbeleuchtung im Untergeschoss des Museums aus.

Hitch versuchte sich zusammenzureißen. Es fiel ihm nicht leicht. Außerdem musste er auch noch Clancy trösten, was ungleich schwieriger war.

»Clancy, hör mir zu! Ich muss jetzt unbedingt ins Untergeschoss des Museums – in die Tresorräume. Du läufst los und alarmierst die Sicherheitsleute deines Vaters. Sag ihnen, dass es ausschließlich um den Buddha geht. Du musst ihnen klarmachen, dass der Banküberfall nur ein Täuschungsmanöver ist – ich weiß, es sieht nicht so aus, aber es ist wahr.«

Clancy kauerte auf dem Boden und rührte sich nicht.

Hitch schnipste vor Clancys Gesicht mit den Fingern. »Hast du gehört, mein Junge? Du musst mir helfen.«

Noch immer nichts.

Hitch packte Ruby Redforts Freund an den Schultern. »Kleiner, es hätte nicht passieren dürfen. Es war mein Fehler, ich weiß, aber ich glaube, ich weiß, wer es war, und ich weiß auch, wo wir diesen Kerl finden. Er wird es büßen, was er Ruby angetan hat, das verspreche ich dir. Aber dafür brauche ich deine Hilfe.«

Langsam hob Clancy den Kopf. Sein Gesicht war aschfahl, und seine Augen waren trüb.

»Kann ich auf dich zählen, mein Junge?«

Clancy nickte und richtete sich auf.

»Hier, nimm«, sagte Hitch, »mein Talisman: ein Feuerzeug. Hat mich noch nie im Stich gelassen.«

Sich in den dunklen Gängen zurechtzufinden war nicht leicht – jedenfalls ohne Taschenlampe. Ruby hatte sich den Grundriss des Untergeschosses zwar gut eingeprägt und kannte ihn in- und auswendig, doch die undurchdringliche Dunkelheit brachte sie so aus dem Konzept, dass sie kaum noch wusste, wo sie war und wohin sie gerade ging. Doch sie hoffte, dass sie rechtzeitig dort sein würde – wo immer dieses Dort auch war.

Eine Welle von Panik, die sich verdächtig nach Platzangst anfühlte, überflutete sie.

Tief ein- und ausatmen, Ruby – es ist doch nur dunkel hier, mehr nicht.

Okay, die Dunkelheit und ein verrückter Graf, der gerade versucht hat, dich lebendig zu begraben …

Sie tastete sich lautlos vorwärts. Er darf nicht gewarnt werden. Du bist im Vorteil – er denkt, du bist tot. REGEL 43: WENN DU IM VORTEIL BIST, SIEH ZU, DASS ES SO BLEIBT!

Sie bog um eine Ecke, und hupps: Da stand er, der Jadebuddha von Khotan, in ein gedämpftes, aber wunderschönes Licht gehüllt. Wertvoller als Gold. Selbst aus dieser Entfernung konnte Ruby erkennen, dass er meisterhaft geschnitzt war und aus einem märchenhaft durchscheinenden, massiven Jadeblock bestand. Ruby wäre gern noch ein Stück näher gegangen, doch sie traute sich nicht, da sie wusste, dass der Graf nicht weit weg sein konnte. Und tatsächlich: Wenige Sekunden später tauchte er wie durch Zauberei aus der pechschwarzen Dunkelheit auf – mit dem kleinen gläsernen Schlüssel in der Hand.

Vorsichtig steckte er den Schlüssel in einen schmalen Schlitz in dem Glaszylinder, und die Tür glitt auf. In der linken Hand hielt er ein silbernes Röhrchen. *Was war das?* Ein dünner Lichtstrahl schoss heraus. Was wollte der Graf genauer sehen – waren es die Augen des Buddhas, die ihn interessierten? Bestaunte er nur die Schönheit dieses Kunstwerks oder suchte er nach etwas Bestimmtem?
Er griff in seine Brusttasche und zog einen kleinen Notizblock und einen Füllfederhalter heraus.
Er notierte sich etwas.
Warum?
»Oh, wenn das nicht die kleine Redfort mit den roten Schühchen ist, die neugierigste Göre weit und breit!«
Ruby brauchte sich gar nicht erst umzudrehen. Sie hatte Babyface Marshalls Säuselstimme sofort erkannt.
»Shit aber auch! Nicht *Sie* schon wieder!«

Hitch stand zu diesem Zeitpunkt vor der Tür zum Untergeschoss des Museums. Er drückte auf den Transmitterknopf seiner Uhr. »Blacker, hören Sie? Blacker, können Sie mich hören?«
Nichts. Bei den anderen Agenten hatte er auch kein Glück. Okay, noch ein letzter Versuch – hoffentlich sind wenigstens Sie da, LB.
Fünf Sekunden später hatte er sie in der Leitung. »Reden Sie!«

»Die Explosion in der Bank war ein Bluff, ein Ablenkungsmanöver. Sie haben es auf den Jadebuddha abgesehen, und ich bin mir ziemlich sicher, dass der Graf dahintersteckt. Alles spricht dafür. Er ist irgendwie an den Schlüssel gekommen. Und er hat auch Ruby entführt, jede Wette!«
»Wo ist sie jetzt?«, fragte LB.
Hitch musste zuerst schlucken. »Ich fürchte, die Kleine ist …« Er stockte. »Sie hatte keine Chance gegen ihn.«
LB saugte die Luft ein, sagte aber nichts.
»Hören Sie, ich bin ihm auf den Fersen. Schicken Sie mir Verstärkung!« Der Funkkontakt brach ab.

Clancy hatte sich inzwischen rettungslos verlaufen. Gänge führten in alle möglichen Richtungen, und nur mit dem mickrigen Flämmchen von Hitchs Feuerzeug konnte er nicht sehen, wo der nächste Ausgang war. Jede Tür schien nur zur nächsten zu führen. Womöglich lief er sogar im Kreis – und würde nie den Weg ins Freie finden, wie eine Fliege, die in einem Konservenglas eingesperrt war.

Hitch knipste seine spezielle Geheimagenten-Taschenlampe an. Dank ihres starken Richtstrahls konnte er die Wände des Hauptgangs anstrahlen: Gänge, die quasi im Zickzack hierhin und dorthin verliefen.
Er hatte den Grundrissplan des Museums eingehend studiert und erkannte die verschiedenen Gänge wieder. Es war

also kein Problem für ihn, sich hier zurechtzufinden, er war darauf trainiert, sich auch unter den unmöglichsten Bedingungen zu orientieren. Das Vertrackte war nur, vorherzusehen, ob ihn unterwegs irgendwelche Überraschungen erwarteten. In dem Labyrinth der Gänge war es tödlich ruhig, doch als er sich den Tresorräumen näherte, glaubte er plötzlich eine Stimme zu hören – oder besser gesagt: Stimmen.
Genau *zwei* Stimmen.

Clancy knipste das Feuerzeug wieder an. Da stand es:

AUSGANG ZUM MUSEUMSGARTEN

Na endlich, murmelte er vor sich hin, drückte die Tür auf und stolperte hinaus in die warme Nachtluft. Er war auf der Rückseite des Gebäudes gelandet. Mist, jetzt musste er um die ganze Nordseite herumrennen, um zum Twinford Square zu kommen. Er hielt das Feuerzeug hoch und suchte nach einem Weg. Da sah er etwas glänzen. Etwas Rotes, Glitzerndes. Neugierig ging er darauf zu. Es war ein roter Schuh, ein sehr kleiner roter Schuh. Ein Lächeln huschte über sein Gesicht.
Ruby, ich habe das komische Gefühl, dass du nicht tot bist. Und ich würde fast wetten, dass ich genau weiß, wo ich dich finde.

Behutsam schloss der Graf den Glaskasten wieder ab und ließ den Schlüssel in seiner Brusttasche verschwinden. Dann kam er langsam auf Ruby zu. »Miss Redfort, Sie überraschen mich. Ich weiß nicht, ob ich mich freue oder enttäuscht bin, dass Ihnen die Flucht aus dem Turm gelungen ist. Werde ich langsam nachlässig, oder sind Sie ein Genie?«
»Hmm, schwer zu sagen. Doch da ich Ihre Gefühle nicht verletzen möchte, würde ich vorschlagen, wir einigen uns darauf, dass ich ein Genie bin.«
Der Graf nickte. »Sie sind erstaunlich mutig für jemanden, der so klein und schutzlos ist – höchst bemerkenswert.«
Ruby starrte auf die Brusttasche des Grafen.
»Ich finde Sie auch höchst bemerkenswert, wissen Sie.«
Der Graf lachte. Dieses mutige Schulmädchen aus Twinford imponierte ihm wirklich – jammerschade, so ein Talent verschwendet zu sehen. »Und was kann ich für Sie tun?«
»Vorhin im Turm hatte ich das Gefühl, dass wir beide uns wirklich prächtig verstehen – Sie sind ein interessanter Gesprächspartner«, sagte Ruby und gab dem Grafen einen freundschaftlichen Rippenstoß.
»Das ist verständlich, würde ich sagen«, erwiderte der Graf. »Ein so aufgewecktes Mädchen wie Sie! Es muss eine ziemliche Last für Sie sein, derart dämliche Eltern zu haben, nicht wahr?«

Rubys Finger schlossen sich um den kleinen gläsernen Gegenstand. »Apropos dämlich ... Sie sollten etwas besser auf Ihre Wertgegenstände aufpassen. So was gerät schnell in falsche Hände.« Triumphierend hielt sie ihm den Schlüssel vor die Nase.

Einen Moment lang war der Graf perplex. »Wie zum Teufel ...?« Dann machte er eine blitzschnelle Bewegung. Doch damit hatte Ruby gerechnet. Sie warf den gläsernen Schlüssel ebenso blitzschnell über ihre Schulter nach hinten. Mit einem leisen Klirren schlug er auf dem Boden auf, irgendwo in den dunklen Schatten des Tresorraums.

Der Graf lachte. »Oh, meine liebe Miss Redfort – Sie dachten, der Schlüssel würde zerbrechen, da er aus Glas ist? Ich fürchte, da haben Sie sich getäuscht.«

Damit hatte er leider recht. Ruby war tatsächlich davon ausgegangen, der gläserne Schlüssel würde beim Aufprall in hundert Splitter zerbersten.

»Viel Spaß dabei, ihn zu finden, bevor es zwölf Uhr schlägt«, sagte sie und gab sich mutiger als sie sich fühlte.

Babyface packte Ruby an ihren Haaren. »Was soll aus ihr jetzt werden?«

Der Graf lächelte. »Du weißt schon – bring sie um!«

40. Kapitel

Schau mir in die Augen

Das Gemurmel wurde lauter: Hitch wusste, dass er der Sache näher kam. Er knipste die Taschenlampe aus und ließ sich von den Stimmen leiten. Waren es plötzlich drei? Ein dämmeriger grüner Lichtschein fiel durch einen Spalt unter einer Tür – die urplötzlich aufgestoßen wurde. Hitch fiel ein Stein vom Herzen, als er sah, wie Ruby mit Gewalt in den Gang gezerrt wurde … von niemand anderem als Babyface Marshall!
Nicht tot, dachte Hitch erleichtert, nur stinksauer.
Ruby fand es unerhört, dass jemand so grob mit ihr umsprang. »Hey, Mister, ich hasse es, wenn man mich an den Haaren zieht!«
Jawohl, sag's ihm, Kleine, zischte Hitch und griff nach seinem Revolver.

Clancy blieb im Untergeschoss gleich an der Tür stehen. Im Gegensatz zu Hitch und Ruby hatte er keine Pläne studiert, und es war höchst unwahrscheinlich, dass er sich in diesem Labyrinth zurechtfinden würde. Was sollte er tun? Hinuntergehen oder Hilfe holen?

Wie sich alsbald herausstellte, blieb ihm diese Entscheidung erspart. Eine elegante Hand griff um die Ecke und packte ihn am Kragen.
»Na, Hotelpage, suchst du etwas?«

Hitch richtete die Waffe auf Babyface und wartete nur darauf, dass dieser Ruby losließ. Nein, zu riskant. Er musste sich von hinten an den Kerl heranschleichen und einen Überraschungsangriff machen.
Aber noch wiegte Babyface sich in Sicherheit.
»Du hältst dich für ganz schön clever, hm? Clever genug, um mich auszutricksen? Dass ich nicht lache!«
»Dich auszutricksen war ein Kinderspiel«, sagte Ruby. »Mal ehrlich, Babyface, du arbeitest zu schlampig. Du solltest dein Gegenüber besser überprüfen. Mich mit einem sehr nützlichen kleinen Gerät sitzen zu lassen, einem lebensrettenden Gerät, wie du siehst, war dumm. Man muss einen Gefangenen *immer* auf lebensrettende Geräte untersuchen! Haben sie dir auf der Verbrecherschule eigentlich nichts beigebracht?«
Das hörte Babyface gar nicht gern, ganz und gar nicht gern. Er musste sich von einer kleinen Rotzgöre doch nicht sagen lassen, wie er seinen Job zu machen hatte! Er griff in seine Gesäßtasche, um sein Messer herauszuholen, aber genau in diesem Moment sprang Hitch aus der Dunkelheit. Ein gekonnter Karateschlag ins Genick – und Baby-

face Marshall sank bewusstlos zu Boden und war fürs Erste außer Gefecht.

»Schön, dich zu sehen, Kleine.«

»Wurde langsam Zeit, dass Sie auftauchen!«, sagte Ruby. »Dachte schon, Sie wollten sich den ganzen Abend nur mit belegten Schnittchen vollstopfen.«

»Belegte Schnittchen? Nein danke, die liegen mir immer zu schwer im Magen.« Er musterte sie von Kopf bis Fuß. »Alles okay mit dir, Ruby?«

»Klar doch, hab mich selten besser gefühlt«, antwortete Ruby und klopfte sich den Staub ab.

Ein leises Summen war zu hören, der Strom kam zurück, und das Licht ging wieder an. Da sahen sie Valerie Capaldi in der Tür stehen, die einen diamantenbesetzten Revolver an die Schläfe von Clancy Crew hielt.

»Oh oh, wenn das mal nicht der Meisterspion persönlich mit seinem kleinen Liebling ist!«, sagte sie höhnisch.

»Hallo, Katze«, sagte Hitch. »Hätte Sie kaum wiedererkannt – irgendwas ist anders an Ihnen. Sie wirken so … distinguiert. Was kann es sein? Die roten Haare vielleicht oder eventuell die Narbe? Steht Ihnen echt gut – verleiht Ihrem Gesicht mehr Charakter.«

Valerie Capaldi schnaubte verächtlich. »Sie werden es bald bereuen, dass Sie mich so entstellt haben. Zuerst bringe ich *Sie* um, dann den Jungen, und wenn das erledigt ist, kommt die Kleine an die Reihe. Wie klingt das?«

Sie machte keinen Spaß, das sah man ihr an.
Die Katze hob ihre kleine Waffe und zielte damit auf Hitch.
»Noch ein kurzes Abschiedswort?«, fragte sie zynisch.
»Mal überlegen«, sagte Hitch. »Ich bin mir sicher, dass mir gleich etwas Gutes einfällt.«
Ruby tastete nach der Hundepfeife, die sie um den Hals trug.
Die Katze zielte. »Ein Jammer, dass ich Ihren hübschen Anzug gleich ruinieren werde.«
Ruby führte das Pfeifchen verstohlen an ihren Mund und holte leise Luft.
»Bedauere, aber meine Geduld ist zu Ende«, sagte die Katze und lachte. »Schau mir in die Augen – sie sind das Letzte, was Sie sehen.«
»Nicht ganz!«, rief Ruby.
Capaldi hatte den Eindruck, Rubys Stimme käme von irgendwo hinter ihr, und sie wirbelte überrascht herum. Hitch nutzte seine Chance und wollte ihr den mit Diamanten besetzten Revolver aus der Hand reißen.
Allerdings ließ die Katze ihre Waffe nicht los. Es kam zu einem Handgemenge. Die Katze schlug mit ihren krallenähnlichen Fingernägeln um sich und erwischte Hitch im Gesicht. Überall war Blut. Clancy bekam kaum noch Luft, denn mit ihrer anderen Hand hielt sie ihn eisern am Hals fest.
Plötzlich löste sich ein Schuss.

Valerie Capaldis fieses Lächeln verwandelte sich in Verblüffung. Sie ließ Clancy los, griff sich ans Herz und schaute Hitch ungläubig an. »Sie … Sie haben mich getötet!«, stammelte sie und sank zu Boden. Der diamantene Revolver in ihrer linken Hand lag plötzlich in einer Blutlache.

Für einen kurzen Moment standen alle drei wie erstarrt da. Hitch hatte schon so häufig mit der Katze gekämpft, die ihm immer in letzter Sekunde entkommen war – verletzt, aber noch lebend. War es nun wirklich vorbei?

Nein, war es noch nicht. Denn da stürzte sich Babyface Marshall mit einem Wutschrei auf Hitch und warf ihn der Länge nach auf den Boden.

Der Schlüssel! Der Graf!

Ruby nutzte die Gunst der Stunde. »Bin gleich wieder da, Clance. Muss nur schnell was erledigen.«

»Ruby, bleib hier!«, schrie er ihr nach.

Hitch rief auch etwas, doch Ruby konnte es nicht verstehen. Die Zeit drängte – nach ihrer Uhr war es eine Minute vor Mitternacht! Da die Lichter wieder angegangen waren, hatte der Graf den gläsernen Schlüssel sicher bereits gefunden – und der Buddha war eventuell schon weg.

Mit einem Affenzahn raste sie zum inneren Tresorraum und kam gerade noch rechtzeitig, um zu sehen, wie der Graf mit beiden Händen in den Glaszylinder griff. Verblüfft riss er den Kopf herum, als Ruby auch schon ihren Holzclog vom Fuß riss und ihm mit voller Wucht an den Kopf

warf. Er traf ihn mitten ins Gesicht, und der Graf verlor das Gleichgewicht – nur für eine Sekunde, doch es reichte aus. In diesem Moment schlug die Uhr Mitternacht, ein Surren war zu hören, und der Glaszylinder schoss samt Inhalt durch die Decke.
Der Graf stieß einen Wutschrei aus, als der Buddha so schlagartig nach oben entschwand. Für eine Sekunde war der Tresorraum wieder in pechschwarze Dunkelheit gehüllt, und als die Lichter flackernd wieder angingen, war der Tresorraum leer – und der Graf verschwunden. Alles, was noch da war, war der kleine gläserne Schlüssel, der auf den Steinfliesen glänzte.
Wo ist er? Ruby blickte sich ratlos um. Er muss noch irgendwo hier sein – er wäre nie im Leben unbemerkt an mir vorbeigekommen!
Aber der Graf schien sich buchstäblich in Luft aufgelöst zu haben.

Plötzlich wimmelte es in den Gängen von Agenten und Sicherheitsleuten. Als Ruby den inneren Tresorraum verließ, sah sie, wie Babyface Marshall zu einem bereits wartenden Polizeiauto geführt wurde, in Handschellen und mit blutiger Nase. Er bot keinen sehr schönen Anblick.
»Dich krieg ich noch, du Rotzgöre«, knurrte er, als er Ruby erblickte. »Wart's ab!«
»Erzähl's dem Haftrichter, Babyface!«, rief Ruby ihm nach.

»Hey, Ruby!« Keuchend kam Clancy auf sie zugerannt. Er ruderte auf die typische Clancy-Art mit den Armen und wippte irgendwie auf und ab. »Mann, bin ich froh, dich zu sehen! Ich dachte schon, du … du wärst … du weißt schon.«

»In die ewigen Jagdgründe eingegangen?«, sagte Ruby und grinste. »Nö, nicht ich, Clance, mein Freund – da braucht es schon mehr als ein einziges böses Superhirn, damit ich den Löffel abgebe oder aus den Latschen kippe!«

»Ah, da fällt mir etwas ein«, begann Clancy. »Ich habe deinen Clog gefunden!«

»Sieh an! Ich hatte mich schon gefragt, wo der abgeblieben ist – sieht ganz so aus, als wären sie doch mit den roten Schuhen von Dorothy aus dem *Zauberer von Oz* verwandt. Meine Brille hast du nicht zufällig auch gefunden? Diese Kontaktlinsen bringen mich noch um!«

Plötzlich spürte sie eine Hand auf ihrem Kopf, die ihre Haare verstrubbelte. »Hey, Ruby, lange nicht gesehen, hm?«

Ruby hob den Kopf und blickte in das freundliche Gesicht von Agent Blacker.

»Hab mir gedacht, dass du eventuell Appetit auf einen Donut mit Marmeladenfüllung hast«, sagte er und drückte ihr eine braune Papiertüte in die Hand. »Wenn man gerade dem Tod von der Schippe gesprungen ist, hat man meistens einen Mordsappetit.«

»Hey, Sie können Gedanken lesen«, sagte Ruby.
Hitch stand etwas abseits und redete gerade in seinen Uhrentransmitter. Er sah etwas lädiert aus, vielleicht sogar erschöpft, hatte aber zu seiner coolen, lässigen Art zurückgefunden. »Ja, Babyface wurde festgenommen und gerade abgeführt.«
»Und die anderen?«, fragte LB.
»Die Capaldi hat ihre sieben Leben offenbar aufgebraucht. Aber der Graf hatte leider Glück – er ist uns entwischt.«
»Wie immer …«, seufzte LB.
»Moment noch«, sagte Hitch. »Hier ist jemand, der Ihnen hallo sagen möchte.« Er hielt die Uhr an Rubys Mund.
»Hey, LB, ich muss mich beschweren. Diese technischen Spielereien, die Sie so haben … wussten Sie, dass manche die eine oder andere Macke haben? Es hätte nicht viel gefehlt, und ich wäre erledigt gewesen, glauben Sie mir! Sie können froh sein, dass ich so zäh und widerstandsfähig bin.«
Die Kleine lebt noch? Für die Dauer eines Herzschlags verschlug es LB die Sprache – aber wirklich nur für *einen* Herzschlag! Schon eine Sekunde später hatte sie sich wieder gefasst. »Ich vermute, du sprichst von den Bradley-Baker-Spezialgeräten, die du gestohlen hast? Die sind uralt und längst überholt, Redfort – was erwartest du da?«
»Es sind Bradley-Bakers-Spezialgeräte? Woher wissen Sie überhaupt, dass ich die habe?«

»Ich bilde mir ein, dass ich fast alles weiß.«
LB legte auf, stieß einen tiefen Seufzer aus und lächelte vor sich hin. Erstaunlich, die Kleine!, dachte sie.

* * *

Ganze Scharen von Menschen hatten sich auf dem Square versammelt: Feuerwehrleute, Fernsehteams, sämtliche Einwohner von Twinford, und als gerade niemand herschaute, stahl sich Ruby unter dem polizeilichen Absperrband hindurch und huschte die Stufen zum Eingang des Museums hinauf. Die Eingangshalle war menschenleer, und ihre Schritte hallten auf den Marmorfliesen wider, als sie zielstrebig zu dem großen Saal ging, um sich den Jadebuddha von Khotan noch einmal in Ruhe anzusehen. Tatsächlich – da stand er und verströmte wieder sein geheimnisvolles grünes Licht. Und davor stand Rubys Vater.
»Dad?«
»Hey, Ruby, sehe ich schon klüger aus?«
Ruby legte den Kopf schief. »Nein, nur grüner.« Brant Redfort war der Glückliche, der dem Jadebuddha von Khotan um Punkt Mitternacht in die Augen hatte blicken dürfen – kein Wunder, denn er war nun mal von Natur aus ein Glückspilz.
»Ist er nicht wunderschön?« Seine Stimme klang richtig verträumt, fast wie hypnotisiert. »Schau ihm in die Augen!«

Und Ruby tat wie ihr geheißen.
Da erkannte sie, dass der Jadebuddha von Khotan wirklich etwas ganz Besonderes war.
Vater und Tochter standen eine Zeitlang schweigend da und bestaunten den Buddha, bis Ruby plötzlich etwas einfiel. »Sag mal, was machst du hier? Ich dachte, alle seien draußen, um aufzupassen, dass die Bank nicht ausgeraubt wird.«
»Ich kam noch mal herein, weil ich nach dir gesucht habe, Schatz. Deine Mutter und ich wussten nicht, wo du warst. Wir haben überall nach dir gesucht – und ich dachte, dass du dich vielleicht irgendwo im Museum verlaufen hast …«
»Da bist du ja, Ruby!«, kam Sabinas aufgeregte Stimme vom anderen Ende des großen Saals. Sie wollte sich gerade über Rubys Aussehen aufregen, besonders über ihr T-Shirt, auf dem inzwischen nur noch SITZE VOLL zu lesen war, das IN DER KLEMME war mit Dreck, Blut und Sand verschmiert. Doch komischerweise kam etwas ganz anderes aus ihrem Mund: »Du meine Güte! Wie wunder-wunderschön!«
Und das war der Buddha wirklich: für Worte eigentlich viel zu schön!
Das familiäre Schweigen sollte jedoch nicht lange dauern: Während die Redforts noch tief in die Betrachtung des Buddhas versunken waren, ertönte plötzlich eine strenge Stimme.

»Ruby Redfort! Da werde ich ausnahmsweise mal für einige Wochen entführt, und was passiert? Wie um alles in der Welt läufst *du* denn herum?«

Es war Mrs Digby, die sich mächtig herausgeputzt hatte. Sie trug eines von Mrs Redforts Abendkleidern und eine Nerzstola um die Schultern. Neben ihr stand ein kleiner Mann mit einem gewaltigen Schnurrbart.

»Mrs Digby!«, rief Ruby und strahlte wie ein Honigkuchenpferd. »Sie sehen HAMMER aus!«

Die Katzenfrau

Ruby und Clancy standen vor dem Haus der alten Mrs Beesman.

Clancy spähte über den Zaun auf das Gerümpel im Hof. Mann o Mann, die reinste Müllhalde!

»Muss es wirklich sein?«, fragte er.

»Clance, du hast mich da reingeritten, indem du meiner Mom erzählt hast, ich sei so *super*nett, dass ich der alten Mrs Beesman freiwillig helfe. Deswegen muss ich jetzt wohl oder übel auch supernett *sein*.«

Clancy seufzte. »Ich wollte dir doch nur ein Alibi geben, Ruby.«

»Ich weiß«, sagte Ruby und boxte ihn kumpelhaft an den Arm. »Aber das nächste Mal schalte lieber erst dein Gehirn ein, bevor du dein großes Maul aufreißt!«

Clancy krauste die Stirn. »Meinst du, sie ist überhaupt damit einverstanden, dass wir ihren Hof entrümpeln?«

»War nicht leicht, sie zu überreden«, sagte Ruby. »Aber dann hatte ich sie soweit.«

Sie wollten gerade das Tor aufstoßen, als plötzlich ein Piepen aus Rubys Richtung kam.

»Bei dir piepst's«, sagte Clancy.
Ruby schob den Ärmel hoch, und Bradley Bakers Uhr kam zum Vorschein, die Ruby immer noch am Handgelenk trug. Die Fliege darauf leuchtete blau auf. In dem ganzen Chaos von letzter Nacht hatte Ruby ganz vergessen, sie Hitch auszuhändigen. Etwas beklommen drückte sie nun auf den Sprechknopf und hielt sich die Uhr ans Ohr.
»Wo bist du?«, fragte eine raue Stimme.
Ruby schluckte. Sie hatte, ehrlich gesagt, keine große Lust, mit einer zornigen LB zu reden. »Hören Sie, tut mir leid wegen der Uhr und der Pfeife – ich verspreche Ihnen, ich werde sie Hitch geben, bevor er von uns weggeht.«
»Zu spät, Redfort«, blaffte LB. »Er ist bereits wieder bei Spektrum.«
Ruby wurde traurig. *Genau wie die alte Mary Poppins,* dachte sie, *ist er sang- und klanglos verschwunden.* »Er hätte mir wenigstens Tschüs sagen können«, murmelte sie.
»Tschüs? Was soll das heißen?«, sagte LB. »Ich wollte nur, dass er mir die Uhr mitbringt, damit einer unserer Techniker sie sich ansehen kann. Was soll eine Agentin mit einem Spezialgerät anfangen, das nicht fehlerfrei funktioniert?«
Rubys Magen schlug einen Purzelbaum, aber ihr Gehirn konnte auf die Schnelle mit LBs Worten nichts anfangen.
»Diese Woche hast du frei, Redfort, aber ich erwarte, dass du in genau sieben Tagen um sechs Uhr morgens hier an-

trittst – und keine faulen Ausreden oder Entschuldigungsbriefe von Mami. Verstanden?«

Ruby stand auf der Leitung. »Diese Woche frei?«, wiederholte sie dümmlich. »Frei von was, bitte?«

»Du wolltest doch Geheimagentin werden, oder? Tja, das erfordert eine Menge Training. Hitch wird das übernehmen, also hör auf das, was er dir sagt.« LB räusperte sich, ehe sie noch hinzufügte: »Die Fluchtuhr kannst du behalten, aber pass gut auf sie auf. Sie hat einst einem guten Freund von mir gehört.«

»Sie können sich auf mich verlassen«, versprach Ruby.

»Das hoffe ich«, sagte LB. Sie machte eine Pause. »Oh, und übrigens – das war gute Arbeit, Kleine.«

WAS ICH WEISS UND NICHT WEISS

....

Okay, ich wette, du fragst dich, was aus Groete geworden ist. Nun, er sitzt ziemlich tief in der Tinte, weil »ein guter Geheimagent den Ball keine Sekunde aus den Augen verlieren darf«, wie LB sagte. Ich glaube, er wurde für die nächsten sechs Monate zu einem Kaffee-und-Donut-Einsatz verdonnert. Das ist Spektrum-Slang für einen Observierungsjob.

Warum heißt Summsumm Summsumm? Ganz einfach:

Was der Graf mit seinem kleinen Laserlicht so interessiert betrachtete, kann ich leider nicht sagen – wer weiß, ob wir es jemals herausfinden, aber ich würde wetten, dass er nicht versucht hat, das Geheimnis für Weltfrieden zu ergründen.

Clancy hat eine dumpfe Vorahnung, dass wir diesem Kerl nicht zum letzten Mal begegnet sind. Und ich denke, er hat recht.

RUBY REDFORT

Lösungen

Es handelt sich um eine Verschlüsselung nach dem Vigenère-Code.
Das Schlüsselwort heißt Fliege.

S. 44: Mich juckt's jetzt schon wegen der doofen Tomaten

S. 45: Hoffe, deine Salbe hilft!

S. 79: Ha! Das mit der gebrochenen Zehe stimmt gar nicht!
Machst du neuerdings einen auf Lügendetektor?

Falls du Probleme mit dem Code von Ruby und Clancy hast, geh zu www.einklich.net/etc/vigenere.htm – dort findest du Hilfe.

Der Spektrum-Agenten-Test

(1) Zuerst bringst du Trunch über den Fluss, denn Asimov und Carlucci kann man getrost zusammen lassen. Anschließend bringst du Asimov rüber, doch da sich Asimov und Trunch nicht vertragen, musst du Trunch wieder mit zurücknehmen. Anschließend bringst du Carlucci auf die andere Seite. Zum Schluss fährst du ein letztes Mal rüber und holst Trunch. Nun sind alle sicher auf der anderen Seite angelangt.

(2) Leg jeweils drei Barren auf jede Waagschale. Wenn sie im Gleichgewicht sind, dann ist der Goldbarren, den du nicht daraufgelegt hast, die Fälschung. Falls du nicht auf Anhieb Glück hast, nimm dir die drei Barren vor, die auf der leichteren Seite waren. Wiege zwei davon. Sind sie gleich schwer, ist der dritte, den du gerade nicht wiegst, die Fälschung. Andernfalls ist es natürlich der leichtere der beiden Barren auf den Waagschalen.

(3) 42

Dank

Ein ganz besonderer Dank geht an meine Verlegerin und Herausgeberin Ann-Janine Murtagh, für ihre Hilfe und Unterstützung in den vielen Jahren, in denen ich mit Nachdenken und schließlich mit dem Schreiben dieses Buchs beschäftigt war. Es gibt bestimmt nicht viele Verleger, die hartnäckiger sind als sie, und darüber bin ich sehr froh. Ich möchte mich auch bei Adrian Darbishire und Rachel Folder bedanken, die das Manuskript immer und immer wieder gelesen haben, zahllose Plotoptionen mit mir durchsprachen und selbst auch etliche gute Ideen beisteuerten. Danke an Pete Lambert, Lucy Mackay und John Perella, die sich ad nauseam über Ruby Redfort unterhalten haben. David Mackintosh danke ich für sein schönes und einfühlsames Design, und Nick Lake für sein gründliches und sorgsames Lektorat. Und zum Schluss bedanke ich mich auch noch ganz, ganz herzlich bei Trisha Krauss und Lucy Vanderbilt, die mir die amerikanische Sprechweise näherbrachten.

Ruby Redforts nächster Einsatz führt die jüngste Geheimagentin der Welt in die Tiefe des Meeres. Hier kannst du schon einmal in das neue Abenteuer reinlesen …

Leseprobe

Schon ein einziger Tropfen kann dein Leben retten

Ganz leicht war es natürlich nicht, noch zur Schule zu gehen und sozusagen im Nebenberuf als Geheimagentin tätig zu sein. Und das größte logistische Problem bestand für Ruby darin, unterrichtsfrei zu bekommen, um ihren Geheimdienstaufgaben nachzugehen.
Aber was wäre das Leben ohne Herausforderungen? Ruby Redfort war eine echte Überredungskünstlerin und konnte den Leuten fast alles weismachen – na ja, zumindest den meisten. Dabei vermied sie es tunlichst, die Unwahrheit zu sagen, sie verschwieg lieber das eine oder andere Detail. Ihre Taktik bestand darin, gewisse Einzelheiten auszulassen und sich vage auszudrücken; dann war es kein Lügen, sondern eher ein sparsamer Umgang mit Fakten. Was den Tauchkurs betraf, den sie im Moment besuchte, so glaubten ihre Freunde, sie mache mit ihrer Familie Osterurlaub. Dabei hatte Ruby nie behauptet, sie würde mit ihrer Familie verreisen; sie hatte auch nichts von einem Urlaub erzählt; ihre Freunde hatten sich einfach aus Rubys sparsamen Erklärungen etwas zusammengereimt und waren von allein zu diesem Schluss gekommen.

Rubys Eltern dagegen glaubten, ihre Tochter nehme an einem von der Schule organisierten Tauchkurs teil. »Eine einmalige Gelegenheit« – mit diesen Worten hatte Ruby ihnen diesen Kurs verkauft. Sie hatte nicht ausdrücklich gesagt, dass er von ihrer Schule organisiert wurde, aber so wie Ruby ihnen davon erzählt hatte, waren sie davon ausgegangen.

REGEL 65: DIE LEUTE GLAUBEN, WAS SIE GLAUBEN WOLLEN.

Mit anderen Worten: Wenn sie *denken*, dass du einen von der Schule organisierten Tauchkurs machst, vermuten sie dich auch dort.

Einzelunterricht hatte Ruby bei Agentin Kekoa. Ruby hatte Kekoa nie anders gesehen als im Sportbadeanzug oder im Taucheranzug, die langen schwarzen glatten Haare stets zurückgebunden, weil es vermutlich die praktischste Lösung war.

Kekoa war eine energische, eher wortkarge Frau, als redselig konnte man sie jedenfalls nicht bezeichnen. Sie sprach nur, wenn es tatsächlich etwas zu sagen gab. Vielleicht hatte sie sich das beim Tauchen angewöhnt, wo man ja nicht reden kann. Vielleicht hatte sie aber auch einen Beruf gewählt, der ideal für jemanden war, der nicht viele Worte machte.

Ruby dagegen quasselte für ihr Leben gern – manchmal fiel es ihr echt schwer, die Klappe zu halten, und deshalb kam sie mit Agentin Kekoas ruhiger Art nicht so gut klar.

»Aber was ist, wenn ich dringend etwas sagen muss? Ganz dringend, meine ich?«, fragte Ruby.
»Handzeichen«, erwiderte Kekoa.
»Ja, aber mal ehrlich, wie viele Handzeichen gibt es insgesamt?«
»Genügend.«
»Aber was ist, wenn ich etwas sagen muss, für das es kein Handzeichen gibt?«
»Dann heb's dir für später auf.«
»Soll das heißen, dass es kein Spezialgerät gibt, mit dem man unter Wasser reden kann?«
»Doch, gibt es«, erwiderte Kekoa, »aber ich benutze es nicht. Es ist viel besser, wenn man mit den Ohren, Augen und Händen zuhört; benutze all deine Sinne und lass den Mund zu. Einfach ...« Kekoa hielt sich den Zeigefinger an die Lippen. Das war eine klare Ansage: *Behalt's für dich* oder *Halt die Klappe* – je nachdem, wie viel Höflichkeit man von ihr in einer bestimmten Situation erwartete.
Mit einem Schulterzucken steckte sich Ruby den Atemschlauch in den Mund und verschwand unter den Wellen. Kekoa hatte natürlich recht. Handzeichen oder andere Signale erfüllten auch ihren Zweck – hier in der Tiefe bedurfte es keiner Worte, und obwohl Ruby ein mitteilsamer Mensch war, genoss sie die Unterwasserwelt, in der es ganz andere Geräusche gab als Stimmen.

Als Ruby und Kekoa in die Tiefen des Ozeans vordrangen, sahen sie eine unglaublich faszinierende Wasserflora und -fauna, kamen an Korallenburgen vorbei und trafen auf Meeresbewohner, die zum größten Teil atemberaubend schön waren, ein paar wenige von ihnen giftig und etliche beides zugleich. Es war nützlich, den Unterschied zu kennen, doch die wichtigste Regel lautete: Nicht anfassen! Die Berührung einiger dieser Kreaturen führte zu höllischen Verbrennungen und konnte manchmal sogar lebensgefährlich sein.

Sollte man allerdings das Pech haben, mit giftigen Tentakeln in Berührung zu kommen, war das kein Weltuntergang: Jeder Spektrum-Agent war mit einer winzigen Ampulle eines Gegengifts namens Miracle ausgestattet, das bei sofortiger Einnahme lebensrettend war. Es war in einem kleinen fluoreszierenden, orangefarbenen Beutelchen, mit einer winzigen Fliege als Logo, und musste stets am Zipper des Reißverschlusses des Taucheranzugs befestigt sein. Dort sah es sehr unauffällig aus, fast so, als gehörte es mit zum Design und sei ein Zieranhänger.

Auf dem Label stand:

> GEGENGIFT BEI TÖDLICHEN
> UNTERWASSERVERLETZUNGEN
> Wirkt nur bei sofortiger Einnahme.
> ENTHÄLT 1 DOSIS.

Gefolgt von der Anweisung:

> Am Reißverschluss des
> Taucheranzugs befestigen
> und NIEMALS ENTFERNEN!

Kekoa hatte ihr das mehrfach eingeschärft. »Das Ding muss immer am Reißverschluss deines Taucheranzugs hängen. Nimm es ja nie ab. Die paar Tropfen, die drin sind, könnten die wichtigste Flüssigkeit sein, die jemals über deine Lippen kommt, verstanden?«
Ruby hatte genickt. Sie hatte nicht die Absicht, sich von dieser kleinen lebensrettenden Tinktur zu trennen – warum auch? Nur ein kompletter Idiot würde absichtlich auf einen Teil seiner Ausrüstung verzichten, der ihm das Leben retten könnte.
Nachdem Ruby die Grundkenntnisse des Tauchens erlernt hatte, durfte sie zu den Feinheiten übergehen. Sie lernte, wie man sich unter Wasser orientierte, bei Tageslicht oder im Mondschein, und schließlich auch, wie man sich in pechschwarzer Dunkelheit durch eine Unterwasserhöhle bewegte. Dieser letzte Punkt war das Einzige, was Ruby zu schaffen machte.
Kleine enge Räume. Räume, in denen eventuell zu wenig Luft war. Räume, in denen man eventuell nach Luft ringen musste. Räume, in denen man sterben könnte.

Schon bei dem Gedanken daran brach Ruby der Angstschweiß aus, denn sie litt an *Klaustrophobie* – auch Platzangst genannt.
Wie Ruby schnell herausfand, war es für jemanden, der an Klaustrophobie litt, eine fast übermenschliche Herausforderung, sich in eine Unterwasserhöhle zu wagen. Beim Höhlentauchen ging es zuerst einmal darum, den Zugang zu finden, oft nur eine Felsspalte, die zu einer verborgenen Höhle führte, an einen Ort, der nur von Meerestieren bewohnt war. Diese Felseingänge waren nicht selten unglaublich schmal und eng, und nur wer sich entsprechend verrenken konnte und die nötige Geschicklichkeit besaß, schaffte es hinein und danach hoffentlich auch wieder heraus. Worauf man achten musste, um anschließend wieder ins Freie zurückzufinden, war natürlich ein wichtiger Teil des Trainings. Ruby war nur selten in ihrem Leben dankbarer gewesen, etwas zu lernen.
Je weniger Zeit sie in Unterwasserhöhlen verbringen musste, desto besser – ehrlich gesagt, hoffte sie von ganzem Herzen, dass ihr dieses Schicksal für immer erspart bleiben würde und sie nie in eine dieser tückischen Höhlen schwimmen müsste.
Doch es ist allgemein bekannt, dass nicht alle Wünsche wahr werden ...

Die englische Originalausgabe erschien 2012 unter dem Titel ›Ruby Redfort – Take your last breath‹ bei HarperCollins Children's Books, London

Die deutschsprachige Ausgabe erschien 2014 unter dem Titel ›Ruby Redfort – Kälter als das Meer‹
Aus dem Englischen von Anne Braun

ISBN 978-3-596-85546-9

Die jüngste Geheimagentin der Welt!

Lauren Child
Ruby Redfort – Gefährlicher als Gold
448 Seiten. Gebunden

Lauren Child
Ruby Redfort – Kälter als das Meer
496 Seiten. Gebunden

Lauren Child
Ruby Redfort – Schneller als Feuer
544 Seiten. Gebunden

Lauren Child
Ruby Redfort – Dunkler als die Nacht
ca. 496 Seiten. Gebunden

Das gesamte Programm gibt es unter
www.fischerverlage.de

fi 555 132 / 2